P9-ELT-066

NARRATORI MODERNI

PEDRO CHAGAS FREITAS

PROMETTO DI SBAGLIARE

Traduzione di
PAOLA D'AGOSTINO

Garzanti

Prima edizione: agosto 2015

Per essere informato sulle novità del Gruppo editoriale Mauri Spagnol visita:
www.illibraio.it

Traduzione dal portoghese di
Paola D'Agostino

Titolo originale dell'opera:
Prometo falhar

ISBN 978-88-11-67067-4

Printed in Italy

www.garzantilibri.it

PROMETTO DI SBAGLIARE

A Barbara. Perché tutto

«COMINCIAI ad amarti il giorno in cui ti abbandonai.»

Furono le parole di lui quando, dieci anni dopo, la incontrò per puro caso in un caffè. Lei sorrise, gli disse: "Ciao, ti amo" ma le labbra dissero soltanto: «Ciao, tutto bene?». Rimasero per ore a chiacchierare, finché lui – in queste cose era sempre lui a perdere la vergogna, per quanto grande fosse la vergogna che provava per ciò che aveva fatto ("Come mi è saltato in mente di lasciarti? Come ho potuto essere così imbecille da non capire che c'era in te tutto quello che cercavo?") – le disse con tutta la naturalezza del mondo che voleva andare a letto con lei. Lei dapprima pensò di prenderlo a schiaffi e poi amarlo tutto il pomeriggio e tutta la notte, poi pensò di fuggire via e amarlo tutto il pomeriggio e tutta la notte, e infine decise di non dire nulla e, lentamente, nascondendosi le lacrime negli occhi, lo abbandonò nello stesso modo in cui l'aveva abbandonata lui dieci anni prima. Non era una vendetta e neppure un castigo: semplicemente capì che era così perduta dentro quello che sentiva, che doveva allontanarsi da lui e tornare in sé. Pensò che probabilmente era la stessa cosa che le era successa quel giorno lontano in cui l'aveva lasciata, sola e sprofondata nel dolore, a terra, per non tornare mai più.

«Di tutto ciò che amo, sei tu quello che più mi appassiona.»

Furono le parole di lei, pochi minuti dopo, quando lui, ostinato, la seguì fino in fondo alla strada all'ora di punta. Se ne stavano l'uno di fronte all'altra, la gente passava loro accanto senza capire che lì si decideva il futuro del mondo. Lui disse: "Ho sposato un'altra per poterti amare in pace". Lei disse: "Ho sposato un altro perché ci fosse un rumore a silenziarti in me". In verità nessuno dei due disse nulla di tutto ciò, perché nessuno dei due era poeta. Ma ciò che le parole dell'uno («Sono pazzo di te») e le parole dell'altra («Sono pazza di te») dissero fu esattamente questo. La strada si fermò, allora, dinanzi al loro abbraccio. Nessuno avrebbe mai pensato di considerare quell'abbraccio come un abbraccio di tradimento fra due persone sposate. Tutti compresero, lì e subito, che l'unico tradimento sarebbe stato non abbracciare quell'abbraccio, per quanti documenti ci fossero a provare il contrario. Non si sposarono mai né mai divorziarono. Non volevano perder tempo con carte inutili. Le uniche carte che firmarono, ogni giorno, furono quelle delle poesie che, religiosamente, si lasciavano l'un l'altro nei più reconditi angoli della casa. Non erano grandi opere e terminavano, senza alcuna variazione possibile, sempre nello stesso modo: «Ti amo». Non ricevettero mai alcun elogio dai critici letterari, il che li irritava non poco. Seppero, molti anni dopo, che la società li aveva rinnegati. Li chiamavano «i fuggitivi», proprio così. E su questo punto erano d'accordo anche loro. Sapevano entrambi che la loro fuga durava da dieci anni. E che era troppo tempo.

«Sì, lo voglio», furono le parole di lui quando lei, in municipio come si conveniva, gli chiese se voleva non sposarla mai.

UN TEMPO ero quasi miliardario, sai?

Avevo tua nonna, la donna più bella del mondo, non c'è dubbio. Sono sicuro che Dio l'abbia portata via perché era geloso, te l'ho già detto?

La nostra casa, tutta la vita davanti, tanti sogni, credevo che un giorno sarei arrivato alla Luna, guarda tu, e ci sono andato vicino, se vuoi che te lo dica. Ma questa storia te la racconto domani, oggi no.

Lavoravo all'ufficio delle imposte e la gente aveva bisogno di me, non ho mai corso rischi, se non al volante, confesso. Sono arrivato a superare i 120 nella piazzola del distributore di benzina con la mia Mini, ma non dirlo a tuo padre, ché l'ho sempre martellato perché andasse piano. È il nostro segreto, va bene? Incrocia le dita con me, dài!

Poi è nato Afonso. Un bel ragazzone, il mio bambino. Quando me lo misi tra le braccia credetti nella vita eterna, guarda tu, pensai che una cosa del genere non potesse finire, e forse non è finita, è il mondo intorno che è cambiato.

In cinquant'anni di lavoro non ho mai sbagliato un orario, ero il primo ad arrivare e l'ultimo ad andar via. Se con questa diavoleria dell'informatica riesci a indagare, scoprirai che sono mancato due volte in cinquant'anni, una per via di un piccolo incidente in macchina, e l'altra perché mi dimenticai di puntare l'orologio sull'orario estivo e poi ebbi vergogna di arrivare in ritardo.

Dov'è questa vergogna al giorno d'oggi? Abbiamo tante cose, cellulari, Internet, e perdiamo la vergogna, ma che ci guadagniamo?

Mio padre è morto.

La morte ci entra negli occhi come una polvere invisibile. Cerca di capire. Hai una persona e poi smetti di averla. Il dramma della vita è che ci sono vite impiantate dentro la nostra, siamo la congiunzione di diversi pezzi e perdere qualcuno è come un'amputazione. Ti sei mai immaginato senza una mano all'improvviso? Fa male, molto di più che rimanere all'improvviso senza Chocapic, il tuo peluche, solo per darti un'idea.

E anche quel giorno andai al lavoro, seppellii mio padre e ritornai in ufficio. Credevo nella ricchezza del servire, nella competenza, sono stato un professionista esemplare, un capofamiglia esemplare.

Quando nacque tuo padre mi sentii un re, e non è così che ogni padre dovrebbe sentirsi?

Con questa casa piena di vita, i suoni, gli odori. Tua nonna era la cuoca migliore del mondo, non c'è dubbio. Ti ho già detto che secondo me Dio l'ha portata via per poter mangiare bene?

Vedi quel comò lì accanto a te? Lo comprai a sorpresa, avevo appena ricevuto la tredicesima e volevo essere felice.

E voglio ancora esserlo, sai? La cosa peggiore è che non smettiamo mai di voler essere felici ed è quel che ci manca sempre più. Ma non dirò cose tristi, di triste mi basta già la faccia della tua maestra, al diavolo quella donna che non ride mai, vero? Ora c'è questa moda della pedagogia e pare non si possano più dire queste cose, ma che ne sanno loro di che significa educare un bambino?

A tuo padre ho insegnato tutto io e guarda che uomo si è fatto! È una frottola questa pedagogia, l'importante è amare, e io ti amo molto, piccolo Diogo. E allora portai qui il comò e tutta la casa si riempì e fu contenta di me, Afonso e tuo padre mi aiutarono a montarlo, ci vollero tre ore buone.

La vita in fondo può non essere nient'altro che tre ore buone, goditele tutte le volte che puoi quelle tre ore, me lo prometti?

Tutto questo per dirti che un tempo ero quasi miliardario. Basta una casa piena a non farci mancare nulla, e un miliardario è proprio questo, un miliardario è uno che ha tutto ciò che vuole, no? Io avevo tutto, quando chiudo gli occhi ho ancora tutto, ma a volte gli occhi bisogna aprirli, come adesso.

Il mio impiego, mia moglie, la sposa migliore del mondo, non c'è dubbio, sono sicuro che Dio l'abbia portata via per avere qualcuno con cui sposarsi, te l'ho già detto?

È arrivato tuo padre, proprio ora che volevo parlarti di quello che accadde quando ero quasi miliardario. Ora vai, c'è una riunione da qualche parte e lui deve andarci, lo capisco, ma mi costa non dirglielo. Ha una riunione alle sette e nel frattempo ti lascerà a casa di un amico lungo la strada.

Io non l'ho mai lasciato a nessuno lui, l'ho portato tante volte in ufficio con me e gli piaceva da morire. Giocava con i computer, mi chiedeva cosa fosse il denaro e a cosa servisse, e detto tra noi vorrei che ora avesse quello stesso dubbio. Magari così passerebbe più tempo con noi, tu, io e lui a questa tavola, il caminetto acceso, sarebbe bene chiedergli della sua vita, che cosa fa, cosa sente, cosa sogna.

Non so nulla di quello che tuo padre desidera, sospetto addirittura di non sapere nulla di che cosa tuo padre sia diventato, sono passati così tanti anni dall'ultima volta che gli ho detto: «Ti voglio bene».

Ti voglio bene, figlio mio, tu mi vuoi bene?

Ed è già andato via e sei già andata via anche tu, moglie mia. La casa intera, quieta, il comò impolverato, perfino il comò sente la tua mancanza, mia principessa, mia regina. In che cosa abbiamo sbagliato per finire così? Tu morta e io da solo. Chi è stato il primo a morire, poi?

Eccomi qua, ogni tanto tengo con me il piccolo Diogo, l'hai visto uscire poco fa? È già un ometto, vero? La piccola Carla non viene da settimane, fa già la terza, figurati! Ma non c'è tempo, mi dicono, e io ci credo, devo crederci per andare avanti, lo sai.

Eri la persona migliore del mondo, non c'è dubbio, sono convinto che Dio ti abbia portata via solo per sentirsi una creatura migliore, te l'ho già detto?

Ero quasi miliardario e il tempo mi ha portato via tutto, te per prima. Ti amo, mia signora, tu mi ami?

Poi i figli, il loro tempo, almeno. Poi mi hanno mandato in pensione e hanno ucciso un pezzo di me, e figurati che ora mi hanno anche tolto un bel po' di euro a fine mese e non so se riuscirò a pagare le medicine. Tu non hai fatto in tempo a diventare vecchia, che fortuna. La vita non si misura in giorni, ora lo so, la vita si misura in farmacie.

C'è un governo che vuole ridurre il deficit, non chiedermi cosa significhi ché non lo so neppure io. Consiste sostanzialmente nel rubare ai poveri per dare ai ricchi, questo lo dico io che non ci capisco niente e sono soltanto un reazionario. I cattivi non cambiano mai, vero? E allora per ridurre questo famoso deficit mi tolgono via via quello che mi resta, non voglio chiedere soldi ad Afonso né a Carlos, Dio me ne liberi ché ho la mia dignità, me la cavo come posso. Un tempo ero quasi miliardario e ora sono quasi morto, fa molto male ma è sopportabile, mi spaventano soprattutto i segreti del buio, perciò esco fuori a incontrare lo spazio in cui finisce il silenzio, in strada c'è abbastanza rumore perché si possa piangere senza che nessuno se ne accorga, vieni con me?

Sei la migliore compagna del mondo, non c'è dubbio. Ti ho già detto che secondo me Dio ti ha portata via per avere qualcuno con cui passeggiare?

PERCHÉ DEVO amarti, chiedi, e io ti parlo del rumore del vento alla finestra quando mi stringi, la tua testa nel mistero che risiede tra le braccia e le spalle, nascondo le dita all'interno dei tuoi capelli e ti sento respirare. Quelli come noi non cercano spiegazioni ma sopravvivenze.

Dovremmo imparare a volere piano, osi dire, ma intanto ho già poggiato le mie labbra sulle tue. È insopportabile il tuo odore se non posso toccarti, saremmo completi se solo ci fossero parole, e la cosa più assurda è che non c'è neanche bisogno di parlare. Quelli come noi non cercano l'eternità ma i sensi.

Ogni istante merita un orgasmo, invento, cerco di provarti che le poesie sono fatte di carne, mai di versi, stranamente non rispondi e ti lasci guardare. Resto più di un'ora a fissarti ed è tutto qui, ti chiedo di metterti nelle posizioni più diverse, deve esserci un angolo qualunque in cui io non sia completamente tuo e il tuo sorriso il quasi cielo, ma non lo trovo. Quelli come noi non cercano la pelle ma la lama.

C'è una certa dignità nel modo in cui ci lasciamo, mi congedo, mi vesto con lentezza mentre finalmente ti amo. La vita non si concilia con molto più di quel che abbiamo, potremmo azzardare l'ipotesi di una routine, chissà. Forse l'adrenalina calma di una famiglia, un bacio la mattina e un altro la sera, un letto che non sia soltanto per il sesso, perfino conversare con uno scopo diverso dal piacere, ma non so se è amore quello che non mi eccita. Quelli come noi non cercano la pace ma il terrore.

Domani o un altro giorno qualunque oppure mai, dichiari tu, e allora capisco che mi hai donato la più profonda delle dichiarazioni d'amore, domani o un altro giorno qualunque oppure mai, e io acconsento senza esitare. Quelli come noi non cercano promesse ma non si deludono mai.

ERA UN BAMBINO che sognava troppo, e un giorno sognò che aveva un foglio speciale, un foglio così speciale che tutto quello che ci scriveva su prendeva vita e diventava vero. Il bambino adorò l'idea e andò a raccontarla ai genitori.

«Tu sei pazzo.»

Ma il bambino era un bambino che sognava troppo e non rinunciava a sognare, e invece di abbandonare l'idea la potenziò. È questo il vantaggio di essere bambini e sognare. Quando si è bambini e si sogna, invece di fermarsi davanti al sogno lo si potenzia, si sogna ancora più forte, ancora più in grande.

«E se invece di un foglio fosse un quaderno intero?»

Il bambino corse in libreria e comprò due fogli di carta della più economica che c'era. I sogni non devono essere cari e il bambino lo sapeva. In fin dei conti i migliori giocattoli che aveva non erano affatto giocattoli: un chiodo che per lui era la Torre Eiffel, un tassello di legno che lui aveva trasformato in un'automobile.

Bruuum!

Lui e il foglio in bianco, la magia per la prima volta, ha inventato il foglio magico, basta scrivere e succede. Non conosce molte lettere né molte parole, ha cominciato da poco ad andare a scuola, scrive quello che sa e che in fondo è quello che vuole.

Papà

Poi guarda e gli piace, cancella una riga o l'altra, riscrive tutto per bene perché non manchi nulla, perché la magia accada come si deve. Rilegge, ora è perfetto, ancora una parola e può darsi che la magia accada.

Mamma

Basta strappare il foglio e la magia accadrà, adesso collauderà la sua invenzione:

Papà
Mamma

Ed eccoli che arrivano. Il bambino ha strappato il foglio, ha riletto le parole varie volte, e loro sono comparsi, forse preoccupati per lui, forse senza sapere che cosa è successo, ma la verità è che è successo, la magia è avvenuta. Il bambino spiega di nuovo ai genitori che ha inventato prima il foglio magico e poi il quaderno magico. I genitori prima respirano a fondo e poi lo sgridano:

«Non farci spaventare così!»

Il bambino non capì, che male c'era a sognare? E proseguì nella sua invenzione che avrebbe cambiato il mondo, bastava scrivere e il mondo cambiava. Pensò a mille e una cosa da scrivere, mille e una cosa da inventare, ma comprese allora che non sapeva scrivere e doveva saper scrivere perché il foglio facesse il proprio lavoro. Poteva piangere ed essere come tutti gli altri bambini che non ottengono quello che vogliono e piangono e si fermano, ma questo bambino qui era diverso e quando aveva un sogno non piangeva e diceva:

«Per favore, mi insegni a scrivere mentre aspettiamo che comincino i cartoni animati?»

La sorella maggiore rise ma non disse no. A fine giornata, quando tornavano da scuola, si chiudevano in camera tutti e due. Nessuno sapeva cosa andassero a fare, dicevano che bisognava fare i compiti ed era vero, ma il bambino stava solo inseguendo un sogno, e venti o trenta giorni dopo il bambino che voleva solo sognare aveva già gli strumenti per creare il proprio sogno.

C'era una volta...

Cominciò così perché gli parve che così cominciassero tutti i sogni, e andò scrivendo, una frase dopo l'altra, un'invenzione dopo l'altra, e un po' alla volta capì che quel suo quaderno era ancora più magico di quanto avesse immaginato. Alla fine non c'era più neanche bisogno di strappare il foglio perché tutto esistesse. Andava scrivendo e via via che scriveva sentiva ogni cosa succedere, il bambino scriveva e le cose accadevano, le vedeva lì, davanti a lui, dentro di lui, rideva, sorrideva, a volte addirittura piangeva.

"Come fanno a dire che non esiste se mi fa piangere?"

E quando, molti anni dopo, con centinaia di adulti e di bambini di una scuola elementare davanti a lui, presentò un altro dei suoi libri, decise di fare un regalo speciale a ognuno di loro.

«È un quaderno con i superpoteri»,
e diede loro un sacco di fogli bianchi uguali a quelli che gli avevano cambiato la vita,
«Quello che ci scrivete su accade davvero.»

Tutti risero tranne i bambini, che cominciarono immediatamente a provare i fogli.

SEI AL QUARTO piano a sinistra e non so cosa farmene di quest'ansia, accidenti all'amore!

È molto più facile non amare, però che diavolo ci facciamo qui se non amiamo?

Ho indossato la mia camicia migliore, ho chiesto a mia madre di stirarmela. Voglio molto bene a mia madre. Può essere il primo segreto che ti racconto, custodiscilo bene, e ancora non abbiamo parlato per più di due minuti, pensa un po'! Il secondo segreto è che ti amo, o qualcosa del genere.

Non so ancora bene cosa sia l'amore, la cosa più probabile è che non lo sappia nessuno, ma che assomigli a quello che c'è scritto sui libri quello sì, è vero.

Suono al citofono e la tua voce… come può una voce far vibrare così tante parti del corpo, eh?

«Sali», e io salgo, c'è un ascensore a sinistra ma di asfissia mi basta quella che ho dentro, uso le scale così ho il tempo di pensare a te.

Non sono ancora su da te e siamo già noi due soli, conto i gradini e le mani sudano, mi prometti che quando ti bacerò mi insegnerai come si fa?

Alla lezione di inglese la prof ha visto che ti guardavo e ha sorriso, spero non ti abbia detto nulla, voglio tu sappia che ti desidero dalla mia bocca e non da altri.

Sono un uomo serio, tienilo presente.

Sono arrivato quassù, mi aggiusto i capelli, spero ti piaccia la pettinatura che ho fatto solo per te. Il gel è della marca dell'hard discount ma quello che conta è l'intenzione.

Porto in tasca una foto tua che ho stampato dal tuo profilo Facebook.

Ma chi sarà mai questo tipo che va in giro tutto il tempo a sbavare per te?

Mi guardo nel riflesso dello specchio e mi preparo al momento più importante della mia vita, lo sapevi?

Hai lasciato la porta socchiusa e può essere un segnale, ho letto ieri da qualche parte che amare è lasciare sempre una porta socchiusa, vediamo un po' se è vero. La letteratura ha la soluzione per tutto, lo so che questa frase non è niente di speciale ma perlomeno è mia, fanne quello che vuoi ma abbracciami, ti prego.

Entro e non sei lì ad accogliermi, sarai in salotto, probabilmente. Avanzo, mi guardo intorno e cerco tracce della tua esistenza. Potrei scommettere che questo quadro lo hai dipinto tu, proprio ieri tua madre mi ha detto che hai un gran talento e ha ragione.

Il salotto è grande e tu sei sul divano, me ne accorgo dai tuoi capelli posati sul cuscino, la televisione accesa. Ti va di guardare questo film con me per il resto della tua vita?

Sono già di fronte a te e vedo che stai dormendo, adoro i tuoi capelli ma ora potresti spostarli un po' solo perché io possa vederti meglio? Un minuto fa mi hai parlato al citofono e ora stai già dormendo, o forse le scale sono durate più di quanto sembrasse?

Non so che fare, resto a guardarti e ad amarti da solo.

Restare a guardarti e ad amarti, anche se da solo, è sempre una buona decisione.

Valuto ancora la possibilità di dire qualcosa ma ci rinuncio, ti lascio dormire e torno più tardi, scrivo un biglietto: «Sono stato qui e ci sarò sempre», che ne dici?

Esco di sottecchi, ti guardo un'ultima volta sopra la spalla, sei ancora sul divano. Sei bella come un gol che vale un campionato, ti va bene come dichiarazione d'amore?

E non sai che sono stato qui, che ti ho consumato qui, tu e io nell'istante intimo del tuo sonno, non ci siamo ancora neppure baciati e abbiamo già dormito insieme, guarda un po'.

Chiudo la porta piano per non svegliarti, scendo in ascensore. Nonostante tutto, respiro già meglio. Ti vedo un secondo solo e i miei polmoni si aprono per intero.

Premo il pulsante del pianterreno ma quando guardo la tua porta vedo un numero e una parola che mi lasciano soprappensiero:

Terzo piano, sinistra.

Quindi forse è meglio salire ancora, tu sei al quarto piano a sinistra e io non so che farmene di quest'ansia.

Accidenti all'amore!

«SOLO PERCHÉ sono vaccinata contro la febbre dengue non mi immolerò alle zanzare.»

Dicono tante cose su di te e ho una fottuta fortuna ad averti qui.

Ti ho amato prima di saperlo e forse è solo così che si ama, che ne so, dico io, che prima di te pensavo all'impossibilità di una bocca così.

La prima volta che dormimmo insieme ci scordammo di dormire, nel mio minuscolo appartamento c'era il balcone aperto, l'inverno fuori e un inferno felice dentro.

Avevi un teschio sorridente stampato sulle mutande, oppure era il mio corpo felice che sorrideva e il teschio era morto come tutti gli altri.

Ce lo impedivano ma ci siamo amati come Dio comanda, finché morte non ci separasse. Certo, il problema è che c'erano diverse morti da provare ed è per questo che siamo ancora qui. Quante volte si può amarti per la prima volta? Ne voglio un'altra, solo un'altra volta, solo questa. Oggi siamo venuti in un hotel per morire meglio.

«Voglio un letto così anche a casa», e ti stendi.

Mi piace quando giochi a far l'adulta con me, inventi espressioni che nessuno usa e mi parli delle cose più superficiali del mondo…

E la poesia è nella voce, non nei versi.

Ci siamo abbracciati poco fa sulle scale mobili, posso garantirti che una coppia di adolescenti ha provato invidia per la nostra incoerenza.

Quando ti abbraccio attendo un abbraccio, e che sia tu.

Mi eccita il nostro tedio, le tue mani sul mio petto, essere felici è così semplice, vero?

Ti guardo man mano che ti vedo, le tue labbra sembrano nuvole quando ti guardo da sopra gli occhiali e da una frase.

Stamattina mi sono ricordato di tutte le volte che ti ho fatto piangere, e ho pianto.

Sono così poco rispetto alla tua grandezza, scrivo delle cazzate che capisco soltanto io, ed è inspiegabile che tu sia mia.

Un giorno o l'altro mi candido al Nobel con la tua pelle, toccarti ha fatto di me uno scrittore, e fortunatamente anche una persona. Scrivo per amarti meglio. Questa frase credo di averla già usata ma eccola di nuovo. La cosa più ironica è che mentre scrivo senti la mia mancanza, forse scrivo anche per sapere che mi vuoi, chissà? Ma di sicuro scrivo principalmente per portarti a letto, non lo sapevi?

Potrei inventare una Bibbia soltanto per la mia fede in te, ma non liberarmi dal male, amen.

«Solo perché sono vaccinata contro la febbre dengue non mi immolerò alle zanzare», ripeti.

Ti ho già detto che conosco a memoria i tuoi denti disallineati quando sorridi?

Abbiamo solo stanotte per amarci stanotte.

Perché mai ho avuto bisogno di te per vivere così?

Bisogna scegliere tra amare e scrivere, e io scelgo te.

Forse un giorno saprò da che parte stai.

PORTI L'OROLOGIO blu che ti ho regalato per il compleanno e la promessa di un bacio, è quel che basta ad aprirti le braccia e invitarti sotto le lenzuola, fa tanto freddo in me quando non ci sei.

Ho già chiuso le finestre e gli occhi e non riesco a addormentarmi, si sente la città piena di gente e nessuna di quelle persone sei tu.

Dio sta nella differenza e nel modo in cui quando arrivi mi sorridi e mi chiedi scusa per un altro ritardo, l'ufficio e poi le riunioni, quasi dieci secondi finché senza parlare ti dico di venire e ti abbraccio dentro, c'è una vita sola e tu sei così interminabile in me.

Ci incontriamo come sempre al centro dell'abisso, le tue vene grosse, ti chiamo nello spazio in me dove neppure la pelle osa arrivare, e succede amore, ho tanta voglia di rimanere ferma, ad ascoltare soltanto i respiri che si calmano, la bocca asciutta ma non mi azzardo a perdere neppure un secondo lontano dalle tue labbra, devo custodire l'istante, ogni istante, sussurrarti all'orecchio la dimensione di quanto ti voglio, poggiare la testa sul tuo petto e sperare che non arrivi mai il dopo.

Ma in pochi minuti non ci sei già più, guardi l'ora e il letto si svuota di nuovo, chiedi scusa, infili il corpo – quanto ho bisogno del tuo corpo! – dentro i vestiti, mi baci lieve senza dire che mi ami, ed esci dalla stanza, col cellulare già in mano e tu che rispondi: «Pronto, sì».

e dal modo in cui parli forse è tua moglie che ti chiede se farai tardi anche oggi.

TI AMO TANTO ma oggi devo portare la macchina dal meccanico, le ruote fanno un rumore strano, non sarà grave ma è meglio prevenire, domani ti prometto che andiamo a vedere come si mangia in quel ristorante nuovo vicino alla rotonda, e poi ti porto al cinema, ti ci porto eccome.

Ti amo tanto ma oggi devo andare a vedere l'allenamento del ragazzino, l'allenatore mi ha chiamato e ha detto che abbiamo in casa un fenomeno, il nostro bambino gioca da dio, guarda tu, quando lo riporto a casa cerca di fargli trovare pronto quel piatto che lui adora, il bambino se lo merita, se lo merita eccome.

Ti amo tanto ma oggi devo restare in ufficio fino a tardi, c'è quel progetto da chiudere, qui sono tutti in preda ai nervi, fra un po' ti chiamo per sapere come va tutto, il bambino e le cose lì a casa, ora devo andare a spiegare a tutta quella gente come si lavora, devo spiegarglielo eccome.

Ti amo tanto ma oggi devo andare a letto presto, domani c'è quella riunione importante di cui ti ho parlato, se conquisto il cliente saremo felici, avremo quella casa e anche la macchina nuova, chissà? Saremo ricchi, davvero, lo saremo eccome.

Ti amo tanto ma oggi non ci sei. Sono arrivato all'ora stabilita per portarti a cena e tu non ci sei, e neanche il bambino, sarà agli allenamenti. Provo a chiamare, non risponde nessuno, né tu né lui, probabilmente ne stai preparando una delle tue, sei sempre stata così, piena di sorprese, fra un po' entri dalla porta e dici che mi ami, lo dici eccome.

Ti amo tanto ma oggi devo firmare questi documenti, ti guardo e ti chiedo perdono, ti prometto che non ci saranno più meccanici né allenamenti, né clienti stranieri, né riunioni tra noi, ti garantisco che ti voglio al di sopra di tutto, ti guardo ancora una volta negli occhi e cerco di calmare quello che ti ferisce, ma tu dici soltanto che devo firmare e io firmo, le mani tremano e neppure una lacrima ci cade su ormai. Nostro figlio quando lo saprà piangerà di nuovo come quando era piccolo. Il nostro fenomeno, avresti potuto rimanere almeno per il nostro fenomeno, o almeno per me, per tenermi vivo. Dio mi salvi dal non averti con me, sono una nullità se non piaccio a te, lo sono eccome.

Ti amo tanto ma oggi non ho niente da fare, la casa cupa, un silenzio vuoto e niente da fare, solo aspettare che ti dimentichi di me e torni ad amarmi, e io ti amo tanto, ti amo eccome.

– SOLTANTO stare sulla fune ti lega alla vita.

– Ma fa male. Ma trema.

– E intanto ti regge. E intanto ti afferra. Ti fa desiderare altra fune. Soltanto ciò che ti scivola dalle dita riesce a provarti davvero che hai delle dita. Solo quando sei dinanzi alla quasi morte dai valore alla vita.

– Ti piace tremare?

– Ho bisogno di tremare. Soltanto ciò che mi astrae mi alimenta. Un orgasmo mi fa tremare, un'euforia mi fa tremare.

– Anche un dolore?

– Devo capire chi sono. Anche se fa male. Soltanto chi trema capisce chi è. Gli altri non sono: provano a essere. E non tremano mai. Provo tanta pena per quelli che non hanno mai tremato. Cosa ci fanno qui? Niente che non mi abbia fatto tremare è mai stato indimenticabile.

– La vita serve a vivere momenti indimenticabili.

– Non te lo scordare mai. Esiste vita soltanto se qualcosa in te è sospeso a una fune. Soltanto ciò che ti fa tremare ti impedisce di dimenticare.

– Ti faccio tremare?

– Sempre.

– E quando smetterò?

– Dovremo trovare altre strade. Altre forme.

– Altre persone?

– Se sarà necessario. Quando una persona che ami serve solo a spegnerti, non è più la persona che devi amare. L'amore deve pretendere la massima sorveglianza, devi essere un soldato sul campo di battaglia, tutto il tuo corpo in attesa di un attacco, di una pallottola perduta. E se c'è una cosa in cui l'amore è imbattibile è la quantità di pallottole perdute che emana. A volte ti colpiscono e non te ne accorgi. E non esiste più l'amore, solo un dolore che si va estendendo al centro del tuo petto, un dolore che ti consuma, che ti lacera, che ti abbatte. Credi sia l'amore ed è soltanto una ferita. Ci sono ferite che sembrano amore.

– Una distrazione e l'amore finisce.

– Una distrazione e la vita finisce.

– È quello che ho detto.

QUEL CHE È cambiato senza di te è stata soprattutto la misura delle cose, di questo letto, per esempio, che era ridicolamente piccolo quando ci amavamo.

Quante volte abbiamo deciso di comprarne uno più grande, aprivamo un catalogo a caso, ma poi ce ne dimenticavamo perché avevamo questo e i nostri corpi sopra, e forse ci bastava per essere felici, no?

«Oggi non ho le mutandine», ti ricordi quando mi dicevi così? Il sorriso assoluto e io ai tuoi piedi, un letto è uno spazio in meno quando lo si vuole, e ora è intollerabilmente grande.

Ti ho mai detto che quando tuo padre mi raccontò di averti concepita con una sveltina io gli risposi che di sicuro si sbagliava, perché la fretta è nemica della perfezione? Sono proprio scemo, vero? E nonostante ciò, tu per fortuna mi hai amato per tutto quel tempo.

Le case non si misurano in metri, ma solo in silenzi.

Il salotto enorme, gli stessi quattro o cinque mobili, il televisore, il divano, e tanto spazio da riempire, per non parlare poi della misura del male che mi fa, certo…

Mi hai viziato con l'intensità, ecco, e ora è tutto troppo calmo, io che volevo soltanto una storia banale, la famiglia che tutti desiderano e una vita più o meno da continuare, ma tu mi hai mostrato dove comincia l'orgasmo e ora sa di poco quello che banalmente ottengo senza di te.

Guardare è il principio del terrore, ora lo so.

Perfino la tua crudeltà mi affascina, il modo in cui mi mostri il corpo con astuzia e mi ecciti. Che pace avrei perso e che vita guadagnato se non fossi passato per quella strada quel giorno?

Avevi il vestito più bello nella storia della moda e lo dico senza neppure aver visto che cosa indossavi, ma sopra il vestito avvenivano i tuoi occhi e il tuo volto, bisogna avere delle priorità e io le avevo.

Il volto esiste per le mani. Il tuo, almeno, esiste per le mie. A malapena ti conoscevo e già rischiavo tutto con la mia mano destra che aderiva perfettamente alla tua pelle, gli occhi chiusi che vedevano per la prima volta da che parte di me viene fuori la felicità.

Se le farfalle vivono così poco, perché quella che vola grazie a te resiste ancora? Al diavolo gli animalisti e tutte le associazioni, smetterò di darle da mangiare e sia quel che sia. Tra la coscienza e la follia preferisco la cosa che ti riporta a me, o forse proprio quella che non ti riporta affatto, e intanto userò uno scialle o due e una stoffa sul cuore: ho sempre sentito dire che bisogna coprire i morti per una questione di rispetto.

SEI LA DONNA della mia vita ma il corpo desidera, lo sai? Il tempo esiste, la pelle cade, e bisogna alimentare l'eccitazione con cose che sfuggono dal mio amore per te, non te lo dico perché so che ci rimarresti male.

Qualcuno ha inventato l'esclusività in amore, e quando cerco altri corpi forse ti sto omaggiando o forse sono un figlio di puttana traditore, solo uno dei tanti mariti che tradiscono le mogli. Oppure a ben vedere sono entrambe le cose contemporaneamente, perché se ti amo da pazzi, poi ti tradisco da pazzi.

Chi ha detto che amare così doveva avere senso era nel torto. Sono perfetto quanto imperfetto nell'istante in cui smetto di appartenerti mentre appartengo ad altre, ma giuro su Dio che ti amo fino alla fine dei miei giorni.

Sei la donna della mia vita ma sei troppo bella perché possa confessartelo, mi accarezzi i capelli quando mi stendo con te sul divano, passi le mani sulla mia pelle e il mondo si placa, non c'è più il lavoro, le riunioni, e neppure la colpa esiste più, vedi, quando mi tocchi così.

Sei così bella che sei tu a calmarmi il tradimento che mi fa male in te, nessuna verità ha il diritto di porre fine a un momento così, ti dico che ti impazzisco, invento il verbo impazzirti per amarti meglio e perché tu conceda per qualche secondo, con il sorriso che mi dai, un piccolo indulto alla mia coscienza, ma giuro su Dio che ti amo fino alla fine dei miei giorni.

Sei la donna della mia vita ma sono debole in tutta la mia vita, so che in fondo non meriti un uomo così. Altre donne, ma quante?, tra di noi e tu che credi in un amore perfetto, puoi non crederci ma io ci credo, ti amo con tutta l'innocenza del mondo e non sarà questo corpo venduto a cambiare le cose.

Continuo a rispettarti più di quanto rispetti me stesso, la morale è stata inventata da chi non conosceva la dimensione dell'amore, ti faccio felice e questo mi basta, ma giuro su Dio che ti amo fino alla fine dei miei giorni.

Sei la donna della mia vita ma non avevi il diritto di frugare tra le mie cose.

Abbiamo sempre rispettato la privacy e soltanto per questo ti ho reso tutto più facile, il cellulare poggiato e dimenticato, la tua curiosità, e il resto sono le lacrime che mi impediscono di respirare.

Ti chiedo perdono, mi inginocchio come nei film, ma tu non mi rivolgi neanche una parola, metti in valigia mezza dozzina di cose e vai via, i tuoi occhi sul pavimento e un dolore che mi spezza la vita, mi siedo alla finestra a fumare la prima sigaretta senza di te, ti vedo uscire, così tanti minuti con la macchina ferma, stai cercando la forza che io non ho avuto per confessarti la mia umanità, ma giuro su Dio che ti amo fino alla fine dei miei giorni.

TANTA GENTE senza un tetto, e nel frattempo il deficit è diminuito e l'economia è in crescita.

Oggi mi sono addormentato pensando a un nuovo libro, un romanzo con persone che non esistono e che hanno già iniziato a popolarmi, potrebbe essere una patologia ma io ne faccio un'arte.

Bisogna approfittare di quel che si ha, no?

Ma ho finito per addormentarmi pensando alla fortuna che è il potersi addormentare pensando a un libro e non alla fame, o a come poter mangiare il giorno dopo, oppure ai vestiti e alle scarpe rotte dei bambini.

A che merda vale un libro se non si ha il pane?

E la letteratura è molto poco rispetto alla vita, faccio molto poco per cambiare il mondo, mi siedo su questa sedia comoda, con il mare davanti scrivo parole che a volte non so dove vogliano arrivare, come queste, per esempio, con cui in fondo voglio soltanto lavarmi la coscienza.

A volte basta una virgola a cambiare una vita, vero?

Si scrive perché si è vigliacchi, ci sono tante cose utili da fare lì fuori, aiutare un vecchietto ad attraversare la strada, per esempio.

Ieri un ragazzo voleva cedermi il posto in autobus e io l'ho mandato al diavolo.

Dove si è visto mai che un bambino ceda il posto a un altro bambino?

Oppure pulire le spiagge, o l'oceano, fare il proprio dovere, come diceva mio nonno.

Sono così inutile, dovrei aiutare il mondo a crescere, ma sono un vigliacco e scrivo delle porcherie come tutti gli altri, sono arrivato a credere che le mie fossero diverse, ho immaginato una donna sull'orlo dell'abisso e una frase mia che la tirava su.

La migliore letteratura è quella che salva la vita, ma solo quella che uccide vince i premi, ci hai mai pensato?

Sono così incapace di essere coraggioso, urlare forte, dedicarmi ad attività felici, ballare, cantare, raccontare barzellette, fare un figlio, addirittura.

Sarò sempre il figlio e mai il padre, non è vero?

E il peggio è che non smetto mai di scrivere lo stesso libro, virgola in più, virgola in meno, me ne sto qui a scrivere un libro solo e sono soddisfatto. Come ci si può addormentare con un libro intero da scrivere e una vita soltanto da vivere?

E nonostante tutto la gente lì fuori, come fa?

Come vorrei essere lì fuori, urlare a quei bastardi che così non va, che non c'è un Paese senza persone, né numeri senza qualcuno capace di contare, ma scrivo e sono soddisfatto così, sono debole e spero che la mia debolezza renda qualcuno forte, no?

C'è una donna nei guai laggiù ed è il momento di togliersi gli occhiali, quello che non si vede lo si sente, e io lo sento, e mi dispiace molto.

C'è sempre più gente tra le macerie in strada, ma nel frattempo il deficit è diminuito e l'economia è in crescita.

SCIVOLÒ LUNGO il corrimano per amare più in fretta.

«Giochi con me, per favore?» L'intero asilo a disposizione e gli occhi di lui posati sul suo modo di prendere i Lego, vorrebbe giocare con lei, non sa perché, non immagina perché, ma qualcosa spinge il bambino verso la bambina.

C'è sempre qualcosa che ci spinge verso le cose più piccole del mondo, che sono poi quelle che ci rendono grandi, no?

La maestra sorride, ha voglia di non dimenticare mai più questa immagine, la tenerezza di lui che prende la mano di lei, l'amore è bello sin da quando inizia, una cosa gigante costruita con mattoncini di tutti i colori, di tutte le dimensioni. Lei lo guarda spaventata, abbozza un sorriso, gli passa un altro mattoncino.

«Tieni, è per te»,

e ha appena fatto la più pura dichiarazione d'amore che un essere umano riesca a concepire.

«Tieni, è per te»,

lui accetta e costruisce, anche se ormai la costruzione è di entrambi.

«Giochi con me, per favore?»

Lei disse di no, ma poi giocò.

Scivolò lungo il corrimano per amare più in fretta.

«Leggi con me, per favore?» Una richiesta disperata e felice, solo un bambino può raggiungere uno stato di disperazione felice, sono le prime lettere che scrivono e dovrebbero essere, se solo sapessero come si disegna una M, dovrebbero essere, per esempio, «ti amo». Ma non lo sono, non lo sono ancora, per il momento sono parole più semplici, lui accanto a lei. Non le prende la mano e non le indica il cammino verso la A perché non può, la maestra non glielo permette, ma si sono già guardati sette o otto volte negli ultimi minuti, non resta nulla da dire, non resta nulla.

«Vuoi venire con me fino alla fine dell'abecedario?»

C'è un intero dizionario da conoscere, se la felicità non è questo sarà qualcosa di molto simile.

«Leggi con me, per favore?»

Lei disse di no, ma poi lesse.

Scivolò lungo il corrimano per amare più in fretta.

«Scopri con me, per favore?» Si sfiorarono leggermente nel corridoio, il braccio sinistro di lei sul braccio destro di lui, o forse il contrario, il braccio sinistro di lui sul braccio destro di lei. Non si sa bene chi toccò chi, si sa che entrambi sentirono quel tocco come se conoscessero all'improvviso il punto in cui comincia la pelle. La seconda pelle non lo immagina ma due persone sono appena nate lì, ci sono parti del corpo che spuntano dal nulla, stimoli mentali assurdi, una conclusione filosofica accessibile soltanto ai geni, o agli stupidi.

Il senso della vita è da me verso te.

Nessuno lo dice ma entrambi lo sentono, c'è chi vive anni e anni in attesa di una rivelazione così, il corridoio pieno, i gruppi di ragazzi, i brufoli, le ansie, il panico, le invenzioni, le angosce, la paura folle di una vita davanti.

«Scopri con me, per favore?»

Lei disse di no, ma poi scoprì.

Scivolò lungo il corrimano per amare più in fretta.

«Vieni a vivere con me, per favore?» Sono adulti e vogliono essere grandi, amare come i grandi, una casa, una camera per cominciare, va bene anche la residenza universitaria, i genitori non lo sapranno, e se lo scoprono fa lo stesso, è una vita che aspettano di svegliarsi e addormentarsi insieme ed è giunto il momento, nessuno glielo impedirà. Lui troverà un lavoro, un part-time da McDonald's o qualcosa del genere, lei ha già chiesto a un'amica di un'amica di una proprietaria di una profumeria di trovarle un turno, a breve saranno insieme ogni volta che saranno in casa.

«Quando ti svegli svegliami, così ti vedo svegliarti, okay?»

Sanno che vivere così è passeggero, che sentire così è passeggero, ma sanno anche che vivere così è eterno, che sentire così è eterno, sono giovani incoerenti e non sanno cosa gli riserva il futuro, nessuno lo sa, ma sono prenotati l'uno per l'altra, in fondo è un buon inizio.

«Vieni a vivere con me, per favore?»

Lei disse di no, ma poi ci andò.

Scivolò lungo il corrimano per amare più in fretta.

«Ti sposi con me, per favore?» Non era un posto molto romantico, un ufficio in mezzo alla città, lei che non sapeva cosa rispondere, una segretaria esecutiva non può abbracciare così uno dei capi del dipartimento creativo, qualche collega già li guarda male, bisogna dissimulare la felicità. Lui che era tornato senza prendere l'ascensore per arrivare prima da lei si sentiva stringere in petto, il sudore scorreva ma non gli importava, le guardava le labbra in attesa che si muovessero, una tensione inspiegabile nell'aria, qualcuno intanto ha preso un caffè e si è seduto, mancano solo i popcorn.

«Devi solo mettere una firma e amarmi per sempre, l'unica novità è la firma, no?»

Due o tre persone si tappano la bocca perché non si sentano le risate. Lei sorride come non riesce a fare a meno di sorridere ogni volta che lui dice queste cose, e la verità è che lui è l'unico uomo che dice queste cose, oppure è l'unico che lei riesce ad ascoltare quando dice queste cose, può sembrare uguale ma non lo è.

«Ti sposi con me, per favore?»

Lei disse di no, ma poi lo sposò.

Scivolò lungo il corrimano per amare più in fretta.

«Muori con me, per favore?» L'ascensore dell'ospedale odora di perdita, lui si è rifiutato di prenderlo come si rifiuta sempre di prendere l'ascensore, e perfino le scale, bisognava arrivare più in fretta da lei e non sarebbe stata la vecchiaia a impedirgli di essere coraggioso.

«Prima che ti ammalassi mi faceva tanto male la schiena, ma ora mi fai tanto male soltanto tu, grazie.»

Il letto bianco, la pelle bianca, un liquido bianco che le entra nelle vene, lacrime enormi da piangere e un sorriso che spunta fuori. «A casa ci sono tutte le puntate della telenovela registrate, quando la smetti di star male e te ne torni a casa?»

Lei allarga le labbra come può, ancora può, quando lo vede può ancora molto, dice ancora qualche parola, crede ancora nella possibilità del per sempre. Lui chiude gli occhi per ingoiare le lacrime, respira a fondo, crede che lei non lo veda ma lei vede tutto, una lama insolubile infilata nel petto, e poco altro, e comunque tutto.

«Muori con me, per favore?»

Lei disse di no, e morì.

Scivolò lungo il corrimano per amare più in fretta.

Ma il corrimano non c'era.

«MI PIACCIONO i tuoi vestiti ma sono sicura che mi piacerà di più la tua pelle.»

Lo vedeva per la prima volta e già lo amava da sempre. L'amore è molto facile quando nessuno lo complica.

«Dammi cinque minuti per conoscerti da anni.»

Il problema della gente è pensare che per avere senso una cosa debba essere difficile, che per essere vera debba essere lenta. Probabilmente fu per il modo in cui lui la guardava, il movimento degli occhi in cerca del mondo.

«Non ti conosco per niente ma sono tua per sempre.»

Tutte le dichiarazioni d'amore sono precoci, questa non fu un'eccezione. Lui continuò a non parlare ma c'era il corpo, c'erano i gesti, il modo in cui si muoveva in attesa di quello che sarebbe accaduto dopo, non c'è bisogno di un nome per amare una persona.

«Vorrei conoscerti meglio e non trovo un posto migliore per farlo se non il mio corpo.»

Potevano mancare molte cose in quel che si dicevano, ma non mancava l'urgenza. Non ebbero il tempo di sapere chi erano ma ebbero il tempo di sapere cosa volevano. Intorno qualcuno danzava, qualcuno beveva, qualcuno cantava, le luci intermittenti, la musica ad alto volume, battiti forti, lei lo guardava e lui guardava lei, ci sono sensi di troppo quando si guarda così.

«Ho attraversato il mondo intero ma non ho mai visto una regione più bella del litorale delle tue spalle.»

Anche i bagni sono stati fatti per amare, il lavabo ha l'altezza giusta, la parete è comoda, i graffiti possono perfino essere eccitanti, basta che due persone si amino perché gli spazi sembrino fatti per amare.

«Voglio sposarmi con te e forse ora puoi dirmi come ti chiami.»

Due estranei uniti in matrimonio, ci saranno scoperte difficili, a lui non piaceranno molte cose di lei, a lei non piaceranno molte cose di lui, avranno discussioni, difficoltà, bollette da pagare, lacrime frequenti, ma torneranno sempre al territorio delle spalle, i nomi saranno dimenticati, le carte strappate finché i corpi dureranno. L'amore richiede due estranei uniti da ciò che li appassiona, e coraggio.

«Siamo stati così felici quella notte, e lo siamo ancora.»

L'amore è molto semplice da capire.

E QUINDI INIZIAI ad amarti dai piedi, perché lavoravo al negozio di scarpe del centro commerciale. E tu arrivasti con il tuo sorriso, avevi fretta ma volevi la scarpa perfetta, mi piacque subito quel tuo modo di mostrarti esigente ma con il minimo sforzo.

La vita è troppo piccola per sprecare energie in cose che non riguardino l'amore.

Avevi il piede più bello del mondo e io mi sentii un re a farti da servitore, un negozio di calzature può perfettamente essere un regno mentre sono ai tuoi piedi.

In poco tempo trovasti quello che cercavi, delle scarpe verdi poco vistose che servivano soltanto a renderti più impossibile, e andasti via.

Sperai che venissi di nuovo ma ci mettesti quattro o cinque settimane, i tuoi piedi di nuovo, la mia felicità di nuovo, ma in poco tempo capii che non mi bastavano più i tuoi piedi, volevo di più da te, volevo salire.

Come possiamo invitare Dio a essere il nostro amante?

Avrei anche potuto invitarti a uscire, a bere qualcosa, parlarti di me e di quanto ti amavo, ma preferii cambiare negozio e in meno di sette giorni ero già alla boutique di Andreia per riceverti.

Non c'erano abiti che non fossero stati pensati per il tuo corpo, venivi almeno una volta a settimana, qui ti aprivi molto di più e mi era ormai consentito guardarti il corpo.

Non è che non fossi più innamorato dei piedi, tu mi capisci, vero?

Ti piacevano soprattutto gli abiti corti, ma mai troppo corti.

«Ho l'età per essere bella ma non per essere una sgualdrina», dicevi spesso ad Andreia e io provavo un'invidia infinita. Un giorno aprirò un negozio solo per poterti dare del tu.

Ero viziato di te, dei tuoi piedi, del modo in cui i vestiti ti toccavano e amavano il corpo, ma pian piano cominciai a volere il tuo volto, stavo salendo lungo l'esterno di te e mi occorreva perfezionare quello che vedevo.

Avrei potuto anche invitarti a uscire, a bere qualcosa, parlarti di me e dirti che ti amavo, ma preferii cambiare ramo e in meno di sette giorni lavoravo già nel negozio di make-up al primo piano, per riceverti.

Come immaginerai, non fu affatto facile, anzi. Un uomo che fa il truccatore non è facile da digerire al giorno d'oggi; un corso veloce al centro di formazione, una parolina qua e là, e ci riuscii.

E il tuo volto era una specie di eternità, e dico una specie soltanto perché non credo che l'eternità sia davvero così interminabile.

Venivi nei giorni di festa.

«Non mi trucco soltanto se c'è un evento importante, una festa o robe così», spiegavi, e facevi quindi esattamente il contrario di tutte le altre, ti truccavi per andare in bagno, per andare a casa dei tuoi, ma mai per una festa.

Fu lì che cominciai a toccarti davvero, guarda, mi viene la pelle d'oca soltanto a ricordarmene, vedi?

La tua pelle non esisteva, per quanto la toccassi non esisteva, se avessi dubitato che venivi da una nuvola i dubbi sarebbero finiti lì, nell'istante in cui per la prima volta le tue gote, la tua fronte, una luce imperdonabile in tutto il negozio, per non parlare poi delle tue labbra... Sceglievi sempre il rossetto più discreto e quando andavi via sono sicuro che la zona dei ristoranti si fermava per poterti guardare, era una fortuna poter apprezzare le tue labbra dal di fuori ma c'era in me l'urgenza di conoscerle dal di dentro.

Avrei potuto anche invitarti a uscire, a bere qualcosa, parlarti di me e di quanto ti amavo, ma preferii cambiare negozio ed in meno di sette giorni lavoravo già nella confetteria accanto all'entrata del cinema, per riceverti.

Fu una missione complicata ma ci riuscii, ormai mi vedevano tutti come il commesso pazzo e avevano ragione, sapevo benissimo che sarebbe stato difficile trasferirmi in qualunque altro negozio ma non potevo non provarci. Convinsi la signora Laura che ero uno specialista in caramelle gommose e in verità lo ero, sapevo con esattezza la curva del tuo labbro inferiore, l'angolo assoluto dell'incastro con quello superiore, e se questo non significa essere esperti di caramelle allora non so...

Venivi in negozio ogni volta che avevi voglia di coccolarti. Tutti i giorni, quindi. Ti piacevano quelle caramelle alla Coca-Cola, non le avevi ancora pagate e già te ne mettevi in bocca due o tre, non era elegante ma eri tu.

Provavo un desiderio inaccettabile e lentamente sentii che l'interno della tua bocca era la cosa migliore del mondo ma forse l'interno dei tuoi vestiti era la cosa migliore del mondo in assoluto.

Avrei potuto invitarti a uscire, a bere qualcosa, parlarti di me e di quanto ti amavo, ma preferii cambiare mestiere e in meno di sette giorni lavoravo già all'health club del centro, per riceverti.

Non credo ci sia qualcuno che ha fatto il corso da massaggiatore con la stessa velocità. Io ci misi due settimane, che furono intense, ma arrivai alla fine, feci gli esami tutti insieme in un giorno solo, arrivai a casa e non sapevo neppure dove mettere le braccia, anzi lo sapevo, bastava metterle su di te ed ero pronto per altri tre o quattro corsi uguali subito dopo. Soprattutto mi piaceva il fatto che ti trasmettessero la felicità lungo la schiena.

Eri fedele alla tua Marisa da oltre cinque anni, tutte le settimane tornavi da lei a farti liberare dal peso dei giorni.

Una manager di successo come te soffre tanto per imporsi, vero?

Non so più bene come, ma la convinsi a rimanere a casa il giorno in cui venivi, forse dovetti anche uscire con lei solo per poter toccare te, ma quando all'improvviso la pelle in fondo alla tua schiena fu nelle mie mani sentii che avrei potuto morire lì.

Non so se non morii davvero, può anche darsi che ora io ti stia parlando dal cielo o dall'inferno, avevo finalmente l'interno dei tuoi vestiti, i tuoi piedi, tutto l'esterno di te, il tuo volto, le tue labbra, l'interno delle tue labbra, non potevo chiedere nient'altro alla vita ma non potevo smettere di chiedere, sono umano e volevo di più.

Fu allora che decisi di invitarti a uscire, a bere qualcosa, di parlarti di me e di quanto ti amavo. Avrei anche potuto cambiare negozio, ma neanche per sogno avrei lavorato in un sex shop!

LA MORTE è dietro il tuo bacio,
e non mi interessa nulla di ciò che non può uccidermi.

Non voglio tragitti senza massi, persone senza problemi, ancor meno glorie senza lacrime. Non voglio il tedio del continuare appena, l'obbligo del sopportare, muovermi nella routine solo per avanzare. Non voglio il «più o meno», il «così è la vita», il «si deve», nulla che mi faccia gemere. Non voglio la ricetta sempre sana, l'insalatina incontaminata, il letto casto, il sesso vergine. Non voglio il sole tutto il giorno, la retta senza la minima curva, non voglio il nero liscio né il bianco immacolato, non voglio la poesia perfetta né l'ortografia illesa. Non voglio imparare soltanto dal professore, la pacca sulla schiena, il «vedrai che passa», la micro-soddisfazione, la minuscola euforia. Non voglio le labbra senza lingua, la lingua senza piacere, fuggire da ciò che spaventa, oppure assuefarmi a ciò che mi fa soffrire. Voglio ciò che non rientra nel regolare, quel che non si comprende nei manuali, quel che non accade nei copioni. Voglio la ruga bizzarra, la mano trascurata, la strada rischiosa, la pioggia, il vento, le unghie conficcate, l'animale dell'istante. Voglio ancora tentare quel che nessuno ha mai fatto, guardare l'imperdonabile, sperperare da folle le possibilità. Voglio soprattutto quel che mi spaventa, l'abisso in segreto, l'interno delle tue cosce, il modo in cui il sudore ti scorre al centro del petto, il modo impossibile in cui ti esprimi quando vieni.

Mi avevano detto che il tuo bacio uccideva e io non ci ho creduto.

C'è qualche modo di uscire da te ancora in vita?

SONO PASSATI tre anni e sono stufa di te, del modo in cui rinunci a essere romantico, del modo in cui rinunci a un «ti amo» quando vai a dormire, perfino del contenuto vuoto delle nostre conversazioni quando ci sediamo a tavola e condividiamo il silenzio.

L'amore quando nasce è per tutti, ed è bene che tu lo sappia.

Sono passati tre anni e sono stufa di me, di non riuscire a fare quello che voglio senza che ci sia tu, di non essere capace di dirti di no quando mi chiedi scusa, di credere ancora che un giorno tornerai a essere l'uomo che mi conquistò, di attendere ancora che una mattina qualunque tu mi svegli con un bacio e un abbraccio e mi dici che la vita esiste perché esisto io.

L'amore quando nasce è per tutti, ed è bene che tu lo sappia.

Sono passati tre anni e sono stufa di provare, di lavorare fino a impazzire, di arrivare a casa e dover cucinare, occuparmi dei bambini, lavare i panni, i piatti, e andare a letto senza che tu ci sia, la tua testa da un'altra parte chissà dove.

Dove ci siamo fermati? Dove abbiamo deciso di fermarci?

Non mi serve questo «più o meno» che non mi è mai servito, lo capisci?

L'amore quando nasce è per tutti, ed è bene che tu lo sappia.

Sono passati tre anni e sono stufa di fuggire.

È tempo di fare, di agire, perciò sono uscita presto, ho preso i bambini ed eccomi qui, mia madre mi capisce e mi accoglie in pace, mio padre mi capisce e mi accoglie in pace, c'è tra noi un amore senza condizioni, qui saremo felici, i bambini sentiranno la tua mancanza ma ci sono sempre i fine settimana, so che sei un buon padre, so che capirai, piangerai ma non quanto me, però capirai che era necessario, ci sono momenti in cui è necessario.

L'amore quando nasce è per tutti, ed è bene che tu lo sappia.

Sono passati tre anni e sono stufa di non volerti.

Che giorni sono questi in cui non ci sei? Che cos'è questa cosa che ho al centro del petto quando capisco l'assoluta inutilità delle mie braccia se non possono abbracciarti?

Provo con altre persone, giuro che ci provo, invento che resisterò, che tutto non è altro che una dipendenza assurda che passerà, mi intrattengo mascherando le lacrime quando esco la sera.

A che serve la musica se non a definirti?

Immagino dove sarai e con chi, ieri mi hai chiamato per via dei bambini e le lacrime cadevano, non so se l'hai notato e me ne infischio di sapere se l'hai notato o no, spero soltanto che tu venga a prenderli presto e che mi chieda scusa di nuovo, ma questa volta ti perdonerò e ti dirò sì, riproviamoci, riproviamoci all'infinito.

A che diavolo serve l'orgoglio se non posso stringerti?

Sono una donna nuova e ho nostalgia della nostra routine, dei nostri spazi vuoti e dei nostri silenzi.

L'amore quando nasce è per tutti, ed è bene che tu lo sappia.

NON SO ANCORA come descrivere il rumore del vento, ad esempio. A volte l'ho sentito come se dentro ci fosse Dio, e anche dentro di me. Altre volte l'ho percepito come la voce del dolore che mi insegnava la gravità della vita. Mi ha mostrato che perfino l'allegria si può udire, e ci sono tanti modi di essere vivi per quanti sono i modi di udire il vento, di guardare il vento, forse.

Vivere è insopportabile ma è troppo bello, cazzo.

Non ho ancora scoperto quante lacrime stanno nello spazio del volto, scommetto che sono tremila, o qualcuna in più. Ci sono molte ragioni per piangere e non tutte sono buone, per fortuna. Che ne sarebbe di me se non conoscessi l'istante del pianto, il modo in cui dilata l'esistenza, la sensazione di star trovando il principio di me, il millimetro in cui comincia l'emozione? Mi aspetto almeno un altro milione di lacrime fino alla fine della vita, è un'aspettativa ottimistica, certo.

Vivere è insopportabile ma è troppo bello, cazzo.

Non ho ancora assaggiato il Nam Tok Moo, una combinazione di carne di maiale grigliata con menta, succo di limone, peperoncino, cipollotto, sugo di pesce e riso tostato. Non ho ancora assaggiato la Shepherd's Pie, quei pezzetti di carne di agnello coperti da purè di patate. Quante cose impariamo da Google, troppe cose, troppe. Morire è abbandonare la bocca a tanto piacere. Vorrei assaggiare l'intera creatività dell'uomo, ma mi resteranno soltanto cinque o seimila possibilità, devo approfittarne, è giusto.

Vivere è insopportabile ma è troppo bello, cazzo.

Non ho ancora mai guidato a trecento chilometri all'ora, non so neanche se mi va, prima o poi deciderò. Non ho ancora provato tutte le posizioni del kamasutra, e ce ne sono alcune per le quali comincio a essere troppo vecchio. Per fortuna conosco medici che possono aiutarmi se qualcosa va male. Non ho ancora detto un milione di volte a mio padre che lo adoro, ma ci sono andato vicino e a ben vedere un milione di volte è sempre poco per qualcosa di così infinito. Non ho ancora abbracciato mia madre baciandola sulla fronte fino a farmi seccare le labbra e stancare le braccia. Lo farò adesso, quando avrò finito questo testo. Non ho ancora scritto il mio capolavoro e ho soltanto qualcosa come settecentomila milioni di frasi per provarci, o qualcuna in più, probabilmente. Sono sicuro che morirò con la penna in mano, o con il computer in braccio, l'ultima frase sarà qualcosa come: «Perdonatemi tutto, ma leggete, e amate». Non mi sono ancora cosparso tutto di cioccolato, non mi sono ancora rotolato abbastanza sulla sabbia tornando dal mare, non sono ancora andato sulla Luna né su Marte, e neppure in Cina. Non ho ancora giocato allo stadio di Alvalade, né in quello di Don Afonso Henriques, non sono ancora mai salito sul palco del teatro Coliseu. Non ho ancora salvato abbastanza vite, non ho ancora riempito la testa della mia nipotina per tutto il tempo necessario, non ho ancora inventato parole che mi soddisfino, non ho mai neppure tirato torte in faccia al mio miglior amico, non ho ancora visto i miei allievi vincere il Nobel, non ho ancora avuto voglia di ballare sul bancone di un bar. Non ho ancora messo a tacere una volta per tutte i disgraziati che mi dicono che non sarò capace di fare quello che ho appena fatto, quelli che ancora ieri mi assicuravano che non sarei arrivato qui oggi. Non ho ancora dimostrato ai miei figli che il loro padre riesce soltanto perché fa, perché piange, perché rischia, perché si espone, perché non vuole star fermo né sopportare. Non ho ancora stretto i miei gatti fino a sentirli al centro delle mie ossa, non sono ancora pronto a morire, non lo sarò mai, ancora un altro minuto, in fin dei conti questa sarà la mia ultima frase, «Non ancora», ma con un punto esclamativo: «Non ancora!». Odio le esclamazioni e userò la prima quando sarà l'ultima, «Non ancora!». Non basta ma è quel che c'è, nessuna lingua è preparata per la morte. Non ancora, per piacere, è necessario, lo ammetto, però non lo accetterò mai, mai.

Vivere è insopportabile ma è troppo bello, cazzo.

Soprattutto non so ancora di che colore hai le mutandine oggi, ed è quello che mi pesa di più, lo confesso.

Ora lo so, che meraviglia, e ora invece non lo so di nuovo (o forse l'ho dimenticato).

Che se le goda il pavimento, beato lui.

Vivere è insopportabile ma è troppo bello, porca vacca!

LA PRIMA VOLTA che ti vidi fu nel vialetto dei negozi di calzature, eri impeccabile ma lasciasti cadere una poesia.

Nessuno è perfetto, nemmeno tu. Mi venne subito voglia di raccoglierla e restituirtela, ma mi mancò il coraggio e me la tenni per me. Ci sono poesie che vanno protette dal mondo, lo sanno tutti o se non lo sanno dovrebbero saperlo.

Anche se la Poesia dovesse morire ci saranno sempre dei versi, i pazzi ridono dinanzi a ciò che fa piangere gli altri, e poi li chiamano pazzi.

Questo per dire che sono pazzo di te, e che ti seguo da quel giorno. Avevo una visita dal dentista ma non mi pare importante dedicarmi alle banalità se c'è una poesia da restituire e non si sa come.

Tra l'igiene orale e la poesia c'è un naufragio completo, il verso è inutile e solo un idiota non capisce che è la cosa più importante del mondo, dopo di te, ovviamente.

Andasti al supermercato, comprasti due confezioni di latte, un pacco di zucchero e mezza dozzina di arance, poi entrasti in un palazzo pieno di uffici.

Il modo in cui cammini mi prova senza dubbio che Dio non ci insegna a vivere ma può perfettamente insegnarci a camminare.

Ti aspettai sulla porta, quattro o cinque ore. Tornasti con un uomo che temevo fosse tuo marito ma poi vidi che non lo era. Lui andò in una direzione, tu in un'altra, e io nella tua. Lo feci senza pensare ma con diletto, lo ammetto.

La rima non era voluta, scusa.

I pazzi costruiscono aeroplanini con quella carta verde che

gli altri vedono come una ragione per uccidere, se necessario, e anche se non è necessario, e poi li chiamano pazzi.

Questo per dire che sono pazzo di te, e che tutti i giorni ti ho amata senza che tu lo sapessi, in poco tempo conoscevo già esattamente le tue abitudini, dove andavi, cosa facevi, con chi uscivi, eri una donna libera e io avrei potuto essere un eroe se solo ti avessi detto qualcosa.

Scusami se sei troppo impressionante perché io osi toccarti, va bene?

Un giorno non sei comparsa alla fermata alle sette e mezzo del mattino, l'autobus è passato e tu non c'eri, il lunedì eri sempre lì, a quell'ora, normalmente avresti indossato la camicia blu, la giacca di pelle marrone, i jeans aderenti.

Trasformi un paio di jeans in un abito da cerimonia e contemporaneamente in una minigonna sensuale, lascia che te lo dica subito.

Potrei dirti molto di più, elogiarti nei modi possibili, dirti le mie frasi da disperato, ma la verità è che sono troppo occupato a cercare di avere tue notizie.

Dove sei, ché ho bisogno di amare con urgenza?

Ti ho cercata dappertutto e niente, in ufficio nessuno sa di te, «è uscita ieri e non è tornata, l'abbiamo già chiamata ma non risponde, nessuno sa niente e ci sono molti rapporti da fare, viva l'irresponsabilità, giusto?».

I tuoi vicini non ti hanno vista uscire, «L'ultima volta l'ho vista ieri sera e mi è sembrata strana, devo confessarlo»,

in casa non ci sei ché ho già spiato dalla finestra, sono salito sul parapetto e quasi cadevo,

tu vali una caduta dal secondo piano, lo so perfino io che sono elettricista e non capisco un tubo di economia.

Ho cercato negli ospedali e nessuna traccia di te, meno male, ora posso tirare un sospiro di sollievo.

Dove sei, ché ho bisogno di una ragione per vivere?

Poi scopro che sei partita per un'isola qualunque in mezzo al Pacifico e non hai neppure avvisato, è sempre utile avere amici che lavorano nelle agenzie di viaggi, e tu sei la donna più indimenticabile del mondo.

Non so se tornerai, in verità. Forse è ora di rinunciare,

non ti ho qui con me per vederti e non so se posso continuare a essere innamorato di una che non mi conosce, che ne pensi?

I pazzi vedono nell'impossibile tutte le ragioni per continuare mentre gli altri ci vedono tutte le ragioni per smettere, e poi li chiamano pazzi.

Questo solo per dirti che sono pazzo di te, e che il mio aereo arriva lì intorno alle dieci.

Mi aspetti con i jeans della Levi's?

E lei aspettò.

Un pazzo, oppure due.

E vissero insieme pazzi per sempre, probabilmente anche felici.

«Ora può baciare la sposa, se vuole.»

E lui voleva.

La baciò, l'abbracciò, e le consegnò finalmente la poesia.

MODULO DI RECLAMO / COMPLAINT FORM

USARE PENNA A SFERA E SCRIVERE IN LETTERE MAIUSCOLE.

IDENTITÀ DEL FORNITORE DEI BENI / PRESTATORE DEL SERVIZIO CONTRO CUI È PRESENTATO IL RECLAMO / *IDENTIFICATION OF THE PRODUCT SUPPLIER / SERVICE PROVIDER AGAINST WHOM THE COMPLAINT IS FILLED*:

(DATI OCCULTATI PER RAGIONI LEGALI)

IDENTITÀ DEL RECLAMANTE / *IDENTIFICATION OF THE COMPLAINANT*:

(DATI OCCULTATI PER RAGIONI LEGALI)

MOTIVO DEL RECLAMO / *CAUSE OF COMPLAINT*:

CON IL SEMPLICE PROPOSITO DI PROCEDERE ALL'ACQUISTO DI UNA SCHEDA PER IL CELLULARE, IL RECLAMANTE SI È RECATO IN QUESTO NEGOZIO, HA PRESO UN NUMERO E HA ATTESO IL PROPRIO TURNO. OLTRE QUARANTACINQUE MINUTI DOPO, ENORMEMENTE IRRITATO PER UN'ATTESA INSPIEGABILE, È STATO FINALMENTE RICEVUTO. SAREBBE STATO PIUTTOSTO AGGRESSIVO NEI CONFRONTI DELLA COMMESSA CHE LO HA RICEVUTO SE NON SI FOSSE DATO IL CASO CHE SI TRATTAVA DELLA DONNA PIÙ BELLA DEL MONDO, IL CHE, PUR NON SEMBRANDO, PUÒ IMPEDIRE A MOLTA BRAVA GENTE DI SENTIRSI OFFESA CONTRO QUALUNQUE COSA, SOPRATTUTTO QUANDO SI AMA, IMMEDIATAMENTE, LA DONNA CONTRO CUI BISOGNA PROTESTARE – LA QUALE, NON SO SE GIÀ RIFERITO IN PRECEDENZA, È LA DONNA PIÙ BELLA DEL MONDO. IL RECLAMANTE ESIGE DUNQUE CHE, SENZA ALTRI INDUGI, QUESTO NEGOZIO PROCEDA COME CONFORME, VISTO CHE, LO SAPPIAMO TUTTI (O ALMENO IL

RECLAMANTE NE È CERTO), UNA BELLEZZA COSÌ GRANDE È INTOLLERABILE E ILLEGALE – E DEVE ESSERE CONFINATA A SPAZI IN CUI NON POSSA AFFASCINARE INSPIEGABILMENTE CHI LA CIRCONDA.

SI RICHIEDE DUNQUE CHE, SENZA ULTERIORI INDUGI, LA COMMESSA IN QUESTIONE, CHE SI È IDENTIFICATA SEMPLICEMENTE COME «BARBARA TEIXEIRA» (OMETTENDO IN TAL MODO, INSPIEGABILMENTE E CON CHIARO DOLO, IL FATTO CHE IL SUO NOME COMPLETO FOSSE «LA DONNA DELLA MIA VITA») SIA COLLOCATA IN LUOGO PIÙ RISERVATO E MAI NEL SERVIZIO AL CLIENTE. INOLTRE, È URGENTE CHE LA SUDDETTA COMMESSA SIA, PER IL MODO VIOLENTO IN CUI IL TOCCO DELLA SUA MANO, SENZA VOLERLO, HA LASCIATO LA MIA IN UNO STATO IRRECUPERABILE DI FELICITÀ PER SEMPRE, CONDANNATA A FORNIRE AL RECLAMANTE UN SORRISO AMPIO OGNI VOLTA CHE EGLI (IO) ENTRI NEL NEGOZIO – SI AVVISA SIN DA ORA CHE IL MIO CELLULARE È VECCHIO E TENDE A DARE SEMPRE PIÙ PROBLEMI – NONCHÉ AD ASSICURARE CHE SARÀ SEMPRE LEI A RICEVERE IL RECLAMANTE, E A FORNIRGLI IL SUO RECAPITO TELEFONICO AFFINCHÉ UNA CENA, UN PRANZO O UN SEMPLICE CAFFÈ A DUE POSSA, AL FINE DI RIPRISTINARE LA GIUSTIZIA POSSIBILE, AVVENIRE QUANTO PRIMA. ATTENDO DUNQUE, PER TUTTE LE RAGIONI ESAUSTIVAMENTE ESPOSTE (E ANCORA PIÙ ESAUSTIVAMENTE SENTITE) CHE L'ENTE COMPETENTE OPERI NELLA MANIERA PIÙ ADEGUATA, CONSCIO DELLA GRAVITÀ DELLA SITUAZIONE QUI ESPOSTA, E CON LA CERTEZZA CHE GIÀ LA AMO SOTTO PROTESTA, DIO E LA LEGGE MI SOCCORRANO.

MI PIACE amare con le dita,
trovare il centimetro in cui nasce l'orgasmo
in te, capire l'estensione del modo in cui sussulti,
e accostarti il mio orecchio alla bocca per sentire la voce di Dio.

Mi piace amare con gli occhi,
sprecare l'ipotesi del sonno e vederti addormentare,
la notte buia e il silenzio di un abbraccio,
e se vuoi che te lo dica
ti ho scelta solo per sbaglio, volevo l'amore dei libri
e sono diventato scrittore, giornate intere in attesa del tuo corpo
perché le metafore accadano.

Mi piace amare con le lacrime,
praticare l'abisso, la larghezza stretta delle tue labbra,
la sensazione di mare eccessivo della tua lingua,
perfino il modo in cui mi percorri il sesso
con l'estremità del tuo respiro fermo,
e soprattutto sottoporti al castigo dell'emozione
di amarti ancora dopo la fine del piacere,
la piccola morte conclusa
e la vita tutta di nuovo da ricominciare.

Mi piace amare con quello che mi resta,
e tutto quel che so è che mi resta amarti.

LASCIA STARE che ci penso io, figlio.

Un padre è, nella peggiore delle ipotesi, un eroe, un superman, e io sono qui per qualunque cosa ti serva, ti ho già in braccio, stai piangendo ma passerà. Tua madre, fammela abbracciare un po' mentre ti tengo in braccio, fra un po' ti allatterà e ti sentirai meglio. Lo sai che sei proprio bello? Dicono che hai i miei occhi e mi fa piacere, certo, ma quello che voglio è che tu abbia occhi tuoi, che tu veda solo cose belle. Ora devo andare perché l'infermiera vuole metterti nella culla, lo so che non si dice ma sei il più bello di tutti questi bambini, al diavolo i mezzi termini, io amo mio figlio tutto intero.

Lascia stare che ci penso io, figlio.

Fa molto male ma è necessario, ti piacerà andare a scuola e imparare a leggere, quando saprai scrivere mi prometti che scriverai che mi adori? Un giorno potrai anche diventare scrittore come tuo zio, hai tante cose da imparare, far di conto e sapere i nomi dei fiumi. Ai miei tempi sapevamo tutte queste cose, i fiumi, le stagioni, i capoluoghi di provincia, ora non so. Ma ti piacerà, vedrai, ora va', non piangere così tanto che non lo sopporto, fa tanto male che ci siano tante cose belle che fanno così male, per favore non attaccarti così a me, guarda quanti bambini, la maestra sembra simpatica e ti aiuterà, te lo garantisco, e ora che ti guardo attentamente vedo che sei di gran lunga il bambino con l'aria più intelligente di tutta la classe, lo so che non si dice ma ormai l'ho detto, al diavolo le mezze parole, io amo mio figlio tutto intero.

Lascia stare che ci penso io, figlio.

Certo che firmo. Tua moglie mi piace, hai scelto bene, birbante, in questo somigli a me, perché tua madre è ancora senza dubbio la donna più bella del quartiere, e sono certo che sarete felici, deve esserci qualcosa che mi rende più felice del vederti felice ma sinceramente non so ancora cosa sia. Ho fiducia assoluta in te, l'impiegata della banca è una vecchia conoscente, la signora Emilia che lavorava con me in calzaturificio, una santa, e la casa è stupenda, c'è spazio per una famiglia e voglio avere quanto prima dei nipotini che ci saltino dentro, assolutamente, ecco la firma. Quarant'anni di risparmi non avrebbero potuto essere spesi meglio, sono così orgoglioso di me e di te, il mio bambino grande che comincia a farsi una vita, mi costa perderti ma in fondo ti sto conquistando in un altro modo, sei un compagno, ragazzo mio, so che non dovrei dirlo ma guardandovi mi accorgo che siete chiaramente la coppia più bella che abbia mai chiesto un mutuo a questa banca, al diavolo le mezze parole, io amo mio figlio tutto intero.

Lascia stare che ci penso io, figlio.

È solo un dolorino, non preoccuparti, l'erba dura non muore mai, il dottore ha detto che passa in fretta e che sto bene, non c'era bisogno che venissi con me, tu hai la tua vita, non mi piace per niente rovinarti i piani, parliamo piuttosto dello Sporting, quel nuovo attaccante non sembra granché, vero? Vorrei tanto venire allo stadio con te domani ma faccio ancora fatica a camminare, tutto qui. Non fare quegli occhietti, non c'è niente di più doloroso degli occhi tristi di un figlio, non guardarmi così, amore mio, abbracciami e parlami della tua vita. È vero quello che mi ha raccontato tua madre, che sei già capoturno della tua fabbrica? Ho sempre saputo che avresti fatto strada, fra un po' quel postaccio lo comandi tu, accidenti, sono solo scivolato, scusa, sto bene, davvero, mi alzo subito, sto soltanto cercando un punto d'appoggio. Cosa può fare più male dell'aver bisogno di un figlio che ci prenda in braccio e ci metta a letto? Qui si sta meglio, lasciami riposare soltanto un po' e poi ti raggiungo in salotto, accendi la tivù e metti la registrazione di quel programma a cui hai partecipato l'altro giorno, lo so che non si dice ma sei stato di gran lunga il miglior partecipante che quel concorso abbia mai avuto, al diavolo i mezzi termini, amo mio figlio tutto intero.

Lascia stare che ci penso io, figlio.

Hai la bocca di tua madre, questo è certo e non posso negarlo, ma gli occhi sono i miei. Esisteranno lacrime più felici di quelle che cadono quando vedi i tuoi occhi negli occhi di tuo figlio? Ti tengo fra le braccia e sono così felice, vorrei soltanto che il mio vecchio fosse qui, di sicuro direbbe che fra non molto starai conquistando tutte le ragazzine del liceo, e che sarai il più bravo della classe, poi ti parlerebbe del nuovo attaccante dello Sporting. Appena esco di qui vado direttamente allo stadio a tesserarti, sarebbe bello se potessi avere il numero di tessera che aveva lui, non dovrei dirlo ma sei di gran lunga il più bello dei tifosi dello Sporting, al diavolo i mezzi termini, io amo mio figlio tutto intero.

RIVENDICO l'indignazione della meraviglia, gli alberi in rivolta contro la forza del vento, la vecchietta affacciata alla finestra contenta della vita che ha sotto casa, il suo sorriso da bambina.

L'ingenuità è la conoscenza delle emozioni.

Le barche che attraccano, i loro uomini dalle barbe lunghe e dalle molte vite, le storie che avranno da raccontare. E la pace del tuo bacio quando ti distendi in me.

Rivendico l'ingegneria del volo, capire come fanno gli aerei a sollevarsi con tanta gente che non sa volare a bordo. Sapere come è iniziato l'amore, chi sarà stato il primo ad amare e come avrà fatto a sapere che era così bello?

Scoprire dove finisce il mare e da dove vengono le onde, piangere quando mio padre mi chiede un abbraccio, e io glielo do e ne ricevo altri.

Chi ha inventato quelle creature magiche che sono i genitori?

Passare il pomeriggio a provare cioccolatini, e il tumulto del tuo sudore quando ti distendi in me.

Rivendico la formula della poesia, quella che sta all'origine del verso finito. Da quale territorio nascono i geni?

Vorrei scoprire cosa nasconde lo sguardo di un gatto, quanti capolavori ci troverei dentro?

La materia dell'arte sono le lacrime e tutto quello che portano, perfino la felicità, certo.

Ma voglio valutare l'ipotesi che tutti siano Picasso e semplicemente non lo sappiano, nessuno è immune al fascino, ne sono certo.

Rivendico infine la canonizzazione del piacere, e la tua camicia sbottonata quando ti distendi in me.

Rivendico soprattutto l'oggetto inutile della tentazione, quello che mi fa piangere quando mi innamoro, l'ergonomia esemplare del tuo corpo nel mio.

Chi è stato a capire che c'erano nuovi sensi da vivere?

Rifiutarmi di pensare in presenza delle tue labbra, i venti anni per sempre del mio «ti amo», la cocaina delle tue dita sulla mia pelle, chi ha inventato la droga non conosceva l'amore, mi pare evidente.

E non saper decidere se devo amarti per sempre o per sempre quando ti distendi in me.

CHE RUMORE FA la pioggia quando ti abbraccio così?

C'è un testo da scrivere, il dramma di uno scrittore è che c'è sempre un testo da scrivere, ed è anche la sua fortuna, non ha senso ma è bello così.

Ieri i tuoi capelli profumavano di abbraccio.

Non ricordo di aver mai visto un naso più felice. Oddio, guarda che cose assurde scrivo. Potrei dissertare di economia o altro, ma preferisco dedicarmi al punto in cui le gocce di pioggia alla finestra si mischiano con il leggero filo di sudore che scorre al centro dei tuoi seni.

Quando dormi, Dio si sveglia per vederti dormire.

I cattolici non lo sanno ma il miracolo è amarti.

Che sventura sei tu che mi fai felice?

Tutti quelli che amano sono poeti, o perlomeno quelli che amano così, con il verso sempre interrotto, tutto da dire e così poche parole da mostrare.

Quanti dizionari richiede il tuo corpo?

Per non parlare poi della tua voce, del modo inammissibile in cui dici che mi ami e io ci credo. Sono già le nove di sera e devo consegnare un testo alle dieci, smetti di guardarmi.

Fra un po' scade il tempo a mia disposizione ma me ne infischio, lasciami scrivere in un istante la voglia della mia lingua in te, l'importanza assoluta delle tue mani, o addirittura la calma del tuo collo quando mi fa male, mancano cinque minuti alle dieci e ho già una mail dell'editore, ora viene il bello, posso scrivere sulla soluzione per la tristezza del Paese, inventare due o tre banalità, citare qualche autore famoso in modo che tutti mi rispettino, e poi è fatta. Aspetta un attimo, torno subito, ecco qui, una frase è fatta, poi un'alra. Ma sei ancora qui e quando torno in me ho già scritto quattro o cinque frasi su quanto mi manchi se non ci sei, la dimensione assurda del divano senza di te, guardo l'orologio e sono le dieci, come faccio a scrivere qualcosa che non sia tu?

Premo il tasto dell'invio ed è fatta, un intero articolo su di te, spero non lo trovino strano, in fin dei conti è la prima volta che ti dedico un intero articolo, almeno per oggi, certo, ieri e l'altro ieri credo di aver fatto lo stesso, ci metti ancora molto a darmi un abbraccio?

MI PIACE quando sei maschio, lo sai?
Il modo in cui mi dimostri la dimensione della tua forza e mi stringi piccola piccola quando mi fai male.
Ci sono tante cose che fanno male, vero?
La pioggia e il senzatetto che non sa come sfuggirle, le persone dimenticate all'angolo dell'autobus, che porcheria di mondo è questo che hanno inventato?
E poi torno a casa, con tutto il giorno sulle spalle, e trovo la tua forza, mi dici che passerà, e passa davvero, quando mi dici che devo lasciarmi proteggere.
L'amore può anche essere soltanto qualcuno che ci chiede di lasciarci proteggere, e ci protegge davvero.

Mi piace quando sei maschio, lo sai?
Il modo in cui dopo la calma riesci ad accendere in me il tanto fuoco che ho da incendiare, non hai bisogno di molto, mi parli dello spazio tra la poesia e quanto mi ami, mi racconti la storia dell'invenzione del nostro bacio.
Ci vuole così poco ad amare una persona, vero?
E dopo la tempesta viene la tempesta, non è dai poli opposti che viene l'amore, ma dallo stesso polo in posti diversi.
Sono così assuefatta alla tua pelle.
Ci mischiamo gli odori e i gesti, sappiamo che è soltanto piacere e che sarà breve, e perciò insistiamo.

Mi piace quando sei maschio, lo sai?
Il modo in cui coraggiosamente ti ritrai e mi mostri di essere grande, un gigante immenso che fa male.

C'è tanta gente che non è abbastanza grande da essere piccola, ci hai fatto caso?

A volte ci sono tetti insostenibili dentro di noi, giorni che ci chiedono desistenza, ed è allora che ti stendi e ti lasci andare in attesa che io venga a prenderti.

Sei tanto vigliacco come eroe, e ti amo così, come il bambino che si è fatto grande per potermi difendere.

Mi piace molto l'eroismo della tua fragilità, quando ci distendiamo e ci stringiamo nelle nostre mancanze sappiamo che ci attraversa ciò che non ha soluzione, il male che ci colpisce non ha cura, e nonostante ciò ci curiamo.

L'amore può anche essere soltanto l'impossibilità di curare un male, e poi ovviamente curarlo.

È L'ORGASMO la trappola perfetta.

Mi servo di mani anonime sul mio corpo, ce n'è una ora su di me ma manca tanto, un abisso intollerabile tra ogni corpo e te, mani straniere per non ricordarmi di te.

Di che paese si è quando ci si sente così?

Tutti i posti ti riconoscono, a mezzogiorno in punto ti apro le gambe con chiunque sia. Questo è alto e forte, se l'anima avesse ragione sarebbe migliore di te, ma succede che sono stupida e ti voglio ancora, perché tutti i letti sono un preambolo di te, e la tua bocca è un gesto antico.

Ricordo ora quel che non ho vissuto con te.

La nostalgia è fatta di apprendistato, di rumori che servono a non sentire.

O c'è il giorno intero da vivere o c'è un giorno intero per morire, lasciar passare le ore, ricordarmi perennemente di dimenticarti. Mi manca non sentire la tua mancanza per essere felice.

Tutti quelli che non sono te si chiamano comunque José.

Bisogna dimenticare quel che non ci riempie, non mi interessa sapere chi amo quando amo solo te, chiamo José il mondo che ho intorno e uso quel che posso, la pelle, la carne, perfino le parole possibili.

Quanti uomini dovrò sacrificare per continuare a non dimenticarti?

Gli dico di prendermi forte, chiudo gli occhi e cerco di arrivare alla geografia del piacere, ma quando vanno via restiamo io e la letteratura del letto vuoto, prendo due o tre delle lettere che mi hai scritto e mi spoglio finalmente perché tu mi possa toccare.

Ogni volta che ti leggo devo essere completamente nuda.

Un altro José è andato via, c'è stato l'orgasmo e ho gemuto come potevo, per due o tre secondi non ho pensato a te, lo giuro, probabilmente è il massimo a cui posso aspirare, devo essere realista.

Volevo essere la donna che regge e sono solo la donna che sopporta. Il citofono suona, sarà un altro José, di sicuro, apro il portone di sotto senza chiedere chi è.

Di quali fragilità esattamente si compone la desistenza?

La porta si è già aperta, non guardo neppure e lo lascio venire, le mani prima, poi il bacio, infine le parole.

«Ciao, sono José.»

Questo mi basta per sapere che sei tu, non chiedo nulla e nulla voglio sapere, c'è la possibilità di qualche minuto solo per noi e sono disposta a godermela, mostrami con pazienza cosa hai imparato lontano da me, dammi prima l'euforia e poi il silenzio, ma soprattutto promettimi che non tornerai a farmi promesse.

E rispetta questa promessa, per favore.

DUE CHILI DI RISO, quattro di cipolle congelate, un cartone di latte e un amore per sempre.

La lista della spesa attaccata al frigo, i fornelli accesi, pentole al fuoco, una casa normale come le altre, e poi noi.

Dovrebbe esserci un limite nell'appartenere a qualcuno, solo per poterlo superare, non credi?

Mi piace stringerti quando inventiamo la finzione possibile, quando basta il bordo del banco della cucina ad amarti, ti ci appoggio contro e ti dico che ti amo, e il peggio è che ti amo davvero.

Sei consapevole dell'eccezionalità della nostra routine?

Nessuno crede che ci si possa amare ventiquattr'ore su ventiquattro per tutta la vita e neanche noi, è ridicolo chiamare ventiquattro ore il tempo assoluto che passiamo insieme, lo chiamiamo vita e va bene così.

Le parole in fondo sono semplici, nessun amore è mai finito per mancanza di parole ma soltanto per mancanza di amore.

Non so se ti dico le parole giuste ma ti amo come un poeta, questa scrivila, per favore.

Dammi un bacio bagnato sulla porta del Lidl e fammi felice.

La tua richiesta è adolescente quanto te, la cassiera non sa se ridere o piangere e le tue gambe sono già intorno alla mia vita.

Non so se chiamare labbra ciò che mi fa esistere così.

Non sei il modo più giusto di vivere, forse, ma sei di certo l'unico possibile, e mi basta perché tutto vada bene.

Mi piace quando la felicità si può misurarla, che diavolo di euforia sei?

Se Dio esistesse lo costringeresti a peccare, e lo sai, ora vieni a fare il bagno con me, lavami la schiena e strofinami la pelle, non so se è romantico ma mi fa piangere, tu mi impedisci di sapere cosa voglio in ogni istante ed è il mio unico desiderio.

Quanti squilibri richiede una felicità?

E alla fine del giorno o della notte saremo lì nella casa normale, sul divano abituale, la tua testa sul mio petto banale, i tuoi capelli tra le mie mani solite, e chi ci vede direbbe che siamo una coppia tra le tante, e lo siamo, ma non dire a nessuno che proprio per questo nulla è paragonabile a noi.

L'unica povertà è vivere soltanto del reale, e meno male che lo sappiamo, vero?

Non so se ti dico le parole giuste ma ti amo come un poeta, questa scrivila, per favore.

SE SOLO TU SAPESSI che non temo la perfezione, perché per fortuna temo soltanto le altezze che non posso raggiungere, come la piega strana che prendono i tuoi capelli quando arrivi al lavoro la mattina, la borsa a tracolla e tanta fretta di cominciare a rispondere alle mail, la prima è sempre mia e non te ne sei mai accorta. Domani provo a inviarti la prima e anche l'ultima, te ne mando una appena vai via e un'altra appena arrivi il giorno dopo, forse così capisci che non è un caso.

Tutto ciò che si desidera con tanta forza è un caso, forse lo è.

Ti desidero da quando ti ho vista e tu non sei neppure riuscita a vedermi.

Se tu sapessi che non ho mai invocato le pietre del selciato invano, sia ben chiaro, ma la verità è che le invidio, i tuoi passi ordinati su una strada che non sono io.

Dove vai quando non ti vedo?

È difficile sopportare l'esistenza della tua vita fuori da ciò che amo, puoi chiamarmi possessivo, geloso, che ne so, puoi chiamarmi come vuoi purché mi chiami tuo.

Tutta la mia libertà per un bacio, l'accetti?

Oggi ti invito a prendere un caffè, è un buon inizio e può sempre servire a guardarti meglio dentro. Quando ti guardo per più di cinque secondi di seguito sono felice per sempre, giuro.

Se tu sapessi che ho comprato dei vestiti nuovi per guardarti meglio.

La commessa lo ha trovato strano, mi ha guardato storto,

dove si è visto mai che un uomo vestito così male sia innamorato?

Ma alla fine mi ha aiutato, ha scelto un completo grigio a righine blu, spero ti piaccia. Per comprarlo ho speso la tredicesima, se lo sa il boss mi taglia i viveri per sempre, credo abbia una cotta per te, ho visto come ti guardava da capo a piedi alla cena di Natale, se ci prova dimmelo ché gli do un cazzotto e mi licenzio immediatamente. Me ne infischio dello stipendio, ma smettere di vederti mi costerebbe caro, eppure forse così troveresti il modo di vedermi e tutto si sistemerebbe. Stai già andando via ed ecco l'invito, ti chiedo in ginocchio di accettarlo per quanto possa sembrare poco interessato alla tua risposta.

Il dramma del corpo è che sa mentire.

Se tu sapessi che quel che faccio per te non è proprio piangere, ma piuttosto morire.

Non c'è modo, tu non mi vuoi, ed è meglio rinunciare, appendere le scarpe al chiodo e partire in cerca della felicità possibile.

Non ci sarà una donna che ti nasconde?

Vado a letto tutti i giorni con questa volontà, mi convinco che domani non rinuncerò a tentare, ma poi viene domani e i tuoi passi sul selciato, li vedo da quassù alla finestra mentre prendo il caffè, trecentosettantatré passi esatti da quando esci dalla metropolitana fino all'ingresso della fabbrica, li ho contati ieri e oggi ho verificato.

Quello che la follia ha di ironico è che sa contare.

E sono di nuovo tuo se lo vuoi.

Quando andrò dall'oculista e mi chiederà cosa vedo, gli mostrerò una tua foto e andrò via, te lo garantisco.

Se tu sapessi che ti amo, forse sarebbe diverso, forse la sera verresti a letto con me e mi lasceresti guardarti mentre ti addormenti, toccarti i capelli fino in fondo alle lacrime, portarmi la tua testa fino al centro delle spalle e sperare che la felicità arrivi, finalmente.

Se solo tu sapessi che ti amo...

Ma in realtà lo sai.

MUOIO DI FAME solo per farti sapere che sono insaziabile.

Vorrei tanto dirtelo così quanto ti voglio, ma c'è il pudore, la paura, la vergogna, tutte queste cose.

Quanti no una persona può davvero sopportare?

E quando sono con te passiamo il tempo a parlare di tua sorella e del suo fidanzato, un cretino totale, devo dirtelo.

È un'impressione mia o gli imbecilli stanno sempre con le donne migliori?

Oppure delle tue lezioni, della 3ª B che ti fa impazzire o di quel tale Diogo che è un maleducato.

Dimmi dove abita che ci penso io, va bene?

E quando arriva l'ora del silenzio mi viene voglia di raccoglierti nelle mie braccia, raccontarti la storia del ragazzo sfortunato che era amico della sua amata solo per poter stare un po' accanto a lei. È una forma di tradimento, lo so, ma non credo sia possibile sopportare la tua esistenza non potendo averti.

Vorrei soltanto che mi comprendessi, capisci?

E la tua domanda meriterebbe che ti dicessi che sono qui, ti comprendo tutta, so che hai paura del buio quando tuona, che ti fa male la gamba sinistra quando cambia il tempo, e che il tuo animale preferito è il gatto, il colore il blu, so che ti piacerebbe vivere a New York ma non sai perché, so che l'uomo perfetto è alto e moro ma l'unica volta che hai amato qualcuno era basso e grassottello e biondiccio, so che ti lavi i denti con la mano sinistra anche se non sei mancina, so che a volte telefoni a tua madre per addormentarti.

Cosa c'è di perfetto nelle voci dei genitori?

So che odi guidare, e solo io so quanto è costato prendere la patente così tardi ma era necessario.

Meglio essere il tuo autista che niente, vero?

La gente fa le cose più strane per amore e prendere la patente non è poi così strano, in fin dei conti può essere utile anche se guido solo per te. Non dirlo a nessuno ma quando non ci sei prendo il taxi o la metro oppure l'autobus, guidare è un atto che richiede te, come tutti gli altri, del resto.

Poche cose giustificano un imbroglio meglio dell'amore, e io anche se non sembra credo di amarti.

Non sono soddisfatto di essere tuo amico.

È il massimo che riesco a dirti, per qualche istante temo che tu capisca male e pensi che non ti voglio più qui. Ma quando mi sfiori l'orecchio con la tua mano sinistra, e mi chiedi di farti dimenticare il tempo, io so che ne è valsa la pena, e sarà forse questa l'unica cosa che so.

«Penso sia stato ieri o l'altro ieri che ho capito di amarti», mi hai detto, e io non ho detto niente perché le labbra non servono a parlare, in verità, e anche perché non avrei saputo rispondere.

Quando mi hai chiesto di farti dimenticare il tempo io ti ho obbedito, e credo di aver esagerato.

Che giorno è oggi?

Gli imbecilli stanno sempre con le donne migliori, e questa è la mia fortuna.

«VIVO IN UN PAESE in cui la povertà è legalizzata.» E Guilherme (nome fittizio per una storia che dovrebbe essere pura finzione) passa la mano destra sull'occhio dello stesso lato, si strofina più volte la pelle bagnata, le rughe a mostrare che il tempo non passa soltanto dentro.

Ha settantun anni, una vita intera di lavoro alle spalle, e ora tutto ciò che gli resta è la casa che cade a pezzi da sempre nel quartiere morto da sempre.

«Vivo in un Paese in cui la povertà non è reato.» La mano sempre sulle lacrime, la gente intorno che guarda spaventata.

«Un povero spaventa la gente, sa?» mi domanda. Gli occhi grandi e azzurri come a chiedere scusa per l'odore di chi non vede l'acqua calda da anni, le mani che si muovono come a cercare una ragione di vita.

«A volte, per una questione di rispetto, rinuncio a stendere la mano e mendicare, so che la gente ha i suoi problemi e se ne infischia di me. Quei giorni lì scavo nei cassonetti dell'immondizia e me la cavo anche bene», racconta, e riesce a sorridere il sorriso più coraggioso che esiste, e questa volta sono le mie lacrime a voler venire fuori; resisto e proseguo, gli chiedo che faceva, come è finito lì, in quel pezzo di niente in una vita così grande da perdersi.

«Ho lavorato nei cantieri, ho avuto una drogheria, avevo anche aperto un ristorante, pensi. Ma poi è arrivata questa cosa della crisi e sono dovuto tornare ai lavori forzati. Ma non mi voleva più nessuno. Ormai ero troppo vecchio per lavorare e troppo giovane per smettere di lavorare.» Si ferma un secondo o due, e continua. Le lacrime si sono fermate ma la testa no. «Ero troppo vecchio per vivere e troppo giovane per morire.»

Le vite di tutti i vecchi di questo Paese, e di tanti vecchi in tutto il mondo, definite in una frase. Ho voglia di abbracciarlo, dirgli di venire a stare da me, che farò quel che posso e non posso per non fargli mancare niente, ma invece non gli dico nulla: so che una cosa almeno non gli manca, ed è l'orgoglio che resta a chi non ha più niente.

«C'è stato qualcuno che voleva aiutarmi, darmi una vita lontano da qui, dove ci fosse acqua buona da bere e roba buona da mangiare. Ma io non voglio. Ho lavorato troppo per poter accettare di morire di elemosina.»

L'espressione mi rimane in mente, lui la spiega, forse un'altra lacrima sta quasi per uscire.

«Vivere di elemosina non esiste, sa? Vivere di elemosina non esiste. Chi va in giro a chiedere l'elemosina sta morendo di elemosina, e io ho lavorato tanto, davvero tanto, sa? Non voglio quello che non merito, non ho mai voluto quello che non meritavo. Voglio soltanto quello che avrei dovuto avere, ma qui in questo Paese, non so se gliel'ho già detto, la povertà non è reato, pare che questi politici che governano l'abbiano legalizzata», rivela, e mostra un giornale consumato quanto la pelle delle braccia: in prima pagina a caratteri cubitali la notizia di un bilancio di stato appena approvato.

«Quello che vogliono è che la gente abbia paura di finire come me. Niente spaventa di più della povertà, non so se gliel'ho già detto. La povertà non è la fine ma è un finale commovente, ci penetra dentro, ci porta via un po' alla volta. Comincia dall'orgoglio, poi porta via l'autostima, finché, se non stiamo attenti, non ci resta niente, quel che ci resta è chiedere e finire nelle mani di chi ci ha ridotti così. Ma a me questa gente non mi porta via. No.»

Le parole sventolate come una bandiera, bianca di pace e mai di resa, sempre più gente intorno a noi, la notte che cade e in cielo, lontano, la promessa della pioggia in arrivo.

«Quello che vogliono è che la gente si ripari dalla pioggia, capisce? Vogliono che la gente abbia paura di bagnarsi e si ripari dalla pioggia, e che per riuscirci faccia quello che vogliono loro. E loro vogliono che diventiamo tutti agnellini, che ci dicono "vai" e noi andiamo, oppure "resta" e noi restiamo. Stiamo tutti come stiamo ora, proprio ora, con la pioggia che sta per cadere e ognuno di noi deve scegliere se ripararsi o rimanere qui.»

Finché la pioggia non comincia davvero a cadere, la gente a correre, i bar intorno si riempiono, i tendoni dei negozi occupati, io e Guilherme soli al centro della strada.

«Vede come scappano tutti? Ecco cosa gli fanno.»

Di nuovo il giornale sventolato, i fogli bagnati che cadono a pezzi.

«Minacciano che arriverà la pioggia, fanno piovere davvero, e la gente corre a ripararsi, così è più facile far finta di resistere. La gente preferisce tenersi appartata, nascosta da ciò che bagna. Ma guardi: mia nonna, che Dio la tenga in grazia in un posto speciale, mi ha sempre detto che chi va sotto la pioggia si bagna, e io preferisco inzupparmi tutto piuttosto che bagnarmi leggermente, sa? "Se deve bagnare, che serva a lavare." Così mi diceva la nonna.»

La strada deserta, io e lui inzuppati, e a tratti perfino le rughe sembrano sparire sott'acqua.

«Tutte le acque servono a curare. Io non farò in tempo a vederlo, ma sono sicuro che un giorno la gente capirà che tutte le acque servono a curare, e allora scoppierà la rivoluzione. Morirò, voglio che lo sappia, nella speranza della rivoluzione, e non è male come modo di morire, no?»

Sorride, la vita perduta tra i denti perduti, mi passa la mano sulla spalla, mi dà una pacca amichevole sulla schiena, e se ne va per la sua strada, la pioggia e la sua sagoma, la notte che si chiude, e un rifiuto finale quando gli chiedo se vuole che lo accompagni o che lo porti da qualche parte:

«Lasci stare. Io rimango qui dove piove».

E rimane.

DIO INDOSSA *un bikini e pantaloni hawaiani,*

ho scritto ieri sulla strada che porta alla spiaggia. Ho voluto renderti omaggio, una poesia alla mia maniera, non so fare di meglio, scusa. Mio padre mi ha sempre detto che chi dona quello che ha di troppo non è obbligato a farlo, una porcheria di frase ma ora mi serve.

Le frasi valgono l'obiettivo che raggiungono, questa è la verità.

Tu riduci in macerie le mie certezze.

Anche questo è vero. Quando ti vedo in quel corpo e in quel bikini, mi sembra intollerabile credere che un giorno potresti essere mia, ed è per questo che ci credo. Ti guardo fino allo sfinimento, lo confesso, e anche se ci fossero mille poliziotti sarebbe la tua pelle mora a denunciarmi, il modo in cui il sole ti picchia sulla schiena mi piace così tanto che mi ferisce.

Dammi una speranza e io costruisco una casa.

Sono così mediocre quando ti parlo, vero? Sei tu che mi fai questo effetto. Quanti cretini può generare un solo amore?

Sappi che sono il primo della classe, ho avuto un premio in quarta elementare, alle medie e alle superiori tutti volevano sedersi accanto a me agli esami, prendi questa e usala per innamorarti di me, se puoi, e anche se non puoi, per favore. Meglio disperato che senza speranze di averti.

Quando ti ho vista sei mesi fa non sapevo nuotare e ora sono il bagnino della tua spiaggia.

Ti va bene come prova d'amore?

Uno di questi giorni ti scrivo un messaggio.

Dio indossa un bikini e pantaloni hawaiani,
comincerà così e poi avrà tutte le parole che sono scritte qui sopra, dopodiché, prendi tutta la mia vita e goditela.
E goditi anche me, grazie.

DALLA MIA FINESTRA si vede il tuo corpo, più o meno alle dieci. Tu ceni e poi resti lì, su quella poltrona all'angolo del salotto, fumi una sigaretta, a volte due, guardi lo spazio immenso della città, le luci ferme, i locali vuoti, e io immagino che stai guardando me. In quei momenti lì mi emoziono, il fumo nell'aria del tuo salotto e io che fumo con te, e non vedo intimità più grande di una sigaretta in due nel silenzio più profondo della notte.

Dalla mia scrivania si vede la tua vita, è solo un po' ma basta, basta che tu debba andare a prendere qualcosa nel cassetto delle graffette e già ti vedo, fai uno sguardo cupo, forse non ti piace troppo archiviare documenti, organizzare cartellette e ricevute, e a me piace fermarmi a detestarlo con te. Chiudo gli occhi e cerco di capire cosa è cambiato in te dalla notte scorsa, capire se hai dormito bene o no, di che colore è il rossetto che hai oggi, quante volte guardi la foto di tua figlia, e non vedo intimità più grande del fatto che guardiamo insieme la persona che più ami.

Dal mio tavolo si vede la tua solitudine, pranzi con te stessa e vengo anch'io, il tavolo all'angolo ogni volta che puoi, un pasto leggero, un'insalata o il pesce del giorno, non so se ti ho detto che non hai nessun bisogno di diete. Se disegnassi il tuo corpo sarei un uomo completo, tutto il giorno a guardarti, ma non sono un artista e semplicemente ti amo. Il tavolo all'angolo lontano dalla finestra, forse hai paura della gente o ti fa male un nonnulla, e anche a me, sappilo. Prendo quello che prendi tu e ti faccio compagnia senza fretta, e non vedo intimità più grande di questo nostro pranzare insieme ciascuno nel proprio angolo segreto.

Dalla mia bicicletta si vede la tua libertà, vai a correre nel tardo pomeriggio nel parco più pericoloso della città e io ti proteggo per proteggermi dalla tua fine. Ti sorveglio a una distanza sicura, il fiume lì in fondo, dei tipacci ti guardano e io tremo. Un giorno o l'altro finisce male, gli passo accanto con la faccia da cattivo, io che non ho mai picchiato nessuno e che ero lo zimbello della scuola, per te faccio la parte dell'eroe e se necessario lo sono davvero. Oggi ti sei fermata prima del solito e ti sei piegata, non so cosa succede e sono spaventato, non sei il tipo di donna che lascia le cose a metà. Ora ti sei seduta e hai chiuso gli occhi all'improvviso, il corpo spento, e io non ce la faccio più, fermo la bici e ti afferro con forza. Per fortuna è solo un mancamento e ti svegli, io con te in braccio e i tuoi occhi che si aprono, e non vedo intimità più grande del tuo aprire gli occhi e trovarci dentro i miei.

Dal mio lato del letto si vede la tua mano, è posata sul mio petto e la vita potrebbe benissimo essere solo questo, tu che dormi con la mano posata sul mio petto nudo, il mio respiro e la tua mano che sale. Ieri hai fumato la sigaretta da questa parte, ti ho raccontato di quando la fumavo con te, ti ho fatto vedere da quale angolazione ti amavo, ma poi arriva il giorno, entra la luce e bisogna lavorare. Tu ringrazi, mi chiedi scusa per la debolezza e te ne vai, lanci l'idea di richiamare, dici che non sai cosa ci unisce ma proverai a scoprirlo. Io ti lascio andare e fumo una sigaretta alla finestra, tutta la città in cerca di chissà che, e non vedo intimità più grande della possibilità di stare fumando la sigaretta più felice del mondo.

«PROMETTO DI SBAGLIARE.»

Fu l'unica promessa che le fece, tutta una filosofia in tre parole. Non credeva nella possibilità della perfezione, e neppure faceva nulla per raggiungerla, perché se non esiste a che serve cercarla?

E si lasciava vivere per quello che aveva davanti, tutte le possibilità, tutte le porte. C'era sempre un'ora ideale per la felicità ed era sempre adesso. L'amore arriva solo quando smettiamo di essere perfetti.

«Vorrei tanto ma lascia stare.»

L'abominevole paura della gente, l'abominevole capacità di saziare a metà quel che può essere intero. Lei aveva paura, tanta paura, paura di sbagliare, di non riuscirci, paura di non fare il passo giusto nella direzione giusta, men che meno al momento giusto, e quando l'abbraccio accadde erano due corpi che si univano, sì, ma erano molto di più: due mondi diversi che non sapevano come unirsi. L'amore esiste solo quando due mondi si uniscono senza avere la minima idea di come fare a unirsi.

«L'errore è cercare quel che non esiste.»

E lui insisteva, l'abbracciava dopo il sesso e le spiegava il contenuto della vita, l'urgenza di una pelle, dimenticare la possibilità di una coppia perfetta per assaporare nella perfezione la coppia possibile, lui e lei, imperfetti come solo loro due, lui con le rughe su tutta la faccia, lei stanca di lottare, stanca di temere, i figli, la vita, una storia indelebile alle spalle. L'amore esiste solo quando due persone si incontrano in mezzo a due viaggi diversi.

«Prometto di sbagliare.»

Prometto di amarti fino al limite, baciarti fino all'ultima frontiera, correre quando basterebbe camminare, saltare quando basterebbe correre, volare quando basterebbe saltare. Prometto di abbracciarti con l'interno delle ossa, percorrerti la carne con la fame assoluta, e andare in cerca dell'orgasmo tutti i giorni, trovare la felicità nella dolcezza assurda che sapremo destinarci.

Prometto di fallire. Senza esitare. Prometto di essere umano, incoerente, di dire la parola sbagliata, la frase sbagliata, perfino il testo sbagliato, di agire senza pensare, a che diavolo serve pensare quando ti amo in modo così scellerato? Prometto di capire, prometto di volere, prometto di crederci. Prometto di insistere, prometto di lottare, di scoprire, di imparare, di insegnare. Tutto questo per dirti che prometto di sbagliare. E Dio ti liberi dal non promettermi lo stesso.

«Sei stata il modo più bello di sbagliare.»

E lei sentì che le mancava il respiro, esitò come non aveva mai esitato, volle pensare a tutto, mettere tutte le possibilità sul piatto della bilancia, ma quando riprese fiato non disse: «Vorrei tanto ma lascia stare». Quando riprese fiato stava pensando a come avesse fatto a smettere di pensare, per quei due o tre secondi, a sé stessa. L'amore esiste solo quando ci offre almeno due o tre secondi di noi stessi.

«Se sbagli di nuovo, giuro che ti amo per sempre.»

E lei sbagliò.

ALLA VITA NON CHIEDO molto, non ho mai chiesto molto, il mio corpo in grado di cercarti e tutto il resto di conseguenza. Potrebbe forse esserci la possibilità di un weekend in due, ogni tanto, tu e io senza il mondo a disturbarci, in un posto qualunque che davvero può essere un posto qualunque. I giorni successivi li passeremmo a far finta che esista davvero qualcosa al di là della necessità di noi. Io potrei addirittura trovare un impiego, lavorare dalle nove alle cinque, sorridere ai miei colleghi quando fanno una battuta, insultare tra i denti il mio capo perché non ha capito quanto sono competente, tutto per poter tornare a casa, la sera, e dirti: «Ti amo e ho già dimenticato tutto quello che ho vissuto oggi». E poi tu potresti dire: «Com'è andata la giornata, amore?» e io risponderei come tutti i capifamiglia che non è stata una giornata facile ma è tutto sotto controllo, finché, dopo due o tre battute senza importanza, arriverebbe l'abbraccio e poi il bacio e poi il corpo e poi il piacere e poi noi due distesi su una qualche superficie che avesse spazio per quello che vogliamo. Ci sarebbero più gemiti che mai, i vicini si lamenterebbero con il portiere, il portiere chiamerebbe, direbbe, senza saper bene come, che disturbiamo con i nostri rumori. Io direi che non sarà un portiere a impedirmi di amare, e torneremmo ai gemiti solo per dimostrargli che quando si ama nulla è misurabile, neanche i decibel.

«Solo quello che supera tutti i limiti può cambiare il mondo, lo sapevi?» mi chiederesti tu, la sigaretta in bocca, il corpo nudo, la finestra aperta. Io ti risponderei che non credo esistano limiti da quando ho conosciuto l'interno delle tue labbra. Tu immediatamente diresti, con quella tua aria da bambina ingenua e puttanella indomabile contemporaneamente, che adori il modo in cui io uso le lettere per aprirti le gambe, e senza accorgermene sarei già di nuovo dentro di te.

«Tutti conoscono la misura di un orgasmo», diresti, senza farmi capire perché e a che scopo; io rimarrei disteso nel letto, a guardare la tua silhouette alla finestra e sotto la luce che entra dai vetri, a immaginare cosa ne sarebbe del mondo se fosse possibile non amarti così, non avere così bisogno di te. Penserei anche che non c'è futuro, che noi non abbiamo futuro, che siamo solo due pazzi che giocano ad avere un corpo, due bambini che giocano all'orgasmo, tanta incoerenza, tanta incapacità di creare un futuro, mentre tu non avresti idea di quello che penso o immagino e vorresti solo trasmettere un'idea, che ti sembra immutabile e intaccabile, secondo cui l'amore consiste nella capacità di trovare tutte le passioni in un corpo solo, concentrare tutti i sessi in un sesso solo. E concluderesti che no, non ne saresti capace, mi chiedi scusa ma saresti incapace di amare un corpo solo, così come saresti incapace di amare una vita sola, e perciò inventi persone in te. Sei la bambina e l'adulta, la ribelle e la precisina, sei tutto quello che puoi essere, tutto e il contrario di tutto, per poter resistere. Non che tu sia traditrice o infedele, non perché non mi desideri fino in fondo alla pelle e all'inizio delle ossa, ma solo perché hai la strana mania di voler essere per forza felice.

A quel punto spegni la sigaretta, mi dai un bacio di addio, dici che sarebbe impossibile per te darmi quello che merito, e quando ti prepari a sbattere la porta e uscire io ti dico soltanto che se non puoi darmi quello che merito ho tutto il diritto di pretendere che tu mi dia quello che non merito.

Alla vita, non so se te l'ho detto, non chiedo molto, soltanto il mio corpo in grado di amarti e il tuo corpo, anche se vecchio, sotto una luna tutta nostra.

ERAVAMO COSÌ PICCOLI e già amavamo un amore così grande.

Quando cominciammo ad amarci, io ti aspettavo davanti alla scuola, fermavo la mia Yamaha sul marciapiedi, facevo due o tre impennate e tutti si fermavano a guardarmi. Non posso dire che non mi piacesse, ma quello che davvero mi interessava era che tu mi sentissi, mi guardassi e magari corressi tra le mie braccia. E allora valeva la pena di avere una moto, so solo io cosa dovetti fare per comprarla, ma fu per costringerti a guardarmi.

Eravamo così giovani e già amavamo un amore antico.

All'inizio non mi davi retta, rimanevo lì dieci, quindici, venti minuti, finché smise di essere figo starmene lì fermo davanti a una scuola media, finché tutti smisero di vedermi come un dritto e cominciarono a vedermi come un cretino qualunque che andava a fare le impennate con la moto davanti a una scuola. Dovetti andar via un sacco di volte senza vedere i tuoi occhi puntati sui miei o sulla mia moto, senza vedere il tuo sorriso, senza che la giornata avesse un senso. Quei giorni lì facevo altre strade e aspettavo che uscissi, ti vedevo con le tue amiche, nessuna di loro sapeva di essere amica della ragazza più bella del mondo (sei tu, lo sapevi?) e pensavo che un giorno ci sarei stato io, io e te, a prenderti sottobraccio, senza bisogno di moto e di impennate. Che spreco sarebbe stato dover tenere le mani occupate a guidare quando avrei avuto la tua pelle da toccare prima che il tempo finisse.

Eravamo così ingenui e sapevamo già tutto.

È chiaro che siamo cresciuti, tu sei cresciuta e hai smesso di essere la ragazza più bella del mondo per diventare la donna più bella del mondo, io sono cresciuto e ho smesso di avere una moto per poter avere una macchina. Ma in fondo siamo rimasti le stesse persone, non siamo cambiati neanche un po', tu continuavi a studiare e io continuavo a lavorare come un cane per poterti vedere uscire da scuola e poi dall'università. Bisognava, eccome, trovare un giorno il coraggio di dirti che avevo bisogno di te come una macchina ha bisogno del motore, come una moto ha bisogno dello scappamento, come le ruote hanno bisogno della strada. Volevo solo che tu capissi, lì e subito, che se non ti abbracciavo e non ti dicevo che ti amavo era soltanto perché dire una vita intera è sempre difficile, ma io ero sicuro che un giorno o l'altro, sì, un giorno o l'altro ci sarei riuscito, dovevi solo aspettare un po', solo un po', va bene?

Eravamo così ignoranti e già capivamo il senso della vita.

Tu mi porti tutta la sapienza del mondo, sia ben chiaro. Successe che quel giorno ti vidi con quell'altro ragazzo che probabilmente avevi conosciuto all'università, e se quel giorno mi avessero chiesto di spiegare cosa fosse la gelosia avrei risposto «quella cosa che uccide». Se la morte esiste, di sicuro non è così dolorosa: tu che alzi le spalle, il sorriso e a tratti la desistenza, ma chi ama non desiste mai, l'ho letto in un libro, uno dei libri che ho iniziato a leggere da quando ho capito che se volevo conquistarti dovevo dirti le parole giuste e non quelle sbagliate. In fondo la differenza tra essere felici e non esserlo sta nella scelta delle parole. La persona più felice, l'ho imparato subito, è sempre quella che dice meglio le cose.

Eravamo così incompleti e già non ci mancava niente.

Quando mi abbracciasti per la prima volta, non te accorgesti ma andò così, mi cadde il foglio che avevo in mano e che avevo preparato con tanta cura per dartelo. Non mi ricordo più cosa ci fosse scritto esattamente ma era un qualche modo di dirti che ti amavo in maniera poetica, credo fosse anche in rima, figurati. Ma quando mi abbracciasti per la prima volta, eravamo da soli al centro di una strada piena di gente, feci cadere il foglio e dissi che ti amavo, non usai poesie né versi né rima, dissi «ti amo» e i tuoi occhi si aprirono e si chiusero, poi guardasti il cielo, non so se tu lo ringraziasti ma io sì. E volasti ad abbracciarmi e all'orecchio sentii qualcuno dire «anch'io» e volli credere, e voglio ancora crederlo, che fossi tu, perché se non eri tu allora si spiega che l'amore ripaga la cecità con l'eccesso di udito. Adesso provo anche a fare lo spiritoso, guarda l'effetto che mi fai, un uomo si allena per diventare poeta e il massimo che ottiene è essere ridicolo, e forse le due cose sono esattamente uguali, ora che ci penso.

Eravamo così passeggeri e già nulla poteva separarci.

La vita è puttana, lo sai? Ci costringe a fare cose che non vogliamo, a dire cose che non vogliamo, e poi ci sono le bollette, il lavoro, gli obblighi, il peso dei giorni a scandire il tempo, l'età che non si ferma, e quando ci siamo incrociati con ciò che non era perfetto quanto noi non ne abbiamo sopportato il peso. Io ho ceduto alla soluzione più facile e sono stato orgoglioso, tu hai ceduto alla soluzione più facile e sei stata orgogliosa, e all'improvviso eravamo soltanto una coppia più o meno come tutte le altre, ma niente di quello che eravamo stati meritava di essere così insignificante. È stato allora che ho deciso di andar via, ho preso i sogni e sono uscito, tu sei rimasta, so che hai pianto come me, so che hai creduto fosse la cosa più giusta anche se faceva male, e cosa diavolo abbiamo imparato se riusciamo a credere che una cosa così dolorosa possa essere la soluzione giusta? Quello che fa male non è mai giusto, ecco l'unica verità giusta. Sono passati gli anni, ci sono stati tra noi donne e uomini, e anche rughe e figli, ma quando pensavo al valore della vita cercavo soltanto te, capire dove fossi e cosa stessi facendo. Finché un giorno, già calvo e completamente vecchio, ho preso la mia vecchia Yamaha e sono venuto all'uscita della tua scuola, dove tutti mi hanno guardato e hanno detto che ero figo, un vecchietto arzillo è sempre figo, ma quello che volevo era che tu venissi di nuovo. Pensavo che non saresti venuta, ma quando ho sentito una delle bambine, di sicuro la più bella, dire «sta arrivando la prof», ho capito che ti stavi avvicinando e portavi gli stessi vestiti (come hai fatto a mantenerti così elegante?) e la stessa certezza che eri, che ancora sei, la ragazza più bella del mondo, che poi è diventata la donna più bella del mondo, che poi è diventata la vecchietta più bella del mondo. E quando sei salita sulla mia moto e ho fatto due impennate belle forti perché tutti ci vedessero partire ho capito (l'hai capito anche tu?) che non smettiamo mai di essere quello che amiamo.

Eravamo così vecchi e avevamo ancora tutta la vita davanti.

«SEI TUTTA BUONA.»

Te lo dico ad alta voce, intorno la gente ride, di sicuro non ti fa piacere, e a chi farebbe piacere un muratore che grida da un'impalcatura una frase del genere?

Ma la verità è che ti voglio e quello che ti ho detto è così intero che fa male. Sei tutta buona perché niente in te mi può fare male. E non parlo del tuo corpo, non sono interessato ai corpi contrariamente a quello che potrebbe sembrare, mi interessano le persone e sentire che esisto quando guardo qualcuno e, come ti ho detto, tutto in te mi farebbe bene, tutto in te è buono.

Non c'è bisogno di un intellettuale per definire che cos'è l'amore, sai?

«Sei tutta buona.»

Ti conosco da quand'eri bambina, la più intelligente della classe e anch'io, poi è capitata la vita, mio padre, un incidente cretino.

Come se poi ci fosse qualche morte che non è cretina, eh?

Ma come ti dicevo mi è capitata la vita, e anche a te. Avevo saputo che studiavi giornalismo, poi cominciai a vederti in televisione, mi sentivo vincitore nella tua vittoria, credimi, e sento lo stesso ancora oggi quando ti vedo passare. Ho scelto questa ditta per poterti avere ogni giorno, è l'averti possibile, l'averti che si può, io sono solo un muratore ma ti voglio tanto bene.

Non c'è bisogno di un intellettuale per definire che cos'è l'amore, sai?

«Sei tutta buona.»

Non sono Pessoa né Hesse né Neruda, ancor meno Herberto Helder o Beckett.

Voglio essere intelligente e acculturato per sentirmi capace di te.

So che non accadrà, che non arriverà mai il giorno, ma tutti i giorni mi preparo.

L'amore è essere instancabilmente preparati per quello che sappiamo che non succederà mai.

Questa non l'ho letta in un libro, o forse sì, non lo so più, ho letto tante cose del genere. Questo lo sai anche tu, ne sono certo, mi voglio più intelligente e colto per essere capace un giorno di amarti come mai potrò amarti. Fattelo dire, senza esagerazioni, che basterebbe una parola tua a farmi felice per sempre, è cattiva poesia ma sei tu.

Non c'è bisogno di un intellettuale per definire che cos'è l'amore, sai?

«Sei tutta buona.»

Se potessi cambiare qualcosa di te sarebbe soltanto tuo marito, che il Signore mi perdoni. Voglio profondamente saperti felice e non farò nulla per separarti da chi ami, ma se potessi cambiare qualcosa di te sarebbe solo tuo marito, che non ti merita, ma tanto nessuno ti merita. Devo essere sincero. Oggi avevi i pantaloni blu, non sono quelli che ti stanno meglio in assoluto ma ti stanno da dio.

Sono una montagna di banalità e conosco anche a memoria il tuo armadio.

Domani probabilmente avrai il vestito nero, le previsioni danno pioggia e quando piove ti vesti di scuro, dev'essere il tuo modo di aderire al tempo, che ne so. So che potrei scommettere che domani avrai addosso il vestito nero, davanti alle telecamere non lo avrai, perché lì usi vestiti in prestito e ti sta tutto molto bene, ma che ne so io che sono un muratore su un'impalcatura a guardarti passare, che ne so io della poesia, so solo che non ho mai visto una poesia più bella di te.

Non c'è bisogno di un intellettuale per definire che cos'è l'amore, sai?

«Sei tutta buona.»

E lei si ferma e risponde, nessuno ride e lui scende, lei sorride, gli fa vedere una vecchia foto, un quaderno cancellato e consumato, qualcuno la sente dire che aveva nostalgia di parlare con una persona intelligente, non si sa se è una diceria o se è vero, certo è che quelli sull'impalcatura sono più meravigliati di quando hanno visto su YouTube un maiale che andava in bicicletta.

Non c'è bisogno di un intellettuale per definire che cos'è l'amore, e ora lo sanno anche quelli sull'impalcatura.

PORCA MISERIA, cambiare casa è complicato, anche se ci si trasferisce in una casa migliore.

Questa sembrava buona, ma la posizione… Sono lontano da tutto quello che mi interessa. Mi piace uscire la mattina e avere subito tutta la città a portata di mano, il posto dove mi guadagno da vivere, lo spazio perfetto per un pranzo o per un caffè o per la cena, poter fare due passi. Questa è fuori questione, mi sembra chiaro, se non sono esigente con il posto in cui vivo, con che cosa lo sono, con quello in cui muoio?

Questa, forse, è vicina a tutto, posizione ideale, senza dubbio, fammi vedere. Ecco, come sospettavo, il comfort lascia a desiderare, provo a immaginare come sarebbe svegliarmi e addormentarmi qui, e non mi piace, sembra anche poco illuminata, non voglio lussi ma neanche stare scomodo, solo il necessario. Ne ho ancora molte da vedere, non sono obbligato a prendere questa, viva la libertà di scelta, se non sono esigente con il posto dove vivo, con che cosa lo sono, con quello in cui muoio?

Questa era quasi quella giusta, porca miseria, era comoda, la posizione ideale, proprio alle porte della città, il bar di Fonseca qui a fianco, il ristorante della Guidinha, stavo quasi per decidere di prenderla, ma il vicinato, oddio. Non mi è piaciuto quello che ho visto intorno, gente strana, e la gente strana non mi piace, almeno gente strana di questo tipo, poi va a finire che mi sento insicuro. Chiamatemi fifone ma sono così, devo sentirmi sicuro e qui non mi ci sento, non si sa mai chi abbiamo davanti, ecco. Comunque mi dispiace molto, questa casa aveva tutto tranne il vicinato, devo continuare a cercare e senza lamentarmi, proseguire fino alla perfezione possibile. Se non sono esigente con il posto in cui vivo, con che cosa lo sono, con quello in cui muoio?

Io e la mia mania di fare il difficile, lo so, qui non mi mancava niente e potevo perfettamente trovare quello che cercavo, ma anche l'occhio vuole la sua parte, no? E a me piace tanto vivere con gli occhi, se una cosa non è bella non mi fa felice. E qui non è bello, è troppo grigio, troppo scuro, a me piace la luce, l'allegria, sono un bambino, in fondo, e anche in superficie. Sono un bambino e mi piace giocare e mi piacciono le cose serie splendide e allegre. Resto male ma è così, vado a vedere la prossima che neanche va bene. Mi dispiace, ma se non sono esigente con il posto in cui vivo, con che cosa lo sono, con quello in cui muoio?

Fantastico, qui è perfetto, la posizione ideale, né vicino né lontano. Il vicinato è una gioia, la signora accanto è un amore, sembra mia madre tanti anni fa, saremo grandi amici, ne sono certo. E lo spazio è tutto colorato, tutto mi dice che sono vivo, adoro quando sono gli occhi, quello che gli occhi vedono, a dirmi che sono vivo, e lo sono, qui sono felice, qui sarò felice. Finalmente ho trovato casa, sì, se non sono esigente con il posto in cui vivo, con che cosa lo sono, con quello in cui muoio?

Potrei già sistemarmi, godermi la casa nuova e tutto quello che ha da offrirmi, ma è già ora di cena e l'associazione distribuisce la minestra vicino alla chiesa soltanto fino alle dieci.

Metto solo il mio cartone qui per tenere il posto, non vorrei che il diavolo ci mettesse la zampa. Spero solo di non arrivare in ritardo e che nessuno mi rubi la piazza.

Diamine, cambiare casa è complicato, anche quando si cambia in meglio.

MI HAI DETTO che ti bastano l'amore e delle scarpe nuove per essere la donna più felice del mondo, ed eccomi qui. Il negozio è piccolo e non ho idea di cosa scegliere, forse la signora che serve potrà aiutarmi. Le dico il tuo nome e lei ride, forse il nome non è rilevante nella scelta delle scarpe, ma la verità è che mi piace così tanto dire il tuo nome che non perdo un'occasione per farlo.

«Barbara», dico, e lei ride, e io sono così felice che lo dico di nuovo per chiedere scusa di averlo detto.

"Barbara", di nuovo, ora non lo dico ma lo penso, lei non ride più e aspetta solo che le dica cosa voglio, probabilmente degli stivali, oppure dei sandali, non ne ho la più pallida idea, abbozzo una spiegazione di quello che cerco ma non sono convincente.

«Ma cosa cerca esattamente?» mi domanda lei, e io rispondo la verità. Perché diavolo dovrei risponderle qualcos'altro se la verità è così bella? Quello che cerco è qualcosa che la faccia felice, vedere gli occhi che mi fa quando indovino, quando dico le parole che si aspetta, o faccio i gesti che desidera, o l'abbraccio quando ne ha più bisogno, o la riconforto quando tutto le sembra pesante.

«Quello che voglio è farla felice», dico senza paura alla commessa. «Cosa mi consiglia?»

E lei torna a sorridere, le commesse dei negozi di scarpe hanno una condiscendenza molto peculiare. Mi dice che la mia risposta le è piaciuta ma non le è molto utile. Continuo a girare per il negozio in cerca di qualcosa, un segno che mi dica sì, è quel modello, quel colore lì, quel materiale, tanti modi di farti felice e io qui disperato senza trovarne nessuno. La signora adesso vuole sapere come sei, cosa ti piace, se sei alta o bassa, come ti vesti di solito, e senza accorgermene le sto già mostrando sul cellulare la nostra foto alla festa di compleanno di tuo fratello. Lei capisce come ti vesti e io ti amo, è semplice, poi mi fa i complimenti perché sei molto bella e sono geloso perfino di lei, dovrei essere il solo a vederti così bella da far venire i brividi. Quando la signora ti fa i complimenti, mi manchi così tanto che ti chiamo, non dico dove sono e dico solo che ti voglio e ti desidero, poi metto giù e non sono soddisfatto, ti mando anche un messaggio:

«Passo la vita a cercarti e per fortuna ti trovo ogni giorno».

Non so come mi vengono queste parole, proprio a me che non sono poeta e non ho mai scritto niente in vita mia. La commessa ha già una serie di proposte, quattro o cinque, osservo tutto diffidente, voglio scoprire dove sei, in quale sei, ma nessuna mi convince della tua felicità, e da quando ti conosco gli oggetti servono solo a convincermi della tua felicità. Per un momento vorrei scegliere un modello ma sono interrotto dallo squillo del cellulare, è il tuo messaggio di risposta:

«Vieni, sono qui»

e io vengo, chiedo scusa alla signora ma devo andare, torno domani e ti porto per mano, in fin dei conti anche a me bastano l'amore e delle scarpe per essere felice, perché non dovrei avere tutto allo stesso tempo?

LA MATTINA È UN COLTELLO *sinuoso senza la tua mano posata sulla spalla.*

È così che comincerei un testo sulle parti della giornata, poi parlerei della malattia di un pomeriggio completo per poter sentire il peso del silenzio, e all'arrivo della sera non avrei più niente da scrivere, due o tre lacrime e un nodo in gola basterebbero. La notte non è prevista se non posso dormire con te, mi pare ovvio.

Ho bisogno della tua pelle per crollare e per resistere.

È così che comincerei un testo sull'ingegneria civile, poi teorizzerei sugli effetti perniciosi del vento alla finestra quando mi stendo sul divano aspettando che arrivi, e tu non arrivi, e ancora sull'importanza di avere pilastri forti per aggrapparmi a te e amarti contro il muro. La casa migliore è quella costruita per resistere alla catastrofe naturale che è l'amore, che università di merda sono quelle che non lo insegnano?

Mi consola la menzogna, e ora so che il tuo sudore era fatto di gocce di veleno.

È così che comincerei un testo sull'importanza esagerata di essere veri. Valuterei la necessità di inventare scuse per rimanere vivi, nessuno in perfetto possesso delle sue capacità mentali sopporta la vita, il segreto della felicità è il segreto della dose esatta di follia. Qualcuno deve pure avere il coraggio di ammetterlo, e io ce l'ho, e mi manchi ancora di più.

Ho voglia di leccarti e vederti sciogliere d'amore.

È così che comincerei un testo sui processi chimici, affronterei la fotosintesi del tuo abbraccio, anidride carbonica, acqua, glucosio e un orgasmo. Chi non crede alle forze soprannaturali non ama, e io ci credo, senza dubbio.

È mezzogiorno solo quando arrivi tu.

È così che comincerei un testo sulle ore, mi ricorderei del nostro pranzo a letto, certo, noi la chiamiamo perdita di tempo ma ha un buon sapore, i corpi uniti arresi all'urgenza di cibo. Potrei anche scrivere sulla mezzanotte del tuo sesso nel mio, delle due di notte del tuo sesso nel mio. Insomma, sappiamo che tutte le ore sono sessualmente attive, e completamente passive. Dipende solo dal fatto che tu ci sia o meno, ecco, beccati questa responsabilità e fanne ciò che puoi.

C'è una trappola e c'è Dio quando i tuoi occhi accecano i miei.

È così che comincerei un testo sull'oculistica, e non riuscirei a scrivere nessun'altra parola, sarei incapace di vedere qualunque lettera, solo il tuo corpo e la mancanza della tua voce.

Scopro quotidianamente l'esistenza di sorrisi spopolati, scheletri di sorrisi, e nient'altro.

È così che comincerei un testo sull'allegria, smembrerei la ridicola esistenza di altri sorrisi diversi dal tuo, dovrebbe solo accadere quello che hai dentro, riso o pianto sono esattamente la stessa cosa se non provengono da te, o da un posto accanto a te, nella peggiore delle ipotesi. Mi capisci, ora?

Ti voglio ora, e anche dopo.

È così che comincerebbe un testo sull'amore, ma ora basta scriverti, scusa ma preferisco amarti, è una fortuna che tu sia qui a leggere e che ti piaccia quello che ho scritto finora, l'unico errore ortografico imperdonabile sarebbe non piacerti, che vadano all'inferno i capolavori e i critici, se è capace di amarti è arte, non c'è niente di più semplice.

È così che concluderei un testo sul niente, e su un sacco di altre cose ancora, ed ecco fatto.

DEVO TORNARE ossessivamente da te.
Resisto due o tre minuti, a volte quattro o cinque quando riesco a dormire un po', a leggere un libro che mi prenda, e poi torno, sempre, alla strana necessità di incontrarti.
C'è in me una voracità d'affetto.
Mi inquieta il fatto che tu riesca a esistere dove non ci sono io, la tua pelle ci riesce? La mia ci rinuncia, cede e si lamenta, è possibile avere una pelle lamentosa?
Devo imparare a prostituire le lettere.
Tutto ciò che scrivo e leggo ti riporta a me. Ieri ho letto il bugiardino di una medicina e ho inventato una poesia, era più o meno sulle controindicazioni del tuo corpo, i malefici del tuo sudore per la pelle, e alla fine avevo solo voglia di prendere tutte le medicine perché qualcosa di te potesse amarmi.
C'è in me una ferita da proteggere.
Il tuo sguardo è definitivo, tutto il resto passa e nonostante ciò non smette di far male. Al ristorante la signora Laura ieri mi ha chiesto di te: «La signorina sta bene?». E io ho sorriso, sei la signorina di un sacco di gente e io ti vorrei solo per me. Esisterà l'amore senza egoismo, forse, ma io non lo conosco e provo rabbia per chi lo conosce, e anche per la signora Laura.
Devo trovare un nome per le tue labbra.
E anche per te, visto che ci siamo. Pensavo di chiamarti acqua perché mi entri ed esci da tutti i pori, poi ho pensato invece di chiamarti aria perché seppure invisibile mi sostieni, e alla fine ho deciso di chiamarti mia perché mi basterebbe anche solo questo.

C'è una specie di mancanza dissolta nel mio sangue.

Mi piace vedere uno spiraglio di Dio quando ti svegli, i tuoi occhi un po' alla volta mi mostrano l'estensione delle nuvole, potrei semplicemente emozionarmi ma sarebbe troppo superficiale.

Devo credere che la distruzione del vuoto sia l'obiettivo primordiale. In fondo esisti per dissolverlo interamente, e il solo fatto che tu ci riesca è la miseria intollerabile di tutta questa storia.

Devo sentire il primo brivido della morte e l'ultimo di te.

Dammi tutti i giorni l'indimenticabile, perché io possa dimenticarmi di me. Sono così idiota che pensavo non morissi mai.

E avevo ragione.

Puoi anche andartene con il corpo sotto terra, ma non credere che ti lascerò riposare in pace.

CARA MAMMA,
caro papà,

Il tempo passa sulle lacrime che piango, non ho più ormai neanche le cicatrici di quella vecchia ferita. E intanto la memoria. La dannata memoria.

Nessuno merita una memoria felice.

E io sono stato felice. Lo siamo stati insieme. Felici. La casa piena con la nostra allegria dentro. Il giardino, il nonno che raccontava milioni di volte le storie che aveva già raccontato un milione di volte, e la nonna sempre preoccupata di riempire la tavola, gli zii intenti a dire che la vita costa cara. Ed è vero, papà. La vita costa cara, mamma.

Nessuno merita una casa vuota.

E poi i profumi. I profumi non passano. I profumi sono il modo migliore di soffrire. Profumo di cucina dove un giorno la vita. Dove un giorno il sogno. Io bambino nella cucina piena del nonno, della nonna e degli zii. Io bambino che sognavo di me grande, grande come gli zii: «Un giorno sarò ricco e comprerò tante cose». Io bambino che volevo crescere.

Nessuno merita un corpo che cresce.

E la perdita. La dannata perdita. La nonna con il cancro dentro. Il nonno che cedeva man mano che la sua Maria moriva. Poi gli zii, e le rughe. Tutti che se ne andavano man mano che io crescevo. E tutto muore quando muoiono i sogni.

Nessuno merita di sopravvivere ai sogni.

Il nonno non c'è più e la nonna neanche. C'è il profumo della cucina calda con i miei sogni dentro. L'odore della stanza in cui mi nascondevo, sotto il letto, per vedere gli adulti parlare. La casa vuota con dentro quello che sono diventato.

Nessuno merita di sopravvivere alle cose che uccidono.

E avere un padre e una madre. Solo quando la casa si svuota si sa quanto vale un padre, quanto vale una madre. E non importa più quel che è stato, quel che poteva essere. Non contano le parole che un giorno ci siamo detti, gli errori che non abbiamo evitato di commettere. Non conta la voce grossa di papà – «Devi essere un uomo sul serio» – né il dolore muto della mamma. Non conta quello che si è perso, quando si hanno un padre e una madre da stringere. Siamo ancora insieme, mamma. Siamo ancora insieme, papà.

Nessuno sa cosa significhi perdere, se ha ancora una madre e un padre da abbracciare.

E finché avrò le vostre spalle su cui appoggiarmi nessuna lacrima morirà solitaria.

«AVRESTI POTUTO rovinare tutto tranne l'illusione.»

Sulla terrazza dove ci conoscemmo, la fine del mondo alla fine di un pomeriggio in cui la vita cominciava ad avere senso.

«La più grande boiata del mondo è la fine di un'illusione.»

E la città sembra chiudersi a ogni passo che faccio. Non ci sono più le tue parole, non ci sono più le tue mani, la pelle rugosa delle tue mani. «Sono le mani della mia anima; dentro, sono un'adorabile vecchietta.» E il tempo. Il tempo è come un pegno da pagare.

Per ogni minuto senza di te vivo tutta la vita che ho vissuto con te.

La terrazza senza il tuo corpo, la terrazza senza la tua voce. La crudeltà di un mondo felice. Come si può essere felici quando si è amato così?

«Quando si rovina l'illusione va tutto in rovina.»

Ti avevo detto che ce la facevo. Ti avevo detto che il senso della vita stava nel continuare. Ci credevo. Credevo davvero che ci fosse un continuare. E c'è. Tutto quello che faccio è proprio questo, soltanto questo. Disperatamente questo. Continuare. Senza di te continuo. Mi continuo.

Perderti ha cambiato tutto anche se tutto rimane uguale.

Non so più da quanto tempo sono morto. Da quanto tempo la terrazza è vuota. Da quanto tempo la tua schiena – «Prendimi così, stringimi così, mi piace sentire il tuo petto dietro di me, il tuo sesso che cresce dietro i pantaloni» – la distanza della tua schiena sulla terrazza in cui tutto si fece e disfece. Non so più dove sia la voglia di vivere un altro giorno.

«Non credere che non ti ami solo perché ti odio.»

L'illusione. La dannata illusione. L'ho lasciata cadere. L'ho lasciata scivolare. Ho lasciato che la vita si impossessasse di noi. E la pigrizia. La dannata pigrizia. Ho lasciato che avanzasse su di noi, che conquistasse, giorno dopo giorno, un palmo di terreno. Ho lasciato che la casa in cui due persone si amavano diventasse la casa in cui due persone abitavano.

Le case non servono ad abitare; le case servono ad amare. La nostra è ancora qui. Nostra anche se qui ormai resiste soltanto un uomo solo. Il tuo armadio intatto, i segni delle tue dita sul vetro a provare che ancora esisti. Lo specchio in cui ti guardavi dopo essere venuta – «Mi piace sapere che aspetto ha un orgasmo, che effetto fa alla mia pelle un orgasmo» – e il messaggio che avevo scritto con le lacrime e il rossetto che avevi dimenticato sul comodino: «C'è sempre tempo per un'altra illusione».

Torna subito o muori per sempre.

E se per caso è già troppo tardi, lascia stare l'orologio e vieni.

Un abbraccio tuo arriva sempre in orario.

SILENZIO, ché si comincia ad amare.
Tutti gli amori cominciano così. Nel silenzio di uno sguardo, nel silenzio di una mano dipendente dall'altra, di un'altra mano vagante che deambula per la città notturna del tuo corpo, nel silenzio delle labbra serrate, scambiate, massaggiate, abbracciate e riabbracciate. Tutti gli amori sono silenzio esteso.
E tutti i silenzi meritano l'amore.
È fondamentale mandare la politica a farsi fottere. È fondamentale capire che solo il politicamente scorretto rende felici. È fondamentale rifiutare quello che ci viene venduto e comprare soltanto ciò che non è in vendita.
Niente di ciò che vale la pena di avere può avere un prezzo.
È fondamentale amare il silenzio. Rifiutare chi lo rifiuta. Insultare chi lo maltratta. Pretendere che lo si rispetti come si rispetta Dio.
E soltanto chi non ama teme il silenzio.
È fondamentale decretare il silenzio. Conservare le parole per dopo l'orgasmo, per dopo il peccato.
Tutto il peccato ti scorda le parole.
E nessuna parola è abbastanza grande da poter dire quello che ci unisce.
È fondamentale il silenzio tra due persone che si vogliono parlare.
È fondamentale il silenzio per capire l'amore.
«Ti amo» sono due parole che si possono dire solo così:
shhh.

IL GRANDE VANTAGGIO della vita è che ci insegna di nuovo a piangere. La vita rende infantili. Diventiamo più grandi in quel che ci rende più piccoli. Si cresce fuori da quel che si va perdendo dentro. Passiamo l'infanzia a voler crescere, l'adolescenza a voler crescere. E poi capiamo che gli unici a voler crescere sono quelli che ancora si sentono piccoli. Un adulto si sente piccolo ma pensa al contrario. Si sente piccolo e vuole diventare ancora più piccolo. Tornare ai tempi in cui c'erano i sogni.

Dove si perdono i sogni?

Tutti i sogni si perdono. Anche quelli che realizzi, e ne realizzerai molti, si perderanno. Perché ormai hanno smesso di essere sogni. Hai sognato una cosa, l'hai realizzata, ed è finita. Il sogno si è perso. Il segreto è riuscire a generare nuovi sogni. Sogni che riescano a occupare lo spazio bianco lasciato dal sogno perduto.

Anche se è stato realizzato.

E io vorrei essere come te. Vorrei guardare avanti e vedere che la strada non finisce.

Il tuo sogno non si perde di vista?

Il mio mi fa perdere la vista. Ogni giorno vedo di meno. E tutti i giorni vedo meglio all'indietro. Crescere è, ogni giorno che passa, vedere meglio all'indietro e cominciare a perdere di vista il davanti. Crescere è una malattia degli occhi. Sei sempre meno capace di vedere quello che hai davanti. E sempre più capace di vedere quello che hai dietro. Come se camminassi di spalle.

Invecchiare è camminare all'indietro?

Sì. Cammini nel senso contrario a quello che guardi. Cammini in avanti e sogni all'indietro.

Sognare all'indietro è pericoloso?

Sognare all'indietro uccide. Bisogna essere bambini. Imparare a invecchiare è imparare a giocare. Essere vecchi è imparare tutto di nuovo. Il mondo è cambiato quando tu sei cambiato. Il mondo è invecchiato quando tu sei invecchiato. Quello che prima era banalità ora è un'impossibilità. Vuoi giocare a calcio e non ci riesci, vuoi ballare tutta la notte e non ci riesci. E la tua vita per molte ore della tua giornata è questo: volere e non riuscire. Non c'è momento più triste di quello in cui desideri qualcosa e il corpo ti impedisce di averla. Il corpo è bastardo. Ora tappati le orecchie, per favore.

Le ho tappate.

Allora ascolta attentamente: il corpo è un figlio di puttana. Non dargli mai retta. Se il corpo ti dà ordini mandalo al diavolo. Il corpo serve solo a offrirti false illusioni. Ti fa credere che puoi tutto, ti nutre di sensazioni. E poi te le sottrae poco a poco. Una per una, piano, perché faccia più male. Devi solo essere capace di scoprire nuove sensazioni.

Come un bambino?

Come un bambino. Un bambino che pur avendo pochi giocattoli avrà sempre tutti i giocattoli del mondo. Un bambino che trasforma un paio di calzini in un aereo, un osso di pollo nella Torre Eiffel, una maglietta bucata nell'occorrente per giocare a calcio. Invecchiare è trasformare un corpo incapace di avere le emozioni sperate in un parco giochi da esplorare.

Devo andare. La mia maestra mi ha chiamato.

Va'. Impara. Ma non troppo. Sapere troppo fa male. Ti limita le illusioni.

Mi piaci.

Anche tu. Questo è quello che non devi perdere mai. La capacità di piacere a te stesso.

Un giorno sarò grande.

Un giorno sarai piccolo di nuovo. Te lo prometto.

SE TI ADEGUI ALLA REALTÀ, poi ti manca solo di essere seppellito.

Più che le malattie, più che la crisi economica, più che le sconfitte di tutti i giorni, la grande tragedia del mondo è adeguarsi alla realtà. La totale e assoluta (e triste, molto triste) accettazione della realtà. Perché è l'assenza di sogni, l'assenza di obiettivi, l'assenza di progetti, l'assenza di volontà: l'assenza di rivoluzione. E c'è sempre meno rivoluzione al mondo. Se non c'è la rivoluzione puoi essere tutto tranne che più felice.

Il problema del mondo non è la massificazione; è la maificazione. La massificazione del ma. Il problema del mondo è linguistico. Il problema del mondo non sono le convulsioni; sono le congiunzioni. L'ossessione, diabolica, nei confronti del però, del nonostante, del tuttavia. «Però» un cazzo. «Nonostante» un cazzo. «Tuttavia» un cazzo. Il novantotto per cento delle persone dice «ma» ogni volta che parla; e il restante due per cento è felice. Per quanto grandi siano le difficoltà (e sono grandi, enormi), per quante volte si creda di non farcela (e succede tante, tantissime volte). Per quanto tutto sembri dire «ma», c'è sempre qualcuno che non si adegua.

Anche se può sembrare evidente, il grande segreto per rimanere vivi è morire soltanto quando si viene seppelliti.

Fino a quel momento, hai l'obbligo di sognare, di proiettare, di credere. Fino a quel momento hai l'obbligo di tentare. Almeno questo: tentare. E per tentare non è mai tardi. Se hai ottant'anni e vuoi ancora provare il miglior orgasmo della tua vita: vai, tenta. Se hai novant'anni e vuoi ancora scrivere il libro della tua vita: vai, tenta. La cosa più probabile è che tu non ci riesca. Ma solo l'improbabile merita lo sforzo. Perfino la felicità, se è prevedibile, è una tristezza.

Credere nell'improbabile è, probabilmente, la migliore decisione che si possa prendere nella vita.

E vedere. Osa vedere. Vedere davvero. Vedere cose che solo tu riesci a vedere. Tu vedi cose che nessun altro vede. E da queste visioni che ho io e che hai tu nasce l'evoluzione del mondo. Il mondo progredisce solo quando queste visioni si trasformano in realizzazioni: in atti reali, in materia palpabile.

Credere in ciò che vedi e osare scommettere su ciò che vedi è l'unica forma di altruismo che il mondo ti chiede di abbracciare. Scommetti su ciò che è soltanto tuo. Solo così starai scommettendo su tutto ciò che è nostro.

Il peggior cieco non è chi non vede; e neppure chi non vuol vedere.

Il peggior cieco è chi si limita a vedere.

FORSE L'ETERONIMIA è la pazzia accettata.

E non c'è nome per ciò che non ha definizione. Sono quello che penso, quello che sento – e non il nome che mi danno. Ma anche il nome che mi danno mi definisce. Forse se mi chiamassi Carlos non amerei le stesse persone, se mi chiamassi Fernando forse non vorrei le stesse cose, non avrei gli stessi saperi.

Forse il nome è la pelle di dentro.

E abbiamo diversi nomi sottopelle. Ma quando stiamo male soffriamo con il nome giusto. Per soffrire sarò sempre Pedro. Abbraccerò i nomi che amo con tutte le mie lettere, non permetterò a nessun puntino di sospensione di allontanarmi dalla frase che mi definisce. Finché arriva la fuga. E posso essere l'uomo spaventato dentro la mia temerarietà, la donna vagabonda dentro la mia ragione. Quando giunge l'ora della fuga tutte le persone sono dentro di me. E solo così sfuggo a ciò che, pur non essendo, riesco a stento a essere.

Forse essere in molti è la solitudine concessa.

Passano le notti e i giorni, e in mezzo a loro passano le persone, passo io tra le persone che passeggiano e mi passeggiano, senza sapere cosa scrivo, perché scrivo, per chi scrivo. E scrivo. Sono sempre io, quel bastardo di Pedro, che scrivo Daniel, Miguel, Joana, Maria. E tutto ciò che Pedro scrive è, pur non essendolo, ciò che soltanto Pedro riesce a scrivere.

Forse inventare è la verità praticabile.

C'è anche chi non capisce cosa sia scrivere. Io non lo capisco, ed è per questo che scrivo.

Forse scrivere è la vittoria possibile.

IL DRAMMA DELL'AMARE è che non ha surrogati.

E tutto il resto è una merda. Perché c'è stato il tuo abbraccio, perché esiste il tuo odore. Ti ho amato per sempre anche se non ti amo più. Mi è rimasto addosso il pomeriggio in cui per la prima volta il nostro corpo (il tuo gemere mostrandomi quale lingua si parla in cielo, la tua bocca a mostrarmi le dimensioni di un bacio), e a partire da quel momento sono rimasto orfano di un corpo ogni volta che non avevo il tuo corpo. E quando è giunto il giorno dell'addio ho saputo che era giunto il giorno del per sempre.

Il dramma dell'amare è che non ammette la morte.

C'è una donna in più ogni volta che amo un corpo che non è il tuo. E un uomo in meno. Mi stendo, stringo, spremo (il perfetto aderire della tua schiena alle mie braccia, il profumo delle tue labbra nel sudore del mio collo). Anche un orgasmo conferma l'ipocrisia della carne. Mi sono congedato dagli orgasmi quando mi sono congedato da te. Sono già andato a letto con molte donne ed è sempre la tua buonanotte che mi mette a dormire.

Il dramma dell'amare è che crea soltanto repliche.

Tutto ciò che amo sei tu. Una bocca, una pelle, un sesso. Tutto ciò che amo sei tu. E non esiste ossimoro più perfetto di un «amore nuovo». Solo il tuo amore è nuovo. E quando si regna così non c'è successione. Amarti è una dittatura dentro di me. Quello che viene dopo di te viene soltanto dopo di te. Sempre dopo di te. Continuamente dopo di te. Quello che viene dopo di te viene soltanto dopo di me, e ovunque io sia, solo in attesa di te o solo con te. Se l'amore esiste è perché esisti tu.

Il dramma dell'amare è amarti.

SUCCHIATEVI l'un l'altro: un vero Dio dovrebbe dire questo. Il corpo non serve a vivere; il corpo serve ad amare. E bisogna esplorare tutte le vene per sapere di che sangue siamo fatti.

«Usami fino all'impossibile», chiede lei, natiche da samba lungo il sesso obbediente di lui. «O è fino all'osso o è in superficie», e mai nessun dito ha saputo più di quel dizionario intero, pagine su pagine di teorie incomplete.

Mangiatevi l'un l'altro: un vero Dio dovrebbe dire questo. Il corpo non serve a vivere; il corpo serve a mangiare. E bisogna esplorare tutti i sapori per sapere di che piacere siamo fatti.

«Quando vedo che sto per riuscirci, smetto», spiega lui, sguardo spento, mani poggiate sulla soglia della schiena. «O è irraggiungibile o è troppo vicino», e arriva il momento di scoprire tutto di nuovo, il letto che si dissoda nella mannaia di un voglio.

Venite l'uno nell'altro: un vero Dio dovrebbe dire questo. Il corpo non serve a vivere; il corpo serve a volare.

«La parte più bella del toccarti è sentirmi intoccabile», descrive lei, respiro difficile sul cuscino bagnato, tutto il tetto e il cielo totale. «Ti apro le gambe per alzare i piedi da terra», e tutte le impossibilità insorgono, tutto il divino è ammutinato.

Si congedano in cerca del ricordo perfetto: l'orgasmo finale e l'amore assoluto. Fare di meglio, lì (le mani che si staccano un dito dopo l'altro, un dolore così profondo che neppure le lacrime riescono a raggiungerlo), gli pare impossibile.

(«Ogni volta che mi apri le gambe mi sento esposto».)

E lo era.

NULLA È PIÙ PERICOLOSO del ragionevole.

Quello che non è né buono né cattivo – è più o meno buono, più o meno cattivo. Quello che non entusiasma né deprime, che non offre né orgasmi né lacrime. Che non fa né caldo né freddo.

Nulla è più pericoloso del ragionevole.

E della ragione. La dannata ragione. Il novanta per cento della gente passa il novanta per cento del tempo in cerca di cose che nel novanta per cento dei casi non servono a un bel niente. La dannata ragione. E poi c'è il «te l'avevo detto», l'«io al tuo posto avrei agito diversamente», l'abominevole «è proprio quello che ho detto». Tutto per via della ragione. Tutto per la bestia della ragione.

Solo chi non ha paura di non aver ragione può essere bestiale.

Quelli che sanno non possono sbagliare. Quelli che sanno di fare continuamente una merdata dopo l'altra. Non perché vogliano. Non perché non ci abbiano provato. Ma semplicemente perché l'hanno fatto, hanno rischiato, perché hanno fatto un passo in avanti quando tutte le bestie intorno, per la paura, gli avevano detto di starsene fermi.

Un imbecille che ci prova è sempre meglio di un genio che sopporta.

E io sono il tipo che ci prova. Il tipo che vuole essere diverso da tutto quello che vede. Il tipo che quando vede una cosa geniale non critica disgustato chi l'ha fatta – e che cerca, invece, di fare ancora meglio. Io sono l'arrogante che crede di poter fare meglio di tutto ciò che vede. E che fa tutto quel che può per farlo davvero. Può non riuscirci (e solo lui sa quanto gli costi rimanere sempre al di qua, a miglia di distanza da quello che vorrebbe aver fatto, aver prodotto). Ma tenta. Tenta davvero. Tenta senza esitare. Prende e porta a casa le critiche. Di quelli che passano il tempo a puntare il dito (quando non hai altro che un dito da puntare lo punti per resistere: per resisterti sotto il peso della tua incapacità di fare). Di quelli che hanno sempre ragione perché non osano mai, per un istante, fare più di quello che hanno già fatto gli altri. Di quelli che sono, e saranno sempre, gregari. Eterni gregari. Tipi e tipe che non perderanno mai il lavoro – perché seguono come pecore chi mette la faccia, l'anima, la vita nelle cose in cui crede.

Meglio un imbecille patentato che un genio scoraggiato.

Quando qualcuno mi vedrà copiare l'idea di un altro, potrà spararmi un colpo in mezzo agli occhi. Quando qualcuno mi vedrà fare soltanto cose che altri hanno già fatto, scrivere come altri hanno scritto, creare ciò che altri hanno creato, potrà spararmi un colpo alla testa. Perché a quel punto sarò già morto. Completamente (e lo sappiamo tutti che lo si può essere solo parzialmente) morto. Quando qualcuno mi vedrà criticare qualcuno che ha fatto cose diverse, che ha osato cose diverse, che ha inventato cose diverse, potrà spararmi un colpo alla testa. Sono qui e ci metto la faccia. Sono Pedro Chagas Freitas e fabbrico idee. Prendetemi a schiaffi. Sono Pedro Chagas Freitas e non c'è un solo giorno che io non passi a inventare qualcosa di nuovo. Io sono Pedro Chagas Freitas e sono un imbecille: ecco tutto.

Meglio un imbecille ostracizzato che un genio addomesticato.

Poi invece c'è la combriccola degli illuminati, la quale in un batter d'occhio decide che cosa è valido e che cosa non lo è. Poveri illuminati. Gli artisti. Poveri artisti. Che nessuno osi, mai, chiamarmi artista – perché io sono solo un professionista del sudare. Il tipo che lavora come un cane per creare quel che un giorno ha sognato di creare. E lo crea davvero. Ed è poco. È sempre poco. C'è sempre molto di più da creare. E quando non ci sarà niente da creare sarà tempo di smettere, di spegnere. Le macchine, il cuore, il respiro. Fermare tutto. Quando non ci sarà più nulla da creare, non ci sarà più nulla da vivere. Uccidetemi prima che arrivi quel giorno. E scrivete sulla lapide, ben chiare, le seguenti parole: Qui giace l'imbecille che voleva solo fare quello che voleva. E ci riuscì.

SUL TUO COLLO c'è spazio per tutte le mie paure.

E se Dio esiste è la calma della tua schiena, la pace divina che va dal tuo collo al tuo petto. E io lì, così piccolo che non misuro neppure i miei centimetri, eppure così grande che neanche il cielo avrebbe spazio sufficiente a conservarmi così. Siamo creature al di là del mondo, compagni unici di un viaggio che neanche la fine dei corpi potrà fermare.

Anche il peggio della vita si calma quando sono nei tuoi occhi.

Ci sono persone cattive, mamma. Persone che non immaginano cosa sia resistere dentro questo corpo, dietro queste ossa, sotto le macerie di un'età da scoprire. C'è gente che non sa che sono un bambino impaurito come tutti i bambini (una persona impaurita come tutta l'altra gente: anche gli adulti hanno paura, vero, mamma? Tutta la gente ha paura, vero, mamma?). Ieri un adulto mi ha detto di tornare solo da grande, e un bambino meno bambino di me mi ha preso per i capelli e mi ha scaraventato a terra. Tutta la scuola guardava e rideva, e l'adulto diceva: «Torna quando sarai grande» e il bambino diceva: «Tieni, così impari».

Nessuno conosce la grandezza di un bambino.

E mi ha fatto tanto male, mamma. Tutta la scuola rideva dei capelli insanguinati, delle parole sempre più cattive («Vediamo se questo figlio di puttana impara una volta per tutte a non essere diverso dagli altri»), e in quel momento ho capito, ho capito che alla fine tutti gli stupidi hanno la stessa età, tutti gli uomini e le donne agiscono nello stesso modo per quanto i corpi possano crescere o non crescere; la chiamano scuola, il posto dove vado tutti i giorni, ma potrebbe anche chiamarsi mondo – perché è lì che tutta la società esiste dentro come esiste fuori, in un coro obbediente a una folla addomesticata.

Nessuno sa cosa sia la libertà.

E poi sei arrivata tu, mamma. Tu e il tuo sguardo, le tue parole («Ti voglio bene, amore mio; ti voglio bene e nessuno cambierà questo sentimento»), le tue braccia (ti ho già detto che fra le tue braccia neanche il demonio riesce a entrare?), e sembra che tutto il mio corpo si elevi, tutta la mia vita è pronta per un altro adulto cattivo, per un altro bambino cattivo. Arrivi tu con i tuoi occhi e le tue braccia e domani è un giorno nuovo. Tutto nella vita si riduce al credere che domani sarà un giorno nuovo.

Se Dio esiste si chiama Tu.

A CHE SERVE un pavimento se non a fartici camminare su?

Eri bambina e il corpo chiedeva sorrisi, le corse in strada, giocare a nascondino con il corpo come ora con l'anima. Io ero bambino ma avevo la mania di voler essere adulto, non volevo correre in strada né giocare a nascondino, volevo solo chiedere al corpo di crescere, alla scuola di finire e alla vita di portarmi lontano. Se mi piacessero i luoghi comuni non potrebbe piacermi il posto in cui sei.

A che serve un corpo se non a trasmettere il tuo?

Vivevamo vite diverse ed eravamo così vicini, non c'era che una parete tra noi, e anche tua madre (che bella, tua madre) e la mia (che bella, mia madre), le loro parole eterne («Vieni dentro, piccolo, ché comincia a far freddo», «vieni dentro, piccola, ché comincia a far buio»), il timore che tutto il mondo ci crollasse addosso. Le prime parole che ti dissi furono: «Metti giudizio, ragazzina», quando mi dicesti che prima o poi saresti diventata una diva del cinema (avevi addosso quel vestito grigio che oggi portava tua figlia, ricordi?), poi ti girai le spalle e tu rimanesti lì a vedermi andar via senza neanche capire le tue lacrime e tutto il tuo castello di sabbia che crollava.

A che serve un ricordo se non a riportarti qui?

Un giorno la strada smise di essere nostra, io andai a sposarmi (con Joana, quella musona che abitava di fianco alla macelleria, hai presente?), tu andasti all'università (scommetto che già lì capisti di essere una diva senza bisogno del cinema), e il tempo non faceva che separarci, separarci sempre più, tutte le strade mi portavano lontano dal vederti.

A che serve aprire gli occhi se non ti ho davanti?

Poi la strada si fermò, quand'ecco all'improvviso i tuoi passi. Uno dietro l'altro, la porta dell'ufficio che si apriva e tutta la mia pace che si chiudeva. Entrasti, chiedesti permesso, aggiungesti: «Sono qui per il posto da editor», e nessuna parola in me avrebbe potuto essere pubblicata, scritta, rivista; dicesti che eri venuta per il posto da editor e io capii che eri venuta per il posto di padrona della mia vita.

A che serve obbedire se non esistono i tuoi ordini?

Ti ho obbedito, felice, per i due anni più felici della mia vita, a portare lettere, a servirti il caffè, a cercare di guardarti perché sapessi che ti volevo, e dopo i due anni più felici della mia vita hai detto semplicemente: «Metti giudizio, ragazzino», quando ti ho detto che un giorno avrei voluto svegliarmi accanto a te. E avevi ragione, eccome se avevi ragione. Non sono mai arrivato a svegliarmi con te, così come tu non sei mai diventata una diva del cinema, ma questo non mi fa rinunciare a te né ti fa rinunciare a essere una diva del cinema. Sei andata a Hollywood in cerca di un luccichio e io sono venuto a Hollywood in cerca di te. Uno di questi giorni uno di noi metterà giudizio. Spero sia tu.

A che serve avere una testa se non a poggiarla su di te?

(LEI IN BRACCIO A LUI)

– Se avessi potuto scegliere, sarei nata tra le tue braccia.

– ...

– Per non perdere tempo. Per capire immediatamente dov'era la ragione per esserci.

– Tutti noi dovremmo nascere tra le braccia della persona con cui moriremo. Per una questione di economia degli sforzi. Per cominciare immediatamente a guadagnare tempo.

(La mano di lui sul volto di lei, lentamente a scoprire ognuna delle rughe ai bordi degli occhi)

– Tutte le madri capirebbero che certi amori sono urgenti.

– Lo sono tutti.

– E che trovare la strada a metà strada è aver perso metà della strada.

– Prima di te cercavo. Dopo di te continuo a cercare. Ma ho già trovato. Cerco più di quello che ho trovato.

– Amare è questo. Cercare di più anche dopo aver già trovato.

– Nella peggiore delle ipotesi ti trovo di nuovo.

(Abbraccio forte)

– Sai che ancora oggi appena mi sveglio ti guardo, ti tocco? Per sapere che ci sei, per sapere che tutto questo esiste.

– E vederti respirare. Rimango per ore a lottare contro il sonno per vederti respirare. Sento ogni movimento del tuo petto come se sentissi lo spazio che la vita occupa in me. Ed è così che mi addormento, con la certezza che respiri. Con la certezza di poter dormire tranquillo.

(Lacrime sul volto di lei, la testa perduta tra le braccia di lui)

– Ci svegliamo sempre mano nella mano. Te ne sei accorto?

– È come se anche nei sogni avessimo bisogno di stare insieme. Mi addormento e ti porto con me, mano nella mano, perché nessuno dei viaggi che faccio, neanche quello che accade nel mio inconscio, avvenga senza di te.

– L'altro giorno ho sognato che ero la donna più felice del mondo. Poi, quando mi sono svegliata e ti ho visto accanto a me, ho capito che avevo sognato di essere la seconda donna più felice al mondo.

(I vestiti cadono; prima quelli di lui, poi quelli di lei)

– E tutto quello che diciamo viene dall'anima. Ti parlo, e quel che dico viene da dentro, dal fondo di me. Se dovessi mentirti dovrei dirti la verità.

(Occhi negli occhi, sudore, sguardi condivisi, mani eccitate)

– Amami come se fossimo interminabili.

– Non c'è altra scelta. O ami come se fosse l'ultima volta, e questo non è affatto amore, è soltanto coprire la paura con il piacere, l'ansia con il gemito, oppure ami come se fosse la volta interminabile, ed è così che l'amore pacifica senza smettere di inquietare, come una corrente forte, rapida, ma mai affrettata, mai disperata.

(L'istante dell'uno nell'altra)

– Amami come se mi parlassi con il corpo.

(E arriva il momento finale)

– Se avessi potuto scegliere, sarei nata tra le tue braccia.

NON SO COSA SONO ma so che sono tua.

Non credo agli amori che fanno male pur avendo la certezza che tutti gli amori fanno male.

Nessun proverbio sa cosa sia l'amore.

Cedo una vita di orgasmi in cambio dell'orgasmo di una vita.

C'è una quasi felicità in ogni minuto senza te, e non c'è piacere se non vengo con te. E se la vita esiste è perché deve andare così, perché qualcuno un giorno possa essere il tutto di qualcun altro.

Sono in te ciò che non potrei non essere, la donna che non è mai sfuggita al dono della pelle, che non si è mai consegnata al «fa lo stesso». Se sono qui per vivere, sono qui anche per cedere. Per sapere che non sono da meno solo perché non sono una regina, e perché tutti i regni si governano dal di dentro.

Solo chi sa andare in frantumi riesce a essere intero.

Solo i poveracci vanno fino a metà del ponte. Non ammetto di trovarmi nel nulla. Se voglio arrivare, raggiungo l'altro lato, senza orgoglio e orgogliosa, tremando senza paura, e quando mi diranno che sono stata debole risponderò con il disprezzo di chi ammette l'estasi solo quando l'estasi è possibile.

La forza consiste nel rifiutare il «piuttosto soddisfacente» quando si può avere il «pienamente soddisfacente».

Non so che donna sono ma so che donna non sono. Non sono la donna che si nasconde dietro i fornelli, la donna che tace nelle ore, che si consegna all'inganno della sicurezza, alla frode sopportabile del veder passare il tempo. No.

Non lo sono. Non sono la donna del *fado* e delle lacrime, del tedio e della routine, dei sogni che si trascinano agli angoli di strada. No. Non lo sono. Non sono donna da sorrisini quando si può ridere a crepapelle, né da piccoli paesi quando esiste il mondo. Non sono neppure un millimetro in meno di quanto posso essere, e se un giorno dovessi cadere sarà solo perché ho provato a saltare e non perché ho preferito accettare.

Meglio un *Titanic* affondato che una nave che non va da nessuna parte.

Non so cosa sono ma so che sono tua.

QUANDO mi hanno chiesto di mostrare le vene, ho tirato fuori una foto tua.

Tutti hanno riso e non ho capito perché.

Nessuna scienza riesce a comprendere l'amore.

Strapparti da me o tagliarmi i polsi?

E cos'è la morte se non l'istante in cui capisci che ti hanno amputato una vena dall'anima? Anche se il corpo resiste, anche se c'è l'ispirazione di sempre e l'espirazione di sempre, i secondi che passano, uno per uno, lentamente. Può anche mancarmi il sogno purché tu sia accanto a me a farmi sognare.

Tutte le cadute sono utili se mi puoi sollevare.

Solo per sentire che esisti per me, che sei qui per me, e che nessuna verità è abbastanza grande da intromettersi in questa invincibile bugia.

Quando non potrò amarti così, sarà perché non ti amo più.

Quando non sentirò la terra tremare perché non ci sei, quando non sentirò tutto in me ad abbracciarti mentre ti guardo, quando ci saranno dei momenti imperfetti per essere tua.

O sa di tutto o non vale niente.

Ieri siamo andati al parco insieme, vecchi adolescenti sull'altalena, alle giostre, sugli autoscontri in cui abbiamo imparato a essere bambini. E quando ti ho dato la mano e ti ho guardato in mezzo a tutta quella gente volevo che la morte arrivasse in fretta. Perché potessimo avere un lieto fine. Perché finissimo come dovrebbe finire ciò che è mortale. Noi e il sorriso che ci ha uniti. Visto che dobbiamo morire, che io sia la principessa e tu il principe.

Che venga dunque la morte e il matrimonio finale. E che sulla nostra lapide siano scritte due frasi semplici:

Morirono. E vissero insieme felici e contenti.

QUALUNQUE PENNA dà inizio a una guerra ed è sempre una penna a sancire la pace.

Quando andammo a pesca eri felice, un pesce morse l'amo, mi abbracciasti con orgoglio, mi dicesti «ti amo» in mezzo a un bacio, poi lo guardasti negli occhi e ovviamente mi chiedesti di restituirlo all'acqua.

Non so perché perdo tempo a scrivere quello che mi ricordo di te, ma probabilmente è solo il modo migliore di piangere.

Sono le lacrime a salvare la gente.

Non sono i medici e neanche le medicine, e perciò io scrivo, cerco la parola che mi porti via da te, solo questo, e sembra enorme.

Solo i condannati dicono la verità, gli altri temono che qualcosa finisca, che qualcosa si perda. Solo chi ha perso l'amore è in grado di dire la verità, come me su questo foglio dove ti riporto a me. Come è possibile che siamo stati così eterni se già ci siamo lasciati?

Una corda è la rappresentazione perfetta di te, è perfetta tanto per uccidere quanto per salvare.

Il mio prossimo obiettivo è distribuire il silenzio e la nostalgia, sappilo. Provare a rifiutare l'intimità del vuoto, ottenere almeno qualche minuto di assolutamente nulla. Il respiro è un bene scarso da quando sei andata via.

Il giorno in cui ti ho conosciuta ti amavo già da sempre.

Si scopre l'inutilità del tempo in momenti così, ventiquattr'ore interminabili dentro la mia testa, poi la notte arriva ed è immensa. Vorrei trovare un rumore utile, capisci?

Bisogna rendere più profonda la fuga, ecco.

Costruire muri più grandi, nascondere le lacrime, chiamare gli amici per scavare meglio. Quello che pesa di più è la memoria della pelle, potrei fare un identikit del tuo corpo con più dettagli di una foto tua, te lo garantisco, basterebbe chiudere gli occhi e pensarti, come ora.

Se vuoi un fallito insegnami a sbagliare, per favore.

«Chi è?»

Niente è brutale quanto il tuo nome.

«Barbara»,

e apro la porta alla corruzione.

Colpevole, Vostro Onore.

Ma felice.

C'È BISOGNO URGENTE di coraggio quando si piange così.

J. mi chiede scusa e dice che non succederà più. Si avvolge nella coperta, asciuga le lacrime con il bavero del lenzuolo e passa il pomeriggio a soffrire. Non dico niente, non faccio niente – mi limito a vedere il tempo passare e il dolore diffondersi.

Nessuno sa cosa sia l'amore.

Quello che ci uccide è l'imperdonabile. Chi è amato non ha il diritto di fare l'imperdonabile. Amare è una cosa troppo grande per sopportare questa piccolezza. «Dimentica che mi odi e amami fino alla fine», sento, il petto bagnato dentro, una mano intera che mi spreme le viscere.

Ti amo tanto che non riesco a perdonarti.

Lì fuori, un uccello mi insegna la felicità. Batte le ali e tutto intorno a lui ha senso.

Il cielo esiste solo perché si possa volare.

Qui dentro si sente, dietro il silenzio, l'urlo che vorrei emettere, la libertà che neanche la gola riesce a dire. E sotto le lenzuola J. soffre, continua a soffrire – il suono delle lacrime mi mostra che nessuna parte di ciò che è eterno è indolore. «Ogni volta che mi ricordo delle tue labbra dimentico quello che mi impedisce te», e sarebbe così facile lasciarmi andare, di nuovo l'abbraccio, di nuovo la fede, di nuovo tutte le religioni della vita sull'altare di due corpi. «Curami dal non averti o uccidimi una volta per tutte», mi dice. Tutti i miei muscoli già nel suo abbraccio nonostante siano ormai solo gli occhi a toccarla.

È attraverso gli occhi che avviene ogni perdono.

Non c'è alcun fondamento per farti entrare dopo la devastazione che ti sei lasciata dietro. Tutti i sondaggi ti rifiutano, tutte le inchieste ti abominano, tutte le formule ti danno come impossibile. So che se tornerai, tutto questo dolore un giorno potrà tornare. Ma so che se non tornerai, tutto questo dolore tornerà tutti i giorni.

Non ho motivi per farti entrare, ma entra pure.

E tutti gli «ahi» si dicono ora, tutti i «ti amo» si sentono senza che nessuna parola riesca a essere raccontata, io e i nostri fantasmi a dirci il linguaggio degli incapaci, a camminare lungo il peccato del sentirci senza gambe e solo così riuscire a camminare. «Parla a bassa voce perché il mondo non sappia di non essere alla nostra altezza», e ci addormentiamo così, mormorii nascosti all'interno delle lenzuola, in attesa che nessuno sappia che siamo tornati a essere incomprensibili.

Nessuno capisce cosa ci facciamo insieme, ma l'inspiegabile è che stiamo ancora insieme.

LA COSA PIÙ IMPORTANTE del mondo è la vertigine.

E perché ci sia la vertigine deve esserci un precipizio. Devo essere lì, vicino al posto in cui avviene la caduta, per riuscire a tenermi in piedi.

Mi alzo tutti i giorni per incontrare la trasgressione del precipizio.

E cammino sulle pietre del selciato a millimetri dall'istante in cui c'è tutto un crollo ad attendermi. O sono a millimetri dal crollo o non mi sa di niente. Devo sentire che può finire, che è sempre sul punto di finire, questo che ci rende persone, che ci regge, indigenti della pelle, e se non c'è il pericolo del tuo piacere meglio morire.

La cosa più importante del mondo è sapere che un giorno finiremo.

Così mi aggrappo al peso dei minuti senza bilancia, le gambe spaventate a ogni istante senza te, in attesa che possa essere l'ultimo, e finché c'è la tua vita c'è speranza. Un giorno o l'altro te ne andrai e finirà: ecco tutto quello che mi serve per alzarmi quando la mattina mi chiede rinunce. Nel momento in cui ti amo (le rughe della tua mano, l'aggressività sessuale della tua barba in me, il dialogo di due corpi in cerca delle parole impossibili) tutti gli abissi si sanno aprire. So che morirò di te ma so che senza di te mi manca solo morire.

Imparo tutti i giorni a essere analfabeta di te.

E non scrivo altro che il silenzio, oppure i righi si riempiono di quel che non ha ordine, e se c'è caos, che sia quello del nostro sudore versato. Poi mi insegni, con pazienza e metodo, che bisogna sapere molto per essere all'altezza di ignorare ciò che ci unisce, e che tutti gli abbracci sono un apprendistato. Si muore nel secondo in cui non ci sono più abbracci da imparare, ma righi disordinati da occupare. Esigo le tue mani in me come all'inferno, in attesa della chiamata finale di una collera consentita.

Ti ordino di mantenerti disordinata per sempre. E che l'unico comandamento sia quello che ci obbliga a peccare.

La cosa più importante del mondo è quella che si può fare anche se è proibita.

QUANTI COLTELLI ha il tuo no?

Come una disperata me ne sto qui ad aspettare che tu venga a dirmi: «Ti amo», che tu venga a dirmi: «Ti amo e ti ho sempre amata e ti amerò per sempre». Ma l'unica cosa che è per sempre è quello che finisce. È finita ed è per sempre. Per sempre senza il sapore del tuo bacio di nuovo, per sempre senza il «vengo» del tuo tocco di nuovo. Quello che non finisce mai è l'amarti così.

Quanti uomini ci vorranno per farmi dimenticare il tuo abbraccio?

Sono una donna desiderabile. Lo so. So che gli uomini passano e guardano, io passo e loro guardano, e che il mio corpo non resterà mai solo, senza la presenza di corpi da conoscere. Ma nessun corpo cancella il tuo, nessun odore mi impedisce la memoria del tuo, non ci sono braccia che mi stringano con la forma del tuo abbraccio. Quello che più mi pesa è sapere che sei esistito. E che dopo averti desiderato tanto, quello che mi resta è essere desiderata.

Mi resta l'incontrare chi mi ama di più dopo aver perduto chi amo.

Perfino la tua morte mi farebbe bene. Scusa l'egoismo, ma a volte sogno che muori e mi liberi dalla speranza. Finché sarai vivo ci crederò. Anche se non ci credo, anche se so che non esiste quello che speravo esistesse. Anche se non mi vuoi ti sogno, nei meandri più nascosti di quello che sono, nell'angolo più fetido di quello che sento. Mi faccio schifo per avere così bisogno di te. Ho vergogna di aver così bisogno di te. E basta un tuo «vieni qui» perché tutti i posti abbiano senso.

Sono tua proprietà inalienabile. Chi mi vuole deve saperlo. Chi mi vuole deve essere pronto a perdermi come io sono pronta a conquistarti. Sono di chi mi vuole di più, finché tu non mi vorrai anche solo un po'. Niente è più ingiusto dell'amare così. E niente è bello quanto l'amarti così. Saremmo perfetti se mi volessi un terzo di quanto ti voglio io, se mi desiderassi un quinto di come ti desidero io. Così siamo soltanto una coppia eventuale, e io la donna stupida che si va offrendo all'effimero in attesa che appaia ciò che non finisce mai.

Quante volte dovrò morire per ucciderti in me?

Se non fossi stata tua quella notte, non avrei mai saputo com'era essere così infelice; ma non avrei saputo neanche cosa fosse essere felice fino al principio delle ossa. Mi hai dato, quella notte in cui mi sono piegata dinanzi alla felicità, la notte più bella della mia vita e tutte le notti più brutte della mia vita che sono seguite. Mi pento solo di non averti amato più tardi, molto più tardi, vicino all'ultima curva. Perché la fine fosse così. Per sempre così. Io e te e la notte finale.

Quante vite vale una notte così?

OGGI NON SCRIVO.

C'è tanto da fare e io chiuso qui, cos'è la vita in fondo?

Alla televisione un uomo che dice di essere il primo ministro parla e, che miseria, qualcuno applaude, si scambiano complimenti come si scambiano ordini d'acquisto.

Io ti do questo, tu mi dai quello.

Una mano sporca l'altra, neppure i proverbi resistono alla porcheria, questo è certo.

Dev'essere stato per questo che Dio ci ha dato la capacità di provare disgusto, credo.

Poi c'è una partita di calcio qualunque. Adoro quella piccola vita per novanta minuti, c'è dentro tutta una specie di comicità drammatica, un'emozione che se non serve a ridere serve a piangere, non si resta incolumi dopo un'emozione così.

«Se non ama né odia la sconfitta o la vittoria, lei è morto», direi io se fossi medico ai miei pazienti, dopo averli messi a vedere una partita in diretta per qualche minuto.

Ci definisce quello che facciamo davanti alle cose che non ci interessano. Sopravvivere è essere pronti a dare tutto per cose che non ci interessano.

Uccidere per un tuo bacio, ad esempio.

Ci sono anche le esagerazioni, ma non è questo il caso, io ucciderei davvero.

Sai quell'atto in cui una persona impedisce a un'altra di essere viva?

In verità potrei anche dire che morirei per un bacio tuo, ma sarebbe una bugia.

Come potrei usufruire di un bacio tuo se fossi morto?

E soltanto per questo non morirei, per tornare all'interno delle tue labbra. L'ultima volta ero così felice quando ho incontrato la tua lingua.

Vado al supermercato per guardare le persone.

C'è una somiglianza incredibile tra un supermercato e un libro, per quanto inspiegabile possa sembrare.

C'è lì tutto quello che serve a scrivere un romanzo, ma oggi non scrivo, sia chiaro.

Nel reparto del pane c'è una donna che tutti i poeti vorrebbero conoscere, comunque sia.

Quando imparerò a non vedere la vita in versi?

Forse un poeta è questo, oppure è un miserabile, dipende dalla storia che ciascuno vive.

Riesco anche a essere normale quando voglio, un chilo di patate, un pacco di lattuga già tagliata.

Bisogna dare lavoro alle persone, visto che non gli si può dare amore. Ecco cosa spiega l'esistenza di un sistema economico.

Mi manca ancora di perdere qualche minuto a parlare con i vicini, raccontargli della mia vita.

Solo che lo scrittore non è molto votato alla conversazione perché non ha nulla da raccontare, mi viene in mente ora la verità.

Sarebbe bello sapere del mal di denti del signor Gouveia, proprio ieri l'ho sentito lamentarsi mentre saliva le scale.

Il brutto di un mal di denti è che ci fa riformulare tutta la vita.

Se non ci fosse il dolore non ci sarebbero poeti, e neppure io.

È già buio e non ho fatto niente, mi sono limitato a vivere e sa di poco, ecco il grande errore di chi ha inventato gli umani.

Vivere è l'unica cosa che ci resta e non ci soddisfa mai. Tutto questo ha un senso?

Fra poco vado a dormire e questo è quanto, non ho prodotto niente e forse quel primo ministro vorrebbe che non esistessi, dove si è mai visto un cittadino che non produce nient'altro che l'essere vivo?

Se oggi scrivessi, parlerei della tua voce quando mi dici: «Sono arrivata» e sei arrivata davvero, di seguito ti abbraccio con tutti gli anni che abbiamo vissuto insieme, ti chiedo di parlarmi del silenzio e stiamo zitti entrambi, e così concludiamo la giornata senza pretendere grandi felicità né scoppi speciali, contenti appena dell'ipotesi di svegliarci domani e rimanere così, può essere triste e forse lo è, ma è anche amore,

o soltanto poesia,

forse ti amo, devo dirtelo,

vali tutta la mia vita e non servi neanche a equilibrare la bilancia commerciale o il deficit,

che il primo ministro impari a farsene una ragione.

CHI È NATO PRIMA: la vita o tu?

Mi chiedo tutti i giorni come abbiamo fatto ad arrivare a questo punto, al letto agitato di noi, all'istante ricominciato di tutti gli orgasmi. Ti amo fino al termine del corpo, e neanche così mi stanco di amarti disperatamente, come se la tua pelle fosse una religione e nessuna preghiera avesse altro destino che l'invocarti.

Ti chiedo di divorarmi o di abbandonarmi.

Quando sentirai che manca qualcosa, sarai certa che manca tutto, perché nessun bicchiere mezzo pieno mi riempie, perché nemmeno un bicchiere quasi pieno può uccidere la voglia che ho di te. L'unica routine tra noi è arrivare fino all'insensatezza di quello che non abbiamo mai provato, inventare innocenze mai perdute, stadio evolutivo di cui nessun Uomo conosce l'esistenza, e se esiste un essere superiore, incontrandoci si deprimerà.

Come avranno fatto a creare l'euforia senza sapere che tu esisti?

E quando mi ricordo del tuo abbraccio misuro quanto pesa un'anima. Tutte le anime sono la sottrazione di ciò che tocchiamo da ciò che sentiamo. Quanto minore sarà la sottrazione, maggiore sarà la dipendenza. Ecco cosa sono: dipendente da te e da tutti i conti che i nostri corpi non si stancano di fare.

Ma da quando uno più uno è uguale a tutto?

E cos'è l'anima se non la formula che batte tutte le matematiche, l'equazione eterna che nessuna scienza comprende? Cos'è l'anima se non quello che non ha corpo e anche così fa muovere? Dormi, le lenzuola rivoltate da tutte le avventure che poche ore fa non sapevamo possibili, la finestra chiusa perché nessun mondo capisca di essere troppo piccolo per paragonarsi alla nostra vita, e quando ti sveglierai so che anche le lacrime verranno a festeggiare con noi.

Solo quello che fa piangere ha ragion d'essere.

Fra poco sarà ora di andare. Io vado a casa mia, tu vai a casa tua. È il modo che abbiamo trovato per renderci rari, preziosità umane che passano il giorno a voler vivere. Non facciamo promesse, non pretendiamo il tempo intero, non troviamo una parola o varie in grado di definirci, non crediamo nella possibilità che ci sia un giudizio giusto per ciò a cui nessuna legge potrebbe mettere fine. Ci vogliamo quando uno di noi lo decide, ci amiamo quando uno di noi ha bisogno di amare. Sappiamo che è poco per chi si desidera tanto. Ma è solo quel che sa di poco a mantenerci vivi.

Che cosa muore prima: il non amare o l'amare troppo?

L'UNICA malattia è
che non ci sia passione.

Ci sono persone che trovano nel mondo un mero
luogo di passaggio, persone che non sentono quello che
vedono, che non toccano quello che incontrano; ci sono
persone
che non capiscono che tutto quel che esiste è stato creato
per appassionare, per assolutamente appassionare.

Se non c'è passione
a che serve che ci sia vita?

Ci sono persone
e poi ci sei tu.

Tu e la follia di voler divorare quello che ti
circonda, tu e quella pulsione incontrollabile che tutti
i secondi siano finali, che tutti gli istanti
della vita debbano disperatamente valere per la vita intera.

Se non c'è quello che sei tu
a che serve che ci sia l'amore?

E poi ci sono io. L'innamorata a cui hai insegnato
a innamorarsi. Prima di te non c'era l'impeto, c'era
forse una leggera eccitazione quando qualcosa di molto
grande mi accadeva. Prima di te non sapevo la

bellezza della paura, la sensazione senza pari di un cuore tra
le mani. Prima di te non sapevo che un cuore o è
tra le mani o striscia ancora al suolo. Prima di te non
c'eri tu: è quanto basta a spiegare tutto ciò che mi spiega.

Se non c'è la possibilità di abbracciarti
a che serve che esistano le braccia?

Mi appassiona che tu mi svegli tutti i giorni
in piena notte o in pieno giorno per riempirmi di
piacere o semplicemente per dirmi che mi ami,
mi appassiona che tu sia così fallibile in tutto ciò che fai
e che questo, più di ogni altra cosa, mi dimostri
che siamo infallibili nell'amore che siamo.

Mi alzo alla vita per appassionare ed essere appassionata:
ecco quello che tutti dovrebbero, ogni mattina, essere costretti
a dire e provare. Mi alzo alla vita per appassionare
ed essere appassionata. E anche questo alzarmi mi appassiona.

Se non c'è la possibilità di essere appassionanti
a che serve avere la pelle?

Basta spiegare quel che ci unisce
Per spiegare il senso della vita.

L'unica malattia
è che non ci sia passione.

«SEI LA PERSONA peggiore del mondo e ti amo per sempre.»

Tutte le dichiarazioni d'amore sono incoerenti. Tutti gli amori sono incoerenti. C'è un accordo tacito tra chi ama e chi è amato: quando ti sembrerà che questa cosa che siamo abbia un senso, sparami un colpo alla testa. Un amore deve essere fragoroso – se non altro perché una pallottola lo conclude.

L'amore ha tante cose ma non ha mai senso.

Le parole di lei in quel dannato angolo del letto: «Ho tutti i motivi per non restare e perciò resto». Lui era incapace di amare. Si limitava, quindi, a fare l'amante, ad amarne i minuti possibili, ad amarne tutti gli istanti del corpo. Poi, quando arrivava l'ora dell'amore, se ne andava. Non serviva dire troppe parole. Solo un semplice «ti amo fino alla morte ma non ti amerò mai per sempre». Lei sapeva che niente di tutto ciò aveva senso, che quello che li univa sfidava tutte le leggi della fisica. Come può una cosa tanto fragile resistere a tutto?

L'amore è così fragile che riesce a resistere a tutto.

Si incontravano nei posti più diversi, sempre in missione d'urgenza. «Ho bisogno di te prima che venga la tristezza», chiedeva uno di loro. E tutti i posti erano alla distanza breve di chi si desidera a breve distanza. Non sapevano cosa facesse l'altro, né che età avesse, quale fosse il suo colore preferito o come diavolo si chiamasse. Lui era il lui di lei, lei era la lei di lui. E tutti i nomi potevano servire dentro quel loro chiamarsi.

La felicità è lasciare sempre resti da scoprire, resti da provare.

Consumare tutto è una consumazione. Consumare tutto uccide. «Sei la mia vita e non farai mai parte della mia vita», diceva lei, affermativa, ogni volta che compariva la fragilità del volere di più di quel tutto così piccolo.

«Se un giorno vorrò amarti tutti i giorni, sarà perché un giorno ho smesso di amarti», spiegava lui, senza sapere se credeva o no in quello che diceva, ma certo che non avrebbe potuto non crederci.

Bisogna amare per intero ma soltanto a pezzi.

E scrupolosamente celebravano un rituale di cui non si vedeva l'esistenza, una routine che solo chi ama come si amavano loro riusciva a vedere. Non avevano orari prestabiliti né giorni definiti. Era quello che li lasciava tranquilli, nell'ultimo fortino di sicurezza. Anche se, senza mai accorgersene, si incontravano ogni due giorni, quasi sempre nello stesso posto, alla stessa ora. Ed erano, senza mai accorgersene, la più noiosa delle coppie. «Solo il tedio può ucciderci», avvisava lei. E lo chiamava al tedio del suo grembo.

Perfino quel che calma può eccitare quando si ama in modo così eccessivo.

QUANTI SOGNI può includere un corpo?

Per vedere la tua pelle bisogna chiudere gli occhi, serrarli proprio, sentirla come si sente il momento di Dio, e attendere che la vita faccia il resto. Il segreto della felicità è capire che c'è tanto da fare prima che la vita faccia il resto. Bisogna cercare tutto il cercabile e scoprire perfino quello che non può essere scoperto. E dopo, soltanto dopo, attendere l'istante in cui la vita mostra quanto vale. Quanto ci vale.

Quante vite vale il tuo abbraccio?

Sei arrivato come se niente fosse, ti sei seduto in aereo accanto a me («Signorina, con permesso, posso dirle che è molto bella»), l'aereo non aveva ancora decollato e io ero già al settimo cielo.

Come hai fatto a scoprire in pochi secondi che ero tua per sempre?

Nessun viaggio può essere raccontato da quello che vedono gli altri. Viaggiare è un processo interno anche se il corpo va da qui a là. Quell'aereo, più saliva e più mi portava in fondo ai miei sogni, fino alla radice di ciò che chiunque respiri dovrebbe saper respirare. Respirare è fondamentale e al tempo stesso inutile.

Si può sentire pienamente soltanto ciò che non si respira a pieno.

Da quanto tempo sei padrone del mio ritmo cardiaco?

Ci sposammo due giorni dopo («Signorina, con permesso, posso dirle che sarà mia moglie»; e lì capii che non c'era, non c'era mai stata in te, alcuna interrogazione; mi stavi comunicando cosa ne sarebbe stato di me. Nient'altro. E nessuna domanda può sedere accanto a noi, se esistessimo soltanto noi, nessuno avrebbe inventato il punto interrogativo), e ci rifiutammo di dire che saremmo stati insieme finché la morte non ci avesse separati. Chi cazzo è la morte per venire a separarci?

Quando si sogna nella misura in cui noi abbiamo imparato a sognare, bisogna sapere che se siamo in grado di toccarlo continua a essere un sogno. Per tutta la vita ci hanno detto (che idea patetica) che dovevamo darci i pizzicotti per sapere di non stare sognando, ed è l'esatto contrario, assolutamente il contrario. È solo quando siamo in grado di darci un pizzicotto che il sogno di fatto sta accadendo.

Dammi un pizzicotto per sapere che è un sogno.

Il prete mi chiede, proprio ora, se voglio amarti nella salute e nella malattia, nella gioia e nel dolore, e io so soltanto dire di no. No. Orgogliosamente no, come venti anni fa no. Continuo a non volerti amare nella salute, a non volerti amare nella malattia. No. Mille volte no. Voglio amarti senza condizioni. Voglio amarti: ecco tutto quello che si dovrebbe dire in un matrimonio.

Il problema di Dio è che non ha mai amato così.

E il problema del matrimonio è che ha parole di troppo.

MIO DEMONIO favorito:

Ti scrivo per dirti vaffanculo.

Chi riesce ad amare in duplicato non ama nessuno. Chi riesce a dividere l'amore non merita che io mi moltiplichi in suo nome.

O si ama tutto o non è un cazzo di niente.

Dici che bisogna capire l'amore per capire chi ami. E io non capisco. Quello che si ama, leggi attentamente, non si comprende – è questa, probabilmente, la grande difficoltà di comprensione che c'è tra noi. Tu vuoi che io capisca quello che si può solo sentire, e io voglio che tu senta quello che si può solo capire.

Quando si ama con la testa non si ama un bel niente.

C'è un'altra donna sulla tua strada, un'altra donna a riscattare le tue braccia. Mi chiedi di capire, mi chiedi di capire che si deve essere altruisti per poter amare.

Vaffanculo.

Non capisco a cosa serva la parola egoismo se già esiste la parola amore.

Amare è singolare. Singolare. Leggi bene: singolare. Unico. Soltanto uno. Solo quello. Solo quello che occupa tutto e non lascia neanche un filino fuori, neanche una briciola in vista. Ti ho reso singolare e tu mi hai resa plurale. Ecco cosa ci separa. È una questione di grammatica, di matematica, addirittura. Ma l'amore merita che si facciano tutti i conti. E alla fine il risultato di io+io è io senza niente. Io dolorosamente eppure orgogliosamente senza niente.

Meglio donna solitaria che imbecille solidale.

Non ti divido con nessuno. Non mi divido con nessuno. Quando sono, sono per intero. Quando sono, sono io tutta intera in quel che mi viene intero. Troppe volte ti ho detto mai più e poi sei tornato e io sono tornata. Non mi considero debole perché credo ancora che tornerai, che tornerai un'altra volta, con quello sguardo che mi spoglia del mondo e mi dà la vita. E quando tornerai dirai: «Vieni, ci sei solo tu». E tutto ciò che chiedo, tutto ciò che ti chiedo da sempre, è questo: che ci sia solo io. Che ci sia solo io. «Vieni, ci sei solo tu», diresti, e tutto il mio corpo si aprirebbe per lasciarti entrare, poi ci sarebbe l'abbraccio e tutte le sofferenze avrebbero senso.

Amare è sapere che perfino le sofferenze possono avere senso.

Non sei tornato. Non sei ancora tornato. E pare che questa sia la volta buona. Sarai venduto ad altre braccia di altre donne che ti accettano a pezzi. Ed eccomi qui, a pezzi ma intera, ad aspettare che tu capisca che il privilegio che ci unisce è così grande da pretendere l'esclusività. Se non torni, non preoccuparti per me. Continuerò a essere l'innamorata di sempre nel luogo di sempre, in attesa dell'uomo di sempre. Finché non arriverà, lentamente, qualcuno che mi insegni a disinstallarti, a separare da ciò che mi sostiene tutto quello che di te ho dentro. Fino allora sarò tua e nessuno avrà il diritto di guardarmi in pieno. Ecco la mia decisione finale. Ma dopo la mia decisione finale viene la tua. La decisione è tua. Sempre tua.

O vieni subito o ti rifiuto per sempre.

PS: Vaffanculo.
E ti amo.

SPERO CHE mi venga da te la salvezza da te: ecco il primo comandamento di ciò che mi tiene in vita.

Lo chiamano masochismo ma io lo chiamo sopravvivismo. Ti vivo per tenermi in vita. Niente ti raccomanda, niente ti consiglia, e con la certezza assoluta che non mi meriti faccio tutto per meritarti.

Sono così imbecille e così felice, tra le tue braccia.

Vorrei sapere con il corpo quello che so con la testa, rifiutare con la pelle quello che rifiuto con la ragione. Ma poi viene il tuo tocco e anche il masochismo vale la pena. Anche i minuti di te in me bastano per tutte le ore di dolore del senza te in me.

Sono così stupida e così tua, quando mi baci.

E sto dentro al conforto di essere tua anche se non sarai mai mio. Mi stendo alle tue braccia, mi sveglio al caldo del tuo piacere, e sapere che non ci sei ma potresti esserci basta a riempirmi tutto quello che c'è da riempire.

Un giorno o l'altro ti uccido in me ma fino a quel giorno muoio per te.

Muoio di verità. Muoio di volontà, di desiderio, di sogno. Sogno la casa di noi, i figli di noi, il mondo di noi, la camera da letto di noi. Muoio tutta la vita al tuo fianco come tutta la vita che faccio con te ora anche se non ci sei. Manca solo il tuo corpo perché tutto resti com'è per sempre. Meglio masochista che delinquente. Tutti quelli che non ammettono di essere bisognosi diventano falliti. Ed entrano nella guerra interiore del cancellare quello che nessun tempo cancella. Solo tu puoi cancellarti in me. Ho bisogno di te per smettere di aver bisogno di te. Sei troppo dentro di me perché io possa espellerti. Sei dentro di me così tanto che quando ti bacio mi sento baciata.

Sono così ridicola e così intera, quando mi abbracci.

E qui continuo, senza paura di essere assurda (solo l'assurdo ha senso, solo quello che non ha spiegazione spiega la vita), ad assaporare ogni pezzo della tua assenza. Ed è così che ti posseggo, distante eppure dentro di me, come un paesaggio che basta guardare perché diventi nostro. Guardi un fiume e diventa tuo, solo tuo, in quel preciso istante. Assorbi tutto quello che è, tutto quello che ti dà. Sei tutto ciò che lui può essere in te. Perché l'amore non può essere toccato come se fosse un paesaggio? Perché non può bastare guardarti perché tu sia solo mio? Sono reale solo quando ti sogno dove sto. È la realtà a unirci quando non esisti in me. Non ho bisogno di nient'altro che me per averti intero. Viviamo un amore unilaterale, una relazione a due in cui basta che uno solo desideri per essere in due. Ti amo senza aver bisogno di autorizzazione. Ti amo al di sopra di te. Ti amo senza aver bisogno di te. Ti amo per imposizione illegale. Che tu lo voglia o no, sei l'uomo della mia vita. Di quante vite hai bisogno per sapere che sei mio?

Solo il tuo orgasmo mi fa venire.

Vieni.

Vieni ora.

Di quante donne hai bisogno per sapere che sono io?

OGNI AMORE comincia di nascosto.

Lei sapeva di far male ad andare, così, senza sapere perché e stanca di sapere perché, a incontrarsi con lui. Non si erano mai visti e già si amavano. Lui non credeva nell'amore eppure era lì, su quel treno in cui due anime impararono che si poteva amare per sempre. Quando lei salì, tutto smise di procedere. Almeno dentro di lui. Chiuse il computer, spense il cellulare e si dedicò a guardarla parlare. Fu proprio così: guardarla parlare. Guardarla essere.

Ogni amore entra dagli occhi.

Fecero il viaggio parlando del nulla assoluto. Fecero il viaggio amandosi senza che nessuno potesse notarlo. Non ci fu contatto ma i due corpi si sentirono più aggrappati e rivolti e sconvolti che mai. Bisognava amare anche attraverso la pelle.

Ogni amore ha bisogno della pelle.

Lei aveva paura di rimanere per sempre lì, dentro gli occhi di lui; aveva paura che tornare fosse già un'impossibilità. Come avrebbe potuto tornare alla semplice vita dopo aver imparato a vivere? Lui si limitava a guardarla tutta (la frangetta, gli occhi grandi, la timidezza irresistibile di lei) e sapeva che il massimo che gli restava, ora, era consegnarsi, anche se ormai si era già consegnato da molto. Era il viaggio più immortale che mai alcun mezzo di trasporto avesse conosciuto, ma non finiva più, quel maledetto viaggio. C'erano due corpi in cerca di altro.

Ogni amore si incontra in cerca di altro.

Arrivarono. Arrivarono subito dopo. È chiaro che c'era

ancora di mezzo un corpo, forse una mano o l'altra a toccare una mano o l'altra.

Ma solo quel che c'era a venire avrebbe occupato la loro memoria. Tutto l'universo li attendeva in una semplice stanza di un semplice (e piccolissimo) appartamento. E tutti i vestiti furono troppi.

Ogni amore rifiuta i vestiti.

Si amarono per sempre nell'estensione di quella notte. Giunsero all'osso del piacere, e nessun sudore andò sprecato. Non sanno se furono ore o soltanto minuti; sanno che a partire da lì non concepirono mai più la vita nello stesso modo. Si addormentarono, stanchi e stretti (i corpi incastrati come se fossero nati solo per quello; per riceversi l'un l'altro sotto le lenzuola), e quando si svegliarono capirono che si stavano svegliando per la prima volta.

Ogni amore si sveglia per la prima volta.

Fuori, dalla finestra, entrava il mare che non avevano neppure notato, lì, così vicino, così attento. Non sapevano se sarebbero tornati ad amarsi così, ma sapevano che non avrebbero mai smesso di amarsi. La vita, testarda, pretese che si separassero poche ore dopo. Lei tornò, triste e felice, al treno su cui la felicità aveva fatto Storia. Lui tornò, triste e felice, alla stanza in cui aveva scoperto di essere vivo. Non c'era nessuna certezza, niente era certo. Ma entrambi condividevano il più grande dei segreti, il più perpetuo dei misteri della vita. Solo loro due sapevano il sapore del mare.

Ogni amore custodisce il segreto della vita.

A CHE SERVE un cervello se non a soffrire?

Giorni grigi sparsi per la casa. I gatti miagolano, affamati, e mi insegnano che tutto quello che conta è un piatto pieno di cibo. E poi vivere. C'è una lezione immensa ogni volta che un gatto miagola – ma c'è una lezione ancora più immensa ogni volta che un gatto, assolutamente spensierato, si stende e passa ore a dormire, calmato dallo stomaco pieno e dalla felicità di essere sazio. Quando sarò anch'io così, sazio nella plenitudine? Quando sarò capace di chiudere gli occhi, spensierato, e semplicemente dormire con la felicità senza pari di uno stomaco pieno?

Salvare l'umanità sarebbe chiedere lezioni a chi non pensa al futuro e assapora tutto ciò che il presente ha da offrire. Nessun uomo merita di sapere che esiste un futuro. È proprio il sapere che esiste un futuro a impedirci di stare, in pieno, nel posto in cui siamo, nel tempo in cui siamo.

O sei felice o sei infelice.

Bisogna capire che tutto ciò che siamo è finzione.

Persone su persone mi chiedono consigli. Credono che quello che scrivo mi renda speciale, capace di capire quello che fanno, che sentono, perfino quello che scrivono. Mi sento perduto, senza sapere cosa fare, senza sapere cosa dire. Ecco perché scrivo. Scrivere è essere perduto e cercare, a ogni frase, una strada. O il semplice segnale che possa esserci una strada, una speranza. Scrivere è cercare la speranza, tutti i giorni, in ciò che non esiste, in ciò che si scrive per vedere se esiste. Non sono scrittore, non sono mai stato scrittore, non voglio essere scrittore. Sono soltanto un tipo che scrive perché deve scrivere, perché i giorni esigono che scriva, perché una qualche urgenza lo costringe a scrivere. Scrivo come necessità biologica, e a volte pesa tanto dover scrivere. Non fa male ma pesa, è un dolore da fuori verso dentro, come se le lettere uscissero dalla pelle, dal di dentro delle ossa. E la letteratura, che diavolo è la letteratura? Me ne infischio della letteratura. Non voglio scrivere letteratura, non voglio gli intellettuali dalla mia parte. Quando avrò la critica dalla mia parte sarà perché non sono arrivato da nessuna parte. Tutti vogliono venerare l'intoccabile, apprezzare quel che è facile apprezzare, quello che tutti apprezzano, leggere quello che tutti leggono perché qualcuno ha decretato che va letto. O si inventa tutto di nuovo o tutti i libri saranno uguali. Chi c'è vuole continuare: ecco come si ferma il sogno. Non voglio fare come i classici, non voglio ripetere quello che già tanti hanno fatto. Voglio partire da me e arrivare a me. Solo questo: partire da me e arrivare a me, a più lontano di me. Voglio fare quello che più mi va con le parole che più mi vanno, affrontare i critici e sbattergli in faccia che scrivo e continuerò sempre a scrivere. Anche se è una porcheria, anche se è una sequenza di merdate che loro, poveretti, non vogliono sia letteratura. Dio mi scampi dal diventare un giorno scrittore e dire che ho un dono in me. Col cazzo che ho un dono. Il mio unico dono è vivere, instancabilmente, e fare di questa vita una corsa fino a chissà dove. Una corsa fino a chissà dove: all'improvviso capisco che la vita per me è proprio questo. Morirò correndo, con la meta a vista, maledetta, sempre a vista e sempre così lontana. E gli artisti, poi. Meglio ladro che artista. Ci sono ladri peggiori degli artisti? Che combriccola, gli artisti. Quella razza purulenta a cui Dio ha regalato il cielo e l'inferno di creare cose che toccano gli altri. Non sarò mai un artista. Non crederò mai che qualcosa in me sia più che paura. Ho paura di star fermo, paura di non scuotere chi mi ama, paura di non mettere in discussione ciò che mi occupa, paura di non ridere dinanzi alla morte. Ho tanta paura di morire ed è per questo che vivo. Scrivere è anche questo: aver paura di morire. Scrivo per evitare la morte e anche scrivere uccide. Sono un poveraccio che non ha dove morire ma che ci tiene disperatamente a trovare dove vivere.

Quello che conta è la vita, mai le lettere.

«SE MI VOLETE FELICE, datemi il caos o niente.»

C'era in noi, fin dall'inizio, la certezza che non ci mancasse nulla, che tutto fosse pronto a riceverci fino alla felicità totale. Ma nessuna felicità è prevedibile – e se c'è una cosa veramente allegra nella felicità è quella costante imprevedibilità, quella sensazione di porta che si apre senza sapere cosa ci sia dietro.

La vita vale quasi solo per le porte da aprire, porte che non sappiamo cosa nascondano.

Tutti sapevano che avevamo tutto per essere felici e solo per questo siamo stati infelici. Avevamo la casa perfetta, i lavori perfetti, le macchine perfette, le bellezze perfette, le famiglie perfette. E poi anche i figli perfetti e l'educazione perfetta che abbiamo dato loro in modo così esemplare. Avevamo tutto eppure mancava sempre qualcosa. E niente è più diabolico dell'abitudine. Niente è più malefico di quel che è esemplare. Niente è più demolitore del prevedibile. Sapere oggi cosa faremo domani, sapere domani quello che faremo dopodomani, sapere a ogni istante cosa succederà a ogni istante. Sapevamo, lo abbiamo sempre saputo, cosa eravamo, chi eravamo e dove volevamo andare. E perciò non siamo mai andati da nessuna parte.

Nessuna relazione resiste alla perfezione.

Tutto suonava giusto, le parole erano giuste, gli sguardi erano giusti, le decisioni erano giuste. Non abbiamo mai litigato per scegliere dove andare in vacanza, che mobile comprare per il salotto, che nome dare ai nostri bambini. Arrivavamo a tutto con la naturalezza con cui da sempre siamo arrivati l'uno all'altra: senza una goccia di conflitto.

Nessuna storia è buona senza un buon conflitto.

E la verità è che è stato esattamente così, senza una discussione, senza una parola urlata, senza la minima critica, che ci siamo allontanati. Tu hai detto: «Sei perfetta ma devo andare», io ho detto: «Sei perfetto ma sono stufa», e ci siamo dati uno dei nostri baci (neanche i nostri baci contenevano conflitto; e forse è questo a sostenere una relazione: un bacio in conflitto, un bacio rubato, un bacio criminale che entra nella bocca di chi, non volendolo, lo vuole più di ogni altra cosa), e poi un abbraccio dei nostri (come se abbracciassimo un fantasma; ci curavamo l'un l'altro come cristalli e perciò siamo andati in frantumi, insufficienza dopo insufficienza, desistenza su desistenza), e abbiamo capito in quell'istante che stavamo morendo al momento giusto, cambiando direzione al momento giusto. Anche in questo siamo stati perfetti.

Perfino la separazione della coppia protagonista può essere un buon finale per una storia.

Ora che ti guardo, tanto tempo dopo, ogni volta che vieni a prendere i bambini e mi sorridi, capisco che abbiamo fatto quello che andava fatto. Tu sei sempre bello da morire (la tua bocca come un paesaggio paradisiaco, il tuo corpo senza alcun segno del passare del tempo: sei così bello che non si capisce come fai a non eccitarmi fino in fondo alle ossa), io sono sempre la donna perfetta che tutti gli uomini vogliono e da cui tutti gli uomini fuggono. E in fondo separandoci non abbiamo smesso di essere niente né siamo diventati niente. Così, soltanto così, si capisce che un amore esiste: quando tutto quello che c'è prima e dopo resta immutabile.

Siamo troppo perfetti per accettare una cosa difettosa quanto l'amore.

SOLTANTO GIOCARE con il fuoco riscalda.

Il resto è tiepido, troppo piccolo per tenermi viva. Ho bisogno di sapere che posso scottarmi per sentirmi pronta a rischiare. E se vivere non è rischio, allora meglio morire.

Se non c'è la possibilità che vada male, a che serve che vada bene?

Quello che mi dà vita è sapere che può accadere il peggio. Sapere che può far male, che può ferire. Rimanere incolume è una noia se non so che posso essere colpita. Ti voglio come si vuole un principio, come si guarda al vuoto, come si vuole la velocità, l'adrenalina. Sei il rischio più grande che sono disposta a correre. E tutti i giorni rischio un po' di più. È così bello tenerti sempre sul filo del rasoio.

Meglio tutti i giorni sul filo del rasoio che tutta la vita senza un solo errore.

Siamo così umani, noi. E l'amore è questo, può soltanto essere questo: qualcosa di così umano che può finire, può ferire, così umano che può errare. Siamo fatti della pasta dell'errore, della pasta del fallibile. È con le fessure che costruiamo le case, è con le lacrime che costruiamo ciò che ci protegge dall'acqua. Sappiamo che ci manca tanto per essere perfetti ed è così che ci sentiamo immacolati: l'uno appartenente all'altro come l'uno e l'altro appartenenti alle insufficienze.

Solo quel che non riusciamo a essere ci fa essere quel che siamo.

E tentiamo. Tentiamo così tanto, amore mio. Tentiamo tutto, tutto. Proprio tutto. Andiamo fino in fondo al dolore, se necessario, perché smetta di far male, andiamo fino in fondo al sogno, se necessario, per non smettere di sognare. Mettiamo a rischio tutto ciò che siamo per ogni giorno che viviamo. Ed è soltanto così che sappiamo vivere.

Tutto ciò che abbiamo deve entrare in gioco ogni volta che siamo vivi. Tutto sul tavolo. Senza paura ma tremando dalla paura. Tutta la pelle, tutta l'anima, tutto il corpo in tutto ciò che ci scambiamo, in tutto ciò che cerchiamo e che decidiamo. Siamo noi due, interi, ogni volta che siamo in due. E da un momento all'altro tutto può cambiare, tutto si può perdere. E perfino questo, questo momento in cui magari un giorno potremmo perderci interi, perfino questo ci renderà più grandi anche senza nulla, anche se a partire da zero, anche senza null'altro che la perdita a unirci.

Meglio partire da zero che fare della vita un semplice numero.

Ed è quello che vediamo intorno a noi. Coppie e persone e vite come se fossero dentro un numero. Un numero da circo che loro credono sia teatro. Un deprimente numero di equilibrismo. E sono tutti trapezisti, tutti cercano l'equilibrio sciocco che serve soltanto a continuare.

Uccidimi adesso, se tutto ciò che hai da darmi è la continuazione. Che il continuare vada in pasto alle mosche! Io pretendo di cominciare. A ogni istante la prima volta. Tutti i giorni cominciare qualcosa. Se un giorno diventerò trapezista, sarà solo per imparare a cadere meglio. Per imparare a soffrire meglio, per imparare a scivolare meglio, per imparare a sbagliare meglio. Se un giorno diventerò trapezista sarà anche per amarti meglio. Perché amarti è stare su un trapezio o non è niente.

Amami almeno ora: ecco l'unica richiesta che ti faccio a ogni istante.

Amami tutta intera almeno ora così come io ti amo tutto intero almeno ora: ecco la dichiarazione più ambiziosa che si possa fare in amore.

Basta un secondo di te per amare la vita per sempre.

OGGI SCRIVO la poesia del volgare, l'ode
del gergo, la serenata del bastardo. Oggi mando
al diavolo il più o meno, il politicamente
corretto, anche il relativamente degno. Oggi
o spacco tutto o spero che nessuno mi ascolti. E
dice così quel che mi fa inveire:

«Né tutto né niente» che vada a farsi
fottere alla grande. «O tutto o niente», questo
sì. O il più eccessivo tutto o il più
incoerente nulla. Povero chi ha bisogno
di occhi per vedere. Ed è così poco raccomandabile
amarti che ti voglio soltanto per me dappertutto.

Chi non rischia un passo più lungo
della gamba è paralitico.

Nessun corpo definisce cos'è stare
in movimento. E non c'è nessuna felicità
che non cominci con un «sì, lo voglio», oppure
con un semplice «vaffanculo
e vieni subito qui». Qualcuno mi criticherà
il lessico, mi darà del maleducato, mi
accuserà di essere crudele – ma niente mi impedisce la
parola che va detta, mandare la ricca
a fare il bagno al cane, preferire la follia immonda
dell'afflitta.

O sei indecente o
non sei nemmeno gente.

E se serve a star vivo che venga il pericolo, e
se serve a parlare, che io sia capace di
scioccare. Perché la vita è oscena, perché
amare è tentare l'inaccettabile, perché
l'euforia è quel che resta dopo il ragionevole. E
abomino l'impeccabile, e lancio al fiume il
salutare, e vado in cerca dell'indescrivibile, della
demenza di chi vuole solo
scoprire, della stravaganza di chi
non ha mai imparato a sognare.
Se dovrò morire, che sia per la caduta e
sia io la prova che volare è possibile.

COSA C'È DI PIÙ pretenzioso del credere all'amore?

Per amare bisogna avere vanità, autostima e una certa dose di demenza. Riformulando: per amare bisogna avere una dose folle di demenza. Tutto il resto viene di conseguenza. Chi crede di amare crede che la poesia esiste e che c'è un poema in ogni bacio dato, in ogni abbraccio scambiato, in ogni corpo scoperto a due. Chi ama è Pessoa, Camões, Sophia de Mello Breyner, Neruda. Chi ama o è poeta o non ama affatto.

Chi non è pretenzioso quando ama è perché in fondo non ama.

Ed è bello essere così. Scrivere con la parte d'osso delle dita, andare in cerca delle parole nel dopo la logica, nel dentro la grammatica. Niente è scritto male quando si scrive l'amore. Se non c'è dentro l'amore intero, non è poesia. Bisogna scrivere senza l'ostacolo del perché, per scrivere l'amore. Bisogna rifiutare gli sfortunati che non lo conoscono e che analizzano un testo d'amore come si analizza un testo qualunque. Ma un testo d'amore non è un testo qualunque – per la semplice e ovvia ragione che un testo d'amore non è nemmeno un testo: è amore. Da solo. Chi scrive un testo d'amore se ne infischia della letteratura.

Cos'è la letteratura quando si ama così?

Chi scrive un testo d'amore si mette tutto nelle lettere e non immagina neppure cosa ne verrà fuori – ma sa che sarebbe potuto venir fuori solo così. Solo chi ama ha la mania di essere poeta, la più dolce delle manie, la più deliziosa delle illusioni. E unisce i versi come se unisse i corpi, e bacia le parole come se baciasse la bocca. Solo chi ama cade nel ridicolo che è il fare poesia – perché solo chi ama cade nel ridicolo che è essere poesia.

O è letteratura mediocre o è amore mediocre.

E un amore mediocre può anche essere bello – ma non è amore. Ecco perché ti scrivo così, mia tutto, con la certezza che quando i critici (disgraziati, non sanno quel che scrivono) mi leggeranno, mi vedranno come si vede uno scrittore – e non come il fortunato che ti ama e si limita a fare tutto (perfino scrivere) per amarti ancora di più, per poterti mostrare la dimensione di quel che sente, la misura di ciò che lo soffoca. Non dargli retta, amore mio. Non dar retta a quelli che quando vedono parole vedono solo un testo.

Ti amo fino a dopo il ridicolo.

Ti amo con gli errori di concordanza temporale, con parole che neanche esistono (come poteva esistere qualcosa che ci descrivesse quando ancora non esistevamo?), con costruzioni grammaticali spropositate; ti amo con i verbi al posto dei nomi, con gli aggettivi al posto degli avverbi, con i singolari al posto dei plurali. Ecco perché posso dire «Io ti cielo» o «Io ti per-sempre» o perfino «Io ti eternamente». Perché me ne frego di qualunque cosa non sia sapere che questo, soltanto questo, è capace di dirti quando sei in me.

Quando qualcuno ti dirà che scrivo letteratura quando ti scrivo, lasciami. Avrò già smesso di amarti da un pezzo.

DI CHE COSA sono fatte le parole
se non della materia di cui ti amo?

La pelle proietta la linguistica
dell'amore, pronomi di piacere nella
tentazione dei versi, e quando ti distendi
su di me è tutta la filosofia della vita
ad alzarsi, in applausi, per sentire
la spiegazione assoluta dell'orgasmo.

Di cosa è fatta la sintassi
se non dello studio dell'attimo
in cui i nostri due corpi
si incastrano?

Gli accademici non insegnano quel che
ci unisce, gli allievi non imparano
quel che la vita in te fa di me, e neppure
la lessicologia saprebbe come collocarci
nel dizionario né il dizionario saprebbe
se ha spazio per definirci. Invento
nel guardarti l'unico linguaggio che
intendo, e solo quando ascolto il tuo
«Ah» so che l'abecedario che
vale la pena di conoscere sta cominciando.

Di cosa è fatta la fonetica
se non dell'analisi, scientifica
e con la pelle, del suono
insostenibile dei tuoi respiri?

Esiste lingua solo perché esista
il tuo bacio, perché rifiuto la
necessità di parlare quando
trovo tanta utilità nella
esistenza della tua bocca, e i dialoghi
si fanno sempre più con la
misura dei silenzi che con
la dimensione delle parole. Quando
un giorno Dio verrà sulla Terra
saprà che già esisti tu, e
tutte le religioni saranno inutili.

Di cosa è fatta la fede
se non della credenza incrollabile
che esista un essere superiore
situato al di sotto di te?

ARRIVÒ IN RITARDO al momento più importante della sua vita. Ecco cosa può trasformare una vita. Un minuto prima sarebbe stato tutto diverso. Lei sarebbe stata ancora lì, impaziente, occhi puntati sull'orologio, sui capelli, sul cielo – la ricerca di un motivo, uno solo sarebbe bastato, per aspettare ancora un po', perché razionalmente si potesse dire che ne valeva la pena. E poi lui sarebbe arrivato (scusa il ritardo, ma il traffico), lei avrebbe cominciato a fingersi arrabbiata (stavo quasi per andar via, sta' attento a non rifarlo) ma poi, a poco a poco, con le parole sempre leggere e allegre di lui, avrebbe finito per stare bene come in realtà mai aveva smesso di stare (sei così bello, bastardo, sei così bello che ho solo voglia di dirti che ti amo alla follia, che vorrei afferrarti per il collo e attirarti tutto a me, finché non ci saranno più labbra da baciare. Finché le labbra non mi bruceranno dal tanto baciarti; sei così bello che non riesco a non perdonarti qualunque cosa), sarebbero andati al bar di sempre, alla pasticceria nella vecchia strada di sempre, lui impaziente di dirle che l'amava da sempre come non mai, lei impaziente di dirgli che credeva ancora nella vita solo perché credeva che lui esistesse, nessuno avrebbe detto una sola parola su quello che avevano dentro, avrebbero continuato a parlare di inezie finché uno di loro, non importa chi perché in fondo sarebbero stati entrambi, nello stesso esatto momento con la stessa esatta intensità nel farlo, avrebbe afferrato l'altro con tutto il coraggio del mondo, lo avrebbe abbracciato come ritraendo il dolore, e sarebbero andati ad asfissiarsi deliziosamente in quella pasticceria della vecchia strada che ancora una volta li avrebbe visti amarsi come sempre ma stavolta con il corpo che faceva quel che l'anima aveva già fatto da un pezzo. Sarebbe giunta poi l'ora delle lenzuola, forse nel letto di lei il momento delle teste perdute, dei gemiti rubati, di tutto ciò a cui ha diritto chi ama. La notte sarebbe finita nella mattina successiva, stanchi e pronti per altre notti così, nella colazione più deliziosa che la vita ha da offrire.

Qualche mese dopo sarebbe giunto il momento di unire le case, stavolta da lui, e lì sarebbe cominciata la loro storia.

Sarebbero arrivati i figli, un maschio di nome Pedro come suo padre, una bambina che si sarebbe chiamata Barbara come la madre, e sarebbero rimasti lì, nella casa in cui imparavano la felicità e dove tutti i giorni la insegnavano ai figli, finché la morte di uno (prima lei, perché anche in questo lui era un cavaliere) fosse venuta a separarli per un mese o due – il tempo che anche l'altro (lui, che con lei, tanto per cambiare, era in ritardo anche nell'ora della morte) ci avrebbe messo a partire.

I figli avrebbero pianto la perdita come si piangono tutte le perdite grandi, ma capaci e con tutti gli strumenti per camminare nella vita. Uno di loro un giorno si sarebbe innamorato della donna più bella del mondo. Sarebbero diventati amici e lui si sarebbe ripromesso, prima di addormentarsi, di dirle il giorno dopo quanto l'amava. Sarebbe andata così, se non fosse stato per il traffico. Arrivò in ritardo al momento più importante della sua vita.

IN PIEDI di fronte al tasto, cuore agitato e pelle sudata, L. tremava. Quel tasto. Bastava premere. Una volta. Bastava premere una volta e tutto si sarebbe messo in movimento. Un semplice tocco ed era fatta. Pensava. Pensava che per tutta la vita aveva lottato per ottenere cose che in realtà non aveva mai voluto. Aveva lottato per la casa sul mare che, aveva letto nelle riviste e nei libri, era bene avere, aveva lottato per avere la macchina decappottabile che i film le avevano insegnato ad apprezzare, per ottenere il lavoro dei sogni altrui e la carriera che ora le impediva di sognare. Aveva lottato per il sogno degli altri. Dei suoi genitori, dei suoi amici, di tutti quelli che aveva intorno. E si era dimenticata chi era, cosa era, cosa voleva. Si era dimenticata della notte in cui, da piccolina, aveva dormito abbracciata al suo orsetto di peluche pensando che nella vita le interessava solo quello: tempo, spazio e vita per dormire abbracciata a qualcuno che la proteggesse come quel semplice peluche. Ecco un altro dei problemi degli esseri umani, pensava ora, il dito tremulo sul tasto: passano la vita a non capire a cosa serva, passano la vita a voler riempire la vita, a occuparla con cose da fare, progetti da realizzare. Gli umani passano la vita a sprofondarla in cose inutili. Forse è il modo migliore di non sentire il vuoto, concluse poi, il dito lì lì per premere forte il tasto. È come una casa piena di mobili. Per quanti mobili abbia, una casa vuota è sempre vuota, e più la casa è vuota, più mobili ci infilano dentro. Per cancellare il vuoto, per colmare il nulla. Per mettere fine al silenzio. Ecco, si disse, come se avesse appena descritto il segreto della felicità eterna. La gente usa le cose per coprire il silenzio. E rimaneva lì, silenziosa, con il dito, ora è l'indice della mano destra, sul tasto che la faceva tremare, sul tasto che avrebbe deciso se era solo una persona tra le tante, senza coraggio, senza forza, senza nient'altro che cose fatte per cancellare lo spazio in bianco dei suoi giorni. Devo decidere, si convinse. Adesso o mai più, decretò. Ma prima pensò ancora alla perversione tetra della vita comoda. È la vita comoda a uccidere gli esseri umani. Voler stare sempre bene. Non alla grande, non euforici, semplicemente bene. E avere una paura folle di star male, di soffrire. La fuga costante da ciò che fa male, ecco cosa fa più male in assoluto agli umani, cosa li va allontanando dalla vita, pensò. Per la seconda volta nella vita dopo quella notte in cui si era addormentata con l'orsetto di peluche, si avvicinò a sé stessa. E premette, senza più esitare, il tasto. Ora sperava solo che lui sentisse il telefono squillare.

SI INCONTRAVANO tutti i giorni, alla stessa ora, sulla panchina del parco. La terza a sinistra per chi entra dal lato sud. Non si erano mai parlati ma sapevano tutto l'uno dell'altra. Lui sapeva che lei si chiamava Isabel, che aveva quarantacinque anni e aveva divorziato da circa un anno, ovvero quando, al telefono sulla panchina, aveva dato ordine al suo avvocato, con le lacrime gli occhi, di procedere con la causa a ogni costo. Lei sapeva che lui si chiamava André, che aveva quarantasette anni ed era sposato con la donna che non amava da oltre vent'anni, come quasi ogni giorno scriveva sul diario che lei, senza volerlo ma senza smettere di volerlo, riusciva a leggere con la punta dell'occhio mentre lui, su quella panchina, lo scriveva con una frequenza quasi religiosa.

Oggi, stranamente, lei non è ancora arrivata. Lui guarda l'orologio e constata un ritardo di oltre mezz'ora. Comincia a far buio e niente. Lei non arriva. Lui cerca, continuamente, le lancette dell'orologio. Niente. Poi si guarda intorno, come se cercasse la cura per la morte. Niente. Perduto, disperato, decide di andare a cercarla. Sa il nome completo, sa in quale quartiere abita. Non sarà difficile trovarla, pensa, mentre cammina veloce per le strade della città. Il sudore gli scorre abbondante lungo il volto, fotografia perfetta dello stato nervoso che muove i suoi passi. I minuti sembrano giorni su quella strada che non finisce mai. Ma ecco che arriva. È una via pacata in un quartiere pacato. Il posto ideale per una persona pacata, si dice, e intanto si guarda intorno, in cerca del volto di lei, delle sue gambe, del suo corpo, del suo sorriso. Com'è bello il suo sorriso, ricorda, e senza che se ne accorga non è più sudore quello che gli cade sul volto. Non la vede. Ma non si arrende. Va, casa per casa, cercando di capire qual è la casa che la merita. Non aveva mai avuto bisogno di nessun tipo di domanda, di nessun tipo di parola, per sapere tutto di lei. Non sarà necessario neanche ora. Costeggia una, due, tre, quattro, cinque, sei villette. E arriva alla settima. I fiori, il giardino, l'albero, il cane che abbaia all'ingresso, l'altalena dove la immagina in cerca del cielo possibile, anche solo per pochi secondi. Lei potrebbe essere soltanto lì. Senza esitare, lui avanza, dopo essersi asciugato tutto ciò che gli scorreva lungo la pelle. È a meno di un metro dalla porta, marrone e di legno, e spera di essere a meno di un metro dal trovarla. Si dà un ultimo ritocco alla camicia, risistemandosela al centro delle spalle, e fa quel che deve fare. Un secondo. Due secondi. Tre secondi. Passi dall'altro lato. Lui sorride, riconosce i tacchi di lei nel suo passo, e sa di essere al posto giusto. Lei apre la porta e il sorriso. Poi lo abbraccia, lo bacia, lo porta in camera e lo ama mentre lui ama lei con la stessa esatta intensità. Né più né meno. Si amano esattamente nello stesso modo, e forse questo è l'unico modo di provare l'esistenza di un amore, ecco cosa ha capito lei, ma solo dopo, quando si sono salutati senza dirsi una parola come sempre. Fino al giorno dopo, quando, all'ora prestabilita, si incontreranno sulla panchina del parco. La terza a sinistra per chi entra dal lato sud. Allora tutto sarà come è sempre stato, nonostante lui abbia già dato ordine al suo avvocato di avviare al più presto la pratica del divorzio.

LA VITA ERA FINITA e c'era ancora tanto da vivere.

Mi ero lasciata alle spalle la storia di un finale sopportabile. Sapevo di non amare l'uomo che avevo scelto, e forse proprio per questo l'avevo scelto: per dimostrare che potevo decidere del mio destino al di là di quanto il destino avesse deciso per me. Volli sentirmi Dio, quando lo scelsi. E pregai che Lui mi aiutasse.

Ma neppure Dio riesce a silenziare un amore. Abbiamo vissuto una guerra senza quartiere per vent'anni. Vent'anni a cercare di capire chi comandava chi. E l'amore, insano e irrazionale come tutti gli amori, sempre a comandarci dentro. Tutto ciò che facevamo era per amore, per vincere l'amore. Così ogni giorno ci andavamo sconfiggendo. C'erano, ovviamente, le solite fughe. Un figlio, per cominciare. Per nascondere i silenzi, per non doverci sopportare, per costringerci a tacere davanti a lui. E abbiamo continuato a tacere. Insieme a noi, anche l'amore taceva, come una bestia che gradualmente con l'età si lascia cadere, senza capire che solo in movimento riesce a cacciare.

C'è sempre un figlio in più quando una coppia che non si ama ha un figlio.

Abbiamo insistito. Ci siamo insistiti. Sempre in guerra ma ora in silenzio, in sordina, ciascuno nella propria strategia fredda di lotta. Lui ha smesso di essere il mio amore – anche se cinicamente, ora lo so, ha continuato a chiamarmi con il piccolo e insignificante «'more» di sempre – ed è diventato soltanto l'obiettivo di tutti i miei movimenti interni. Quando succede che una persona smette di essere la nostra vita per diventare ciò che ci impedisce di vivere?

Solo la testardaggine ci teneva insieme, una cocciutaggine così grande da riuscire a tenerci stretti al nulla totale per oltre due decenni. Due decenni. Cazzo. Venti volte 365 giorni della mia vita buttati via così, a vedere chi resisteva di più, chi non cedeva, per il solo gusto di vedere l'altro cedere. Scommetto che lui sognava, come lo sognavo io, il giorno della liberazione, il giorno in cui sarebbe tornato a casa e gli avrei detto: «Sono stufa, finiamola con questa merda». Ma quel giorno non arrivava. E la porcheria cresceva. E nostro figlio sempre di più capiva di vivere con due persone diverse in due sfere diverse e mai con una coppia. C'erano tre case nella nostra: la mia, la sua e la nostra con lui. E lui, furbo come è sempre stato, sapeva esattamente come agire con l'uno e con l'altro. Faceva di tutto per costringerci a trovare accordi, a raggiungere abbracci, per quanto forzati (e sforzati) fossero. Ero capace, giuro, di sopportare tutto fino all'ultimissimo giorno della mia vita. Chi è la fottuta cretina che preferisce cedere la vita intera piuttosto che cedere per una volta nella vita?

Sarebbe rimasto tutto uguale se non fossi accaduto tu. Dico accadere perché definisce bene il momento in cui ti ho visto. È accaduto che tu in me. Ed è accaduto che io. Probabilmente è il modo migliore di descrivere quello che hai fatto in me: mi hai fatto accadere. Mi hai fatto capire di nuovo che c'era ancora spazio per provare. Daccapo. Di nuovo tutto daccapo. Non hai dovuto dire molto. Hai detto: «Carlos, piacere» e io ho sentito "Carlos, fino alla morte". Ed è stato così, amore mio.

Fino a oggi.

IL SOLE BRILLAVA e il vento soffiava e il mondo
continuava a essere bello come solo lui sapeva
essere, ma tu non c'eri e niente di tutto ciò contava.

La cosa peggiore al mondo è la semivita, il limbo crudele
dove la stragrande maggioranza delle persone
riposa, seduta su un letto di cose
ragionevoli. C'è l'impiego ragionevole, la casa ragionevole,
le sensazioni ragionevoli, perfino la felicità ragionevole, e
solo
dopo ci sei tu oltre ogni ragionevolezza.

La Luna era piena e la spiaggia aveva la sabbia più
luminosa che fosse mai esistita, ma tu
non c'eri e niente di tutto ciò contava.

La semivita consiste nell'evitare la sofferenza come
se contenesse in sé la morte, abdicare all'andare
in cerca di quel che può far male e proprio perciò
abdicare all'andare in cerca di quel che dà euforia. Esiste
l'euforia possibile, il piacere possibile, i giorni possibili, e
solo dopo esisti tu oltre ogni possibilità.

Gli uccelli volavano alti e liberi, le poesie
continuavano a essere le creature più benedette
dell'Uomo, ma tu non c'eri e il resto non contava.

Credevo che esser viva non fosse altro, tutto ciò

che avevo sempre voluto in dose media, in dose sufficiente, la
vita servita in porcellane minuscole. Sorridevo perché sorridere
era tutto ciò che riuscivo a fare, abbracciavo soddisfatta quel che si
incrociava sulla mia strada, ero convinta che così
sarebbe stato tutto il mio percorso, e solo dopo
capii che esisti tu oltre ogni soddisfazione.

Il ristorante era miserabile, il cibo una
disgrazia, il tempo era orribile là fuori, la tua
divisa da cameriere era un attentato al
buongusto, ma ora tu c'eri e solo questo contava.

Fu strano il sapore del tuo bacio, tanto immenso
quanto funebre, e solo allora, dopo il primo
tocco delle tue labbra sulle mie, capii che
c'era un addio nell'unione delle nostre bocche. Era
tutta la costruzione della mia semivita a cedere
dinanzi al tuo sovrabacio. A partire da noi e dalle nostre
bocche un'esistenza intera si prefigurava
eseguibile, e noi la eseguimmo per tutta la notte.

Il letto era scomodo, le molle facevano
rumori insopportabili, i tuoi gemiti
erano così stridenti che mi rompevano i
timpani, ma tu c'eri ancora e solo questo contava.

– METÀ DI ME sei tu e l'altra metà è peccato.
– Come si fa a capire il peccato? Come si separa il peccato buono dal peccato cattivo?
– Il dolore. Il dolore separa le acque. Il dolore separa tutte le acque.
– Quello che fa male è cattivo?
– Quello che fa male è. Il resto non esiste. Bisogna preferire, sempre, ciò che può far male. Solo ciò che potrebbe far male è passibile di far amare.
– Se non fa male non è amore?
– Se non è capace di far male non è amore. Può non far male. Può anche non far male mai. Ma ha questa capacità, sai che ha questa capacità. Perché è nel tuo strato più profondo, nella tua dimensione più profonda. Fin dentro le viscere.
– Amami fin dentro le viscere.
– Ti amo fino a ritrovarmi. Sei la mia perdizione e il mio ritrovarmi. Ho bisogno di te per perdermi e ho bisogno di te per ritrovarmi. Se guardo intorno e non ti trovo è tutto perduto, anche se sono in un posto familiare. Se non sei intorno a me è perché non ci sono io.
– Vuoi peccare con me?
– Tutti i giorni. È tutto il peccato che c'è da vivere. Quello buono e quello cattivo. Ma in fin dei conti c'è solo un tipo di peccato: quello che ci tiene vivi. Chi vive senza peccare e muore senza peccare, in realtà non ha mai vissuto. Si è limitato a essere qui. Chi non ha mai peccato non è santo: è defunto. È nato morto. È il peccato a generare l'incostanza, l'irregolarità. La vita, anche se è un ciclo regolare, deve pre-

sentare delle irregolarità. Sono le curve a rendere incantevoli certe strade. Procedere sempre in linea retta mi fa venire sonno.

– O sei peccatore, o sei desolatore.

– O sei peccatore, o non sai cosa sia il sapore. Non sono bravo a far rime. Sono un buono a nulla, in verità. Ma mi sforzo di essere bravo ad amarti. Ed è l'unico talento che voglio avere: amarti con competenza.

– Competenza. Che brutta parola per dire la cosa bella che ci unisce.

– Non mi piacciono le parole belle. Credo che tutti abbiamo un limite di bellezza da spendere nel corso della vita. Io preferisco spenderlo in azioni e non in parole. Chi dice le cose belle, poi esaurisce il saldo per farle, le cose belle. Io preferisco essere la poesia, il romanzo, la letteratura. Non voglio che tu sia la mia musa, voglio che tu sia la mia libidine.

– Ecco un'altra parola per nulla bella.

– E tuttavia efficace.

– Hai ragione.

– Vieni.

– Vengo.

SCOPRIRONO DANZANDO che il corpo dell'uno non combaciava perfettamente con il corpo dell'altra. Bastò perché si separassero, subito. Lui era un fanatico devoto alla perfezione matematica e fu piuttosto chiaro in ciò che lo portava ad allontanarsi: «Ci sono tra noi dimensioni sbagliate». Lei ascoltò, capì che non c'era granché da fare dinanzi a una cosa tanto impossibile, e disse soltanto: «Ci sono corpi che la matematica non riesce a misurare». Ma lo lasciò andare, senza una reazione, senza un gesto contrario. Credeva che l'amore fosse fatto di momenti così, in cui bisognava imparare a perdere, con tranquillità, quello che non si poteva più conquistare.

«Sì, lo voglio», rispose lui al prete. Aveva finalmente trovato l'incastro perfetto, dopo una ricerca incessante, che comprendeva viaggi in tre continenti diversi e un ballo di pochi secondi con migliaia di donne delle specie più diverse. Ma stava raggiungendo il grande obiettivo. Quella donna, che ora lo baciava in bocca a celebrare il matrimonio, era matematicamente perfetta nelle sue dimensioni. Mai una danza era stata così intangibilmente perfetta. I corpi come se componessero, insieme, una sinfonia seconda al suono della prima sinfonia. Corpi come note musicali, avrebbe concluso spesso lui nel danzare con lei, emozionato, e nel capire che era valsa la pena di fare tutti quei sacrifici. «Sei la prova che la matematica è la scienza totale: riesce a misurare anche l'amore», le disse lui, già a letto, pochi istanti prima che si consegnassero per la prima volta al piacere incomparabile della carne.

«Non ha senso, non ha senso», ripeteva lui, inconsolabile, mentre guardava negli occhi sua moglie. Hai la stessa dimensione distesa e in piedi, io ho la stessa dimensione disteso e in piedi, eppure sembra mancarci la vicinanza, sembra ci sia spazio di troppo fra noi. Ho tutto il tuo corpo nel mio e ti sento lontana. È come se i corpi cambiassero di misura quando si distendono. Non ha senso, non ha senso», ripeteva, con l'alba che cominciava a spuntare e a entrare dalla finestra della stanza. Poi, con la calcolatrice in mano, si alzò dal letto.

Che vada in cenere la matematica. Fu questa la prima conclusione a cui giunse quando lanciò nel camino del salotto i suoi manuali spessi e fitti, che lo avevano orientato tutta la vita. Fino a quel giorno. Fino al momento in cui capì che c'era un deficit irreparabile nella scienza, un'insufficienza eclatante quanto alla capacità di misurazione di ciò che si ama. «La matematica non capisce la differenza tra un amore disteso e un amore in piedi; è come se misurasse soltanto ciò che i corpi hanno da mostrare e non valutasse che, in certi casi, quel che misura la grandezza di due corpi non è la dimensione stessa dei due corpi ma la distanza che essi permettono di creare tra un corpo e l'altro; è in esiguità che si misura l'amore: quanto meno spazio esiste a separarli, più grandezza essi raggiungono», scriveva ora, consapevole di essere a pochi secondi dall'inizio di una rivoluzione storica, una nuova corrente di pensiero, chissà, forse una nuova disciplina che d'ora in poi sarebbe stata studiata nelle scuole e nelle università di tutto il mondo. Ma stranamente, un attimo dopo, ci rinunciò. La donna che amava continuava a guardarlo, lì accanto. Stava, disperatamente, chiedendogli un altro abbraccio. E lui andò da lei.

«AMAMI fino a smettere di conoscerti.»

Fu così che cominciasti a entrare in me. All'improvviso, senza esserci mai visti, le tue parole come pallottole in mezzo alla biblioteca del quartiere: «Scopami fino a smettere di sapere chi sei». E io in silenzio dentro, anche se fuori non evitavo un sorriso e qualche parola di circostanza: «Mi piace il tuo modo di scherzare», dissi. Ma tu non stavi scherzando. Dieci minuti dopo eri su di me con i vestiti già fuori da te, e io già fuori di me. Fu una conferma: non sapevo più chi ero e la cosa non mi preoccupava affatto.

«Se mi abbandoni scappo.»

Fu questa la tua minaccia quando, ormai stufo delle tue eccentricità, ero lì con le valigie in mano accanto alla porta d'uscita. E insistesti: «Se esci da quella porta, puoi stare sicuro che non mi vedrai mai più». Non ci credetti. E pensavo di fare la cosa giusta quando, meno di un mese dopo, ero già di ritorno a casa, alla nostra casa, devastato dalla nostalgia del tuo amore che mi impediva di sapere chi fossi. Ma avevi ragione ed eri nel giusto ancora una volta: quella che stava con me non eri più tu. Tu, più di me, eri scappata quel giorno. E la colpa era stata mia.

«O torni a essere pazza o divento matto.»

Fu con queste parole che ti chiesi di essere te stessa. Disperatamente te. Non sopportavo più la demenza del tuo essere la persona normale che eri diventata negli ultimi mesi. Tenevi la casa sempre in ordine, eri la casalinga perfetta, la moglie attenta e affettuosa (facevamo l'amore come gli adulti e smettemmo di scopare come folli). La follia più grande che commettesti in quel periodo fu provare, un giorno, a non mettere lo zucchero nel latte che prendevi a colazione. Eri troppo sana e questo mi stava facendo impazzire.

«È un fottutissimo genio e perciò lo adoro.»
Fu la frase che mi dicesti quando, per l'ennesima volta, fummo chiamati a scuola a spegnere il fuoco appiccato dal nostro bambino. Stavolta aveva fatto, in un'ora, il suo compito e quello di altri cinque amici. Tutti e sei ebbero il massimo dei voti ma, chissà come, qualcuno scoprì l'inganno. Eri orgogliosa di lui quando io, già a casa, gli dissi con aria rigida: «Mi vergogno di questo tuo comportamento; così non sei mio figlio». E tu, puoi non crederci ma ti vidi, sorridesti.

«Mi chiamo Filipa ma non so chi sono.»
Fu così che la sua fidanzata si presentò quando venne a cena lì a casa. E aggiunse: «Sono di Barreiro, ma non so dove si trova». Allo stesso tempo provai per lei pena e invidia.

«UNIAMO LE LABBRA affinché nel mondo si senta solo un grido unico e muto.»

Questa fu la versione poetica di quanto le disse. Poi c'era l'altra. Quella che fa male. Quella che distrugge. Che fa a pezzi. Questa:

«Ti amo; ora vattene».

Senza un preavviso, dopo tanto tempo insieme, lui le chiese di andar via. Per sempre. Non fece dichiarazioni. Non diede spiegazioni. Le disse soltanto di andar via, aria pesante, senza un sorriso, senza una smorfia. «Vattene», disse lui. E lei, carica di valigie e di lacrime, se ne andò.

«Promettimi che non mi interrogherai mai per potermi amare.»

Furono le uniche parole di lui quando lei era già dall'altro lato della porta. Lei mantenne la promessa. Non chiese nulla, anche se voleva sapere cos'era successo, dove si era perso quel che sempre li aveva uniti. Per anni non lo vide. Conobbe un nuovo marito, credette di esserne innamorata, ebbe i figli che aveva sempre voluto e tutti, perfino lei, erano convinti che fosse una donna felice. Se non che:

«Sì; certo, sì»,

fu la risposta di lei quando, all'altro capo del telefono, qualcuno le chiese se accettava una chiamata a carico del destinatario. Tremò. Non sapeva perché, ma sapeva che era lui, che poteva essere soltanto lui. Ed era lui. E aveva novità da raccontarle.

«Ti amo troppo per dirti la verità.»

Fu la spiegazione di lui dopo averle rivelato che era stato, tutto quel tempo, a curarsi da una qualche malattia grave (il cui nome si rifiutava di pronunciare perché credeva che le cose cominciassero a esistere nell'attimo in cui venivano dette). «Ho bisogno di tutte le mie forze per sentire di non deludere quella dimensione che noi costituiamo», aggiunse lui. Lei cominciò col rifiutare la spiegazione, poi gli ordinò di tacere e, infine, senza esitare, mise giù il telefono senza una sola parola.

«Ti amo troppo perché tu possa amarmi.»

Furono le parole di lei, mesi dopo e senza un sorriso, prima di fargli la proposta che lui accettò immediatamente. Le ricerche di entrambi i corpi, dopo l'incidente che aveva coinvolto le loro due vetture, durarono diverse settimane. Ancora oggi c'è chi giura di averli visti, molti anni dopo, nuotare felici e insieme in un lago sperduto in una terra distante. Ma tutti la trovano una storia troppo ricercata perché possa essere vera.

ERA TUTTO PRONTO a ricevere la felicità,
e tu non arrivavi.

Ti ho amato molto prima di amarti. Eravamo quel che
gli amanti erano e non c'era bisogno di un
corpo, perché quanto dicevamo ci
bastava e ogni volta che la vita accadeva era l'uno
con l'altro che bisognava parlare. Se c'è una cosa che
temo al mondo è la tua fine. Passo ore a sentirmi
indistruttibile, a esser certo che nulla mi
tocchi, che nulla potrà ferirmi abbastanza da
farmi indietreggiare, e poi arrivi tu. Tu e la tua immagine
a perdita d'occhio, i tuoi occhi quando mi guardi, la
tua bocca quando mi parli e proprio allora capisco
che sono finito, povero umano, e scoppio a piangere alla
ricerca del telefono e di una parola tua capace
di convincermi che ancora esisti. È nella possibilità
della tua fine che trovo l'umiltà.

Era il giorno più bello di sempre nel paese in cui mi trovavo,
e tu non arrivavi.

Non si sa dove finisca il mondo ma io so che
la vita finisce in fondo alle tue labbra. Avevo le
parole pronte a dirti che più di
tutto bisognava che facessimo ai corpi quello che
tutto il resto aveva già fatto in noi. Poi ti avrei detto che

da quando ti avevo guardato sapevo di che sapeva il tuo bacio
ed era ora che anche le bocche lo sapessero. In
seguito sarei venuto lentamente a spogliarti la lingua senza che
ti accorgessi che intorno neanche gli orologi osavano muoversi
per non turbare il movimento della Terra. Infine
avresti detto che era prevedibile finisse così,
solo per provare che tra tutte le cose
completamente imprevedibili l'amore è la più prevedibile
di tutte. Sarebbe finita lì ogni parola di quel giorno e di quella
notte, oppure di quella notte e di quel giorno, e fuori non avremmo più
saputo se c'era luce o ombra, sole o pioggia, perché
di certo gli occhi hanno molte capacità
(baciare, abbracciare, toccare, leccare, succhiare, afferrare, stringere)
quando si ama, ma nessuna consiste nel vedere.

Per la prima volta nella vita spolverai il retro dei mobili di casa,
e tu non arrivavi.

Ormai non c'era spiegazione possibile per la tua assenza e
io ancora credevo che saresti venuta perfettamente in
tempo purché venissi. Provai a telefonarti ma
non rispondesti; provai a piangere per te ma nemmeno le
lacrime cadevano, e quando il corpo prende decisioni in
contumacia è perché sa perfettamente quel che sta
facendo. Ecco cosa mi sollevò. Decisi di stendermi
un po' e dormire. Dormire è sempre il miglior modo
di aspettarti, perché se c'è un momento in
cui mi avvicino a te è quando mi è
concesso sognare. Quando mi svegliai non c'eri e
avevo voglia di urlare. Per fortuna non lo feci perché

avrei potuto svegliarti. Stavi dormendo, lo capii dopo,
nel letto a fianco, dopo essere arrivata in ritardo
la sera prima e avermi trovato già
con gli occhi chiusi. Toccò allora a me
distendermi senza una parola e aspettare che
ti svegliassi, o aspettare che ti addormentassi, perché
in fondo quel che contava era che rimanessi. Eri
arrivata così tardi che sarebbe
stato meglio non venire, ma meno male che eri venuta.

Mi feriva tutta la voglia di stringerti e parlarti,
ma dovevo aspettarti.

Quando ti svegli ti prometto che ci addormenteremo
ogni giorno
insieme per sempre.

ERA UN UOMO come qualunque altro e perciò, in quel preciso istante, stava piangendo. Tutta la casa silenziosa, ferma, a sentirlo soffrire. Silenzio, ché qui si soffre.

Era una donna come qualunque altra e perciò, in quel preciso istante, stava sognando. Tutta la spiaggia silenziosa, ferma, a sentirla volare. Silenzio, ché qui si salta.

L'incontro accadde all'ora più inattesa – che, a ben vedere, avrebbe potuto essere un'ora qualunque perché tutte le ore sarebbero state inattese, per chi neanche in sogno avrebbe immaginato l'eventualità di quell'incontro. Lui stava piangendo, come faceva per gran parte del giorno. Lei stava sognando, come faceva per gran parte del giorno. Ma visto dall'esterno lui era l'uomo che puliva la piscina della casa sul mare e lei era la donna ricca, sposata a un uomo ricco che aveva una casa sul mare. Si erano già visti milioni di volte finché non si guardarono. Tutta la piscina silenziosa, ferma, a sentirli sentire. Silenzio, ché si prova a vivere.

«Vicino a te mi allontano da me.» Le parole di lei all'orecchio di lui. Lui sorride, eppure piange sempre più forte. «Mi dispiace, ma amo soltanto le cose piccole e quel che sento è troppo grande per ammetterne anche solo l'eventualità.» Le parole di lui da far sentire a lei: «Le sarei grato se non tornasse ad avvicinarsi a me in questo modo». E lei che volta le spalle. Ma solo per un secondo. Poi si gira di nuovo, lo bacia, lui la ribacia. Ogni volta è più bello. «Fallo credere a chi non ti conosce», le parole di lei tra le labbra leccate. «Quell'imbecille di tuo marito mi crede un santo.» Lei ride, e lui ride, e se ne stanno lì, accanto alla piscina, a scoprire l'estensione dei corpi. Tutte le pareti silenziose, ferme, a sentirli mentire. Silenzio, ché si fa giustizia.

La pistola di quest'uomo, con la canna puntata alla testa di un altro uomo, è una pistola qualunque. C'è da supporre, perciò, che sia in grado di uccidere. Sembra essere questo, perlomeno, il timore della donna che, con le mani in testa, assiste allo spettacolo che segue. «Ti prego, non fargli questo», chiede lei. L'uomo con la pistola acconsente. Lei si avvicina a entrambi e in pochi secondi toglie di mano la pistola a uno dei due e spara contro l'altro, che cade a terra in un tonfo, immediatamente. «Ecco, così dovevi fare. Ero stufa di vederti perdere tempo. Spara e basta, cazzo.» Lui abbassa la testa e acconsente. E restano lì, tutti e tre, corpi nudi, abbracciati e sorridenti al centro della piscina. A pochi metri, e tutto intorno, un sacco di gente con addosso camici bianchi e altra gente senza camice bianco ma dai gesti strani (uno cammina in cerchio da alcuni minuti, guarda in cielo e scuote la testa con vigore da altrettanti minuti, un altro simula un discorso sulla pace nel mondo ad alta voce e nessuno gli dà retta). Tutta la sala del cinema silenziosa, ferma, a sentirli rappresentare. Silenzio, ché sta per finire.

SAPERE che sei esistito
è quel che mi impedisce
di esistere.

La tua voce al risveglio: vieni, amami. E io ad amarti
senza pensare al tempo, all'orologio steso sul
comodino, stufo di sapere che perfino
lui, il tempo, avrebbe dovuto aspettare che fossi
pronto a lasciarmi andare. E poi.

Come posso inventarti un sostituto
se sei ancora qui?

Poi te ne sei andato senza lasciarti dietro nulla, ed è stato
il tuo modo di rimanere intero. E se ancora riesco a svegliarmi
alla vita è perché ancora spero che tu venga, con le lacrime
agli occhi, a chiedermi scusa di essertene andato, di
aver osato estirparmi ciò che mi faceva volere.

L'unica cosa che voglio
e ho sempre voluto
è che tu mi voglia.

In camera nostra c'è un museo che ti aspetta. Le tue
scarpe abbandonate nello stesso posto in cui
le hai lasciate: tutti i giorni le lucido religiosamente
come le lucidavi religiosamente tu. Il tuo
lato del letto vuoto – e guai a chi osa entrare

in ciò che ti appartiene. Neppure io oso entrare in ciò che ti
appartiene. Quando tornerai sarà tutto uguale
per riceverti. Sarà un modo diverso di assolverti.

Quel che mi hai fatto è imperdonabile
ma il tuo non tornare qui immediatamente a farti
perdonare
non ha perdono.

Può anche essere tardi – e lo è. Ma tra aspettare tutta la vita
che tu venga e temere tutta la vita che te ne vada
preferisco la seconda alternativa.

Meglio la tue mani in mano
che altre due mani
senza amare.

Ti aspetterò anche se dovessi convincermi del contrario. E
potranno venire gli uomini migliori del mondo, le più
perfette creature dell'universo, ma anche così basterà
sapere che i tuoi difetti rivogliono i miei
per sempre perché io sia tua per sempre ancora una volta.

Per piacere torna e porta qui le tue imperfezioni.
È quanto ti basta
a rendermi felice.

IL PRETE ha già dato ordine di chiudere la bara, e io non ti ho mai detto che ti amavo.

La parte peggiore delle parole sono quelle che non si sanno dire, il peso irrespirabile di quel che non è mai esistito eppure non ha mai smesso di esistere: non mi permetterà mai di esistere. Ho avuto tutta la tua vita per dirti cosa vedevo in te, e non ci sono riuscito. Ti ho dato compagnia, amicizia, ti ho offerto tanto, e non avevo mai pensato che un giorno potessi andartene via senza preavviso. Ingenuo. Avrei dovuto sapere che tutto ciò che facevi era senza preavviso. Perché mai avresti dovuto fare altrimenti nell'ora della morte?

Ho un appartamento vuoto che avevo sognato per noi due, ma non ti ho mai detto che ti amavo.

Siamo stati complici senza corpo, ci siamo incontrati tutti i giorni per regalarci la vita che avevamo da regalare, tu ridevi tanto e io ti desideravo tanto. Hai mai saputo che quando mi addormentavo pensavo all'immagine della tua felicità? Ti immagino, lì dove sei ora, a spargere felicità, e mi solleva la certezza che avrai una morte felice per sempre. Hai mai saputo che avevo tanto bisogno di te?

La tua scrivania la stanno riordinando i tuoi genitori, e io non ti ho mai detto che ti amavo.

Siamo stati quasi amanti perfetti, quasi una coppia perfetta, quasi la felicità perfetta. Ci sono stati giorni in cui i corpi volevano, giorni in cui i corpi forzavano. In quei giorni lì ci siamo abbracciati, le mie mani intorno a te, le tue intorno a me, un abbraccio intero a dimostrare che ci sarebbe bastato il coraggio. Bastava ti dicessi quello che non ho mai smesso di dirti, quello che tutti i giorni mi esercitavo a dirti, perché il peso che ora sarà mio per sempre si diluisse in sudore. Mi perdoni questo mio amarti per sempre in silenzio?

I tuoi genitori stanno leggendo le lettere che ci scrivevamo, e io non ti ho mai detto che ti amavo.

Anche le mani si zittivano quando c'era da dirti la misura di quanto ti sentivo. Tante volte siamo riusciti a dire quello che ci feriva, come quando ti dissi che era vergognoso il modo in cui scappavi da un lavoro solo perché non sopportavi una collega, e tu mi desti ascolto e decidesti di rimanere; o quando mi dicesti che ero un egoista a non voler andare con i miei fratelli a Disney World pur sapendo che avrei realizzato un loro sogno, e allora ci andai, ti diedi ascolto e ci andai. Tante volte siamo stati capaci di scriverci tutto quello che c'era da scrivere, e non ci siamo mai detti, non ti ho mai detto, le uniche parole che andavano dette, per iscritto o a voce, perché non restasse nulla da dire di ciò che eravamo, perché non restasse nulla da dire ora di ciò che siamo stati. Se ti avessi detto che ti volevo per sempre, avresti guidato un po' più piano quella notte?

I tuoi genitori mi mostrano uno scarabocchio tuo in cui dici che sono l'uomo della tua vita ma che non mi hai mai detto che mi amavi, e io non ti ho mai detto che ti amavo.

Come abbiamo potuto essere così idioti e così felici?

IL PAESE VA A FUOCO. Dappertutto c'è gente che sta male e terra bruciata. L'inferno circola nell'aria. E quando arriva l'inferno è importante avere un piccolo cielo in cui scappare. Uno spazio di assoluta non-vita per poter vivere. È in questi momenti, in cui tutto il mondo sa solo darci dolore, che arriva la malinconia, subdola, in attesa di una difesa ferita per poter ferire. E allora arriva l'arte, eroica, a salvare l'onore del momento.

Dev'esserci sempre un libro da leggere per salvarci la vita. Oppure una nota musicale, un tratto di genio a mostrarci che vale la pena di vivere, che il mondo merita di continuare. Se non è per un verso perfetto o per una nota che ci cambia la vita, a che serve la vita? A che serve il mondo se non ad accogliere in sé l'arte? Non siamo altro che persone e tutto quello che ci serve sono le persone. Quando arriva la malinconia capiamo che sono le persone a salvarci dall'abisso. Le persone che scrivono quel che vorremmo sentire, che creano la musica che ci costringe ad andare avanti, che disegnano il quadro capace di farci credere. Le persone. Quando l'abisso si avvicina le persone servono ad afferrarci e a permetterci la salvazione. Non è il pianeta che va protetto: sono le persone. Bisogna proteggerle al massimo, mostrare loro che sono l'unica ragione di vita. Il paese va a fuoco, e per ironia della sorte è al limite della sventura che le persone si salvano dalla sventura. A volte le perdite sono necessarie a far crescere il mondo.

E quei bastardi dei politici e i loro conti. Come si fa a pensare al plurale quando non si rispetta il singolare? Il problema dei politici è l'angolazione da cui guardano il mondo.

Guardano la vita come la guarda Dio e poi peccano per mancanza di potere. Perché ci stanno guardando dall'alto quando sono in basso. Bisogna calpestare la terra per sapere come si cammina. Partono dal tutto verso l'individuale, scordandosi che solo a partire dall'individuo si compone il tutto. Basta una pietra fuori posto perché qualcuno inciampi. È così semplice vivere quando si pensa con l'arte dentro. Governare come si scrive una poesia: ecco la mia proposta. Governare come si compone una musica: ecco la mia proposta. Rendere ogni decisione la più bella al mondo. E rispettarla. Quando arriva la malinconia l'individuo corre il rischio di andarsene.

Oggi ho voglia di desistere, ma contemporaneamente ho voglia di vivere per sempre. Perché ci sarà sempre una poesia da scoprire o una melodia da addomesticare. Basta una poesia perché essere vivi abbia un senso. E l'abbraccio. Oddio, l'abbraccio! L'arte e un abbraccio: ecco come si potrebbe definire la felicità.

Il paese va a fuoco e ci sono uomini e donne che salvano uomini e donne dalla sventura assoluta: ecco un motivo più che sufficiente a essere degni del privilegio di essere vivi.

Per ogni bastardo che si ergerà ci saranno sempre due o tre eroi pronti a piegarlo.

HO DISIMPARATO dalla vita tante cose che la vita mi ha dato. Ho disimparato ad amare il futuro – perché quello che mi resta del futuro sono quest'anima pronta a continuare e questo corpo pronto a tendersi. A che serve che ci sia un dopo-di-me se non sarò qui a vederlo?

Ho disimparato a scoprire cosa muove i più giovani, cosa li obbliga a essere quel che sono, quel che devono continuamente essere.

Non so perché esistono l'invidia, l'ambizione, la somma di banconote custodite in una cassaforte. Non so perché esiste la salute se serve solo a far soldi. A che serve la gioventù se non sappiamo a che serve la gioventù?

Ho disimparato a capire le persone che il mondo contiene. Ci sono persone che sprecano la vita nella vita degli altri, nella felicità degli altri martirizzando la propria, persone che non si aggrappano al poco che hanno e preferiscono aggrapparsi al poco che non avranno mai. Ci sono persone che si sprecano nella vita. A che serve tutta la vita davanti se tutto ciò che facciamo le fa voltare le spalle?

Ho disimparato a disprezzare l'istante – perché ho già troppo pochi istanti da disprezzare. Le immagini vanno e vengono, restano qui, come se sapessi che ciascuna può essere quella finale, quella che mi porto non so dove ma il non so dove di sicuro non è qui. Quanti sorrisi mi restano da vedere? Quante euforie mi restano da provare?

Ho disimparato a divorare il tempo che corre. Ora consumo la vita a pezzetti, ogni pezzo al suo debito posto. C'è un luogo adatto per ogni momento, lo spazio giusto per la sensazione precisa. Ora non voglio altro che il frammento – e così mi sento intero. A che serve avere tutto in una volta ora se c'è ancora un dopo da occupare?

Ho disimparato a sprecare il piacere. La felicità è evitare la vita in un sorso, aggiungere un goccio qua e là, mantenere il livello ben alto ma senza mai fargli toccare il cielo. Al di sopra del cielo c'è solo la morte, e voglio ancora salire molto fino a raggiungere la vetta assurda del finale. Quanti orgasmi ci sono per ogni vita?

Ho disimparato dalla vita tante cose che la vita mi ha dato.

Ma quello che non ho mai disimparato è stata la misura della tua pelle, l'eternità illogica dell'amarti così. Ho fatto ieri i conti e sono stati oltre trentamila i giorni in cui ci siamo addormentati e svegliati insieme, nel letto in cui ora ti scrivo e da cui spero di alzarmi per tornare da te. Trentamila giorni a guardarti dormire, a sapere il freddo o il caldo del tuo corpo, a capire cosa ti faceva male dentro, ad amare ogni ruga in più che nasceva. Trentamila giorni di te e me, di questa casa che un giorno abbiamo dichiarato nostra (che ne sarà di una casa che ci conosce così bene quando non saremo più qui a occuparla?), di difficoltà e di ansie, dei nostri bambini che correvano nel corridoio, della nostalgia del nostro saperci sempre in marcia verso l'essere semplicemente noi. Trentamila giorni in cui tutto è cambiato e nulla ci ha cambiati, delle tue lacrime così belle e tristi, delle poche volte in cui la vita ci ha costretto a separarci (e bastava un pomeriggio senza di te perché né la casa né la vita fossero uguali). Trentamila giorni, mia vecchia brontolona adorabile. Io e te e il mondo, e tutti i vecchi che un giorno abbiamo conosciuto sono ormai andati via insieme alla vecchiaia. Noi siamo ancora qui, trentamila giorni dopo, insieme come sempre. Insieme per sempre. Trentamila giorni in cui ho disimparato tante cose, amore mio. Tranne ad amarti.

NON C'È PIÙ IL SOLE né il tuo corpo nudo, e la spiaggia su cui mi stendo è uno spazio vuoto.

Sei venuto da solo, i tuoi passi decisi a dirmi la vita. Sapevo che venivi per l'addio, per il momento in cui tutti i dolori si fanno piccoli. Perché devi partire per un posto in cui non ci sono io? Perché esiste la possibilità di una vita di te in cui non sia presente tutta la mia vita?

Sei venuto da solo, e nella tua solitudine c'era la certezza che volessi la solitudine della partenza. Di quanti abbracci hai bisogno per sapere che sei mio?

La luce non è più la stessa né il mare sembra seguire la sua rotta, e la spiaggia su cui mi stendo è uno spazio vuoto.

Hai detto che bisognava operare l'ultimo bacio, costruire l'ultimo istante; hai detto anche che era nelle nostre mani riuscire a evitare l'impossibile, la separazione assurda che né tu né io volevamo. E hai lasciato che fossero le labbra a dire il resto. Sono la donna più bella del mondo quando so che mi ami, il corpo più sensuale del mondo quando so che mi vuoi. La sabbia calda non aveva mai visto nulla di simile. Il tuo corpo senza vestiti e il mio corpo spietato ma con tutta l'anima, cercando entrambi di evitare la dissoluzione di ciò che per sempre ci unirà. Tutti i baci si sono eretti e tutte le mani si sono incontrate. Perché deve finire quel che è così eterno?

La luna non sembra più così piena né l'acqua così infinita, e la spiaggia su cui mi stendo è uno spazio vuoto.

Il problema di tutto quanto esiste è che un giorno dovrà smettere di esistere. È finita nell'orgasmo la certezza che ci fosse un futuro. Ci siamo guardati per diversi minuti, la spiaggia ferma a vederci soffrire. Sei stato di nuovo il primo a parlare. Hai detto: «Vorrei che fossimo possibili», e io ascoltavo. Hai detto: «Giura che mi ami senza condizioni», e io ascoltavo. Hai detto: «Se non dici niente nei prossimi trenta secondi, vado via per sempre». Poi hai guardato l'orologio e hai contato i secondi, e io ascoltavo. Volevo dire che avrei dato la vita perché non te ne andassi, che l'eternità esiste solo perché ci sia il tempo sufficiente a inquadrare il tempo in cui ho bisogno di te. Ma mi limitavo ad ascoltare. Hai detto: «Il tempo è scaduto», e io ascoltavo. Hai detto: «Ti amo al punto che mi manca la pelle», e io ascoltavo. Hai detto: «Addio», e io ascoltavo. Perché diavolo hai preteso parole quando tutto in me ti diceva tutto in te?

La notte non è più così calma né il vento sembra così umano, e la spiaggia su cui mi stendo è uno spazio vuoto.

Lontano da tutto ciò che è terreno, cerco di tornare, qui, in braccio ai tuoi ricordi. So che mi sono fermata una frase prima di essere felice. Immagino che potresti tornare in una notte di pentimento, o in un istante di rivelazione. Ma subito smetto di immaginare.

L'acqua non è più così fredda né le onde sembrano così grandi, e la spiaggia su cui mi stendo è uno spazio vuoto.

C'ERA DA TROVARE l'inizio della vita,
e l'incanto principale del tuo sorriso era che fosse mio.

Ti dicevo che Dio abita nella carne del
poema, che le parole che scrivevo
erano lungi dal meritarti, poi
ti afferravo forte e ti dimostravo che perfino
l'amore conosce l'importanza del corpo.

C'era da trovare il finale del bacio,
e il sogno più grande che potesse esistere era che tu fossi reale.

Ci incontravamo all'angolo dell'orgasmo, dopo
il sudore e la scoperta intera del piacere, la
gente sapeva che quando ci univamo tutto
il palazzo doveva saperlo, scommetto pure che quando
venivi come una diva tutti applaudivano.

C'era da trovare la scienza dell'estasi,
e la più grande genialità umana è aver
osservato l'esistenza della felicità.

Abbiamo abitato in un parco giochi, riformulato
la definizione di ciascun vano e la cucina serviva
ad amare, e a volte anche a cucinare, il salotto
serviva ad amare, e a volte anche a riposare, la stanza da letto
serviva ad amare, e a volte anche a dormire; tutto

ciò che ci serviva, serviva ad amare per quanto servisse
anche ad altre cose.

C'era da trovare la logica dell'abbraccio,
e la balla più grande del mondo è aver inventato la coerenza.

A fine giornata ti raccontavo l'interiorità di quanto
ti avevo amato mentre ti amavo, ti descrivevo ogni
sensazione che mi offrivi, tu chiudevi
gli occhi e cercavi di sentire quello che c'era dentro di
me, poi veniva il tuo turno di dirmi come
ti toccavo, in cosa ti toccavo, e all'improvviso non
sapevamo più se la sensazione che ci eccitava era nostra o
dell'altro, e capivamo che la pelle
e le ossa non esistevano per separarci
ma solo per proteggerci.

C'era da cercare la frase perfetta per dirtelo,
e purtroppo il miglior risultato
che ottenni fu: «Io ti amo».

Mi sento prigioniero della nostra casa, e
guai a te se mi lasci uscire.

L'ESTATE FINISCE e il mondo ricomincia. Le strade si riempiono di gente frettolosa, che pensa al modo migliore di perdere la vita per riuscire a guadagnarsela. In questi momenti dell'anno mi piace capire cos'è che muove la gente, cosa le scorre nello sguardo, cosa la obbliga a non demordere. Mi siedo alle fermate degli autobus, nelle sale d'attesa degli ospedali, in bar più o meno frequentati, sulle panchine dei parchi dove vite finite si uniscono per celebrare con meno dolore la fine del percorso. E quello che accade è la verità. Un uomo ha appena abbracciato una donna. Non so l'età di lui né quella di lei, perché l'abbraccio che si danno lascia intravedere solo un'ombra diffusa. È come se riuscissimo a sparire l'uno nell'altro, e se questo non è il modo migliore di amare, allora non so. Poi un bambino curioso cerca qualcosa dietro le piante del parco. Sa che non può, ma lo fa. Sposta una pianta, poi un fiore, guarda con la coda dell'occhio cercando di non farsi beccare. E ci riesce. È una palla, piccola ma è il pianeta intero di quel bambino, ciò che lo rende felice. E c'è tutta una filosofia in un bambino che, pur sapendo che è proibito, cerca una pallina insignificante che per lui vale tutto, dietro le foglie intoccabili di un giardino. I bambini sono i migliori maestri di vita che Dio abbia creato, secondo me sono addirittura il dopo degli adulti, l'evoluzione di ciò che sono gli adulti. Se ci fosse al mondo un ordine giusto, succederebbe questo: saremmo prima adulti e poi bambini, cominceremmo dal temere tutto ciò che si muove perché siamo adulti, e l'adulto ha paura che tutto finisca perché sa che tutto deve finire; poi finiremmo senza paura, senza timori, in cerca di ciò che ci va dove più ci va. E se questo non è il modo migliore di vivere, allora non so. Un po' più avanti, una coppia discute di soldi. In tutto il mondo, a quest'ora, ci sono coppie che discutono di soldi, coppie che si uccidono per soldi. Lei sembra scusarsi, lui sembra insistere sull'inutilità dell'acquisto. Poi lei ribatte, parla di un non so cosa costato non so quanto, ed è allora che decido di distogliere l'attenzione da loro, perché capisco che hanno già prodotto il miglior aforisma del giorno, quando la moglie ha detto che un non so cosa costa non so quanto. Le banconote sono il non so cosa, che vale non so quanto. E se questo non è il modo migliore di definire il denaro, allora non so. Sembra cadere la notte e la strada, dopo i lavori finiti e le persone finite nei lavori finiti, comincia a spogliarsi dell'ansia, dell'agonia, le macchine ormai scarseggiano, i clacson sono andati a dormire fino all'alba di una nuova giornata, e tutta l'umanità sembra esistere di nuovo. Uomini e donne non cercano più destinazioni, camminano sui marciapiedi per assaporare i marciapiedi, o nei parchi per assaporare i parchi. Quando il giorno finisce e le corse terminano, solo gli umani resistono nella parte esterna del mondo. Gli altri se ne rimangono a casa, davanti ai televisori, alla ricerca disperata di una qualche manovra che permetta loro di non demordere. Un gol in uno stadio, un bacio in una telenovela, perfino una morte in una serie di culto. A me, quando l'umanità torna in strada, continua a servire soltanto quel che cerco continuamente. La tua mano che ama la mia, il tuo sguardo, qua e là, a cercarmi in cerca di conferma, la tua testa a volte poggiata sulla mia spalla, e le parole che non hanno mai avuto bisogno di correre per poter essere immortali: ti amo.

QUANDO PARLO uso sempre la prima persona plurale. È il mio modo di averti con me, come se fosse possibile, attraverso le parole, definire ciò che le parole definiscono. Un'inversione nell'ordine naturale di tutto il processo di vita: prima dici quello che vedi, poi vedi quel che hai detto di aver visto. E quando mi vedo, mi vedo sempre con te.

– Non è possibile. Fa troppo male per essere possibile.
– Te ne vai.
– Devo andare. Devo scappare. Fa troppo male per essere sopportabile.
– Che posso fare?
– Amarmi. Continua ad amarmi. È tutto quello che ti chiedo.
– Dimenticare il corpo. Dimenticare il tocco.
– Ricordare il corpo. Ricordare il tocco. Credere nella possibilità che a volte non tutto abbia bisogno di tutto. Credere nella possibilità che anche solo una parte svolga alla perfezione il ruolo del tutto.
– Resto amputato di me, se te ne vai. Strapparti da me e strapparmi da me. Vai e portami con te. Come potrò vivere completo se non ho più nemmeno me stesso?
– Vedila al contrario. Pensa che se me ne vado e ti porto con me allora sarai con me come davvero vuoi. Se me ne vado e ti porto con me, allora staremo insieme per sempre. Non è questo quel che tanto desideri?
– Sì. Grazie, mi fai felice.
– Ora vado.
Vai. Sii felice per sempre.

E sei andata via. Non so se felice. Ma sei andata via. E ora capisco che sono state le parole, sono sempre le parole, tu e la tua capacità impareggiabile di convincermi dell'impossibile. Mi hai abbandonato e io ti ho ringraziata. E sono rimasto senza di te a pensare con te. E il peggio è che nonostante tutto ti sento come mia moglie anche se non so minimamente di chi sei moglie. Ti immagino in un posto qualunque a portarmi con te, mi immagino mentre passeggio a Parigi, a braccetto con la donna più bella della città. Mi immagino al tuo paese, tutta la tua famiglia a tavola e tu dici che siamo felici, noi due, in questo nostro modo di non essere mai altro che un sempre insieme, poi immagino tua madre che ti dice per l'ennesima volta: «Metti giudizio, ragazza», e tu che le rispondi ancora una volta: «Insomma, mamma, sei sempre pronta ad augurarmi il peggio», e finalmente arriva tuo padre, a metter pace come sempre, vi abbraccia entrambe e le dice furtivamente di non ferirti troppo. «Provo tanta invidia e tanta pena per la mia bambina», e rimaniamo lì, tutti e quattro, io in te e tu nei tuoi, ad abbracciarci in un abbraccio impossibile che sa di tutto. Ti immagino ovunque nel mondo intero perché so che sei abbastanza folle da andare ovunque nel mondo intero, ma so che non sei abbastanza folle da non portarmi ovunque tu vada. Anche perché, lo sai, non dipende da te.

Quando mi domandano come mi chiamo, rispondo: «siamo Pedro».

HO SCOPERTO OGGI il profilo di Facebook di uno che è morto ieri.

Che dolore, mio Dio.

Cos'è in fondo questa orribile tecnologia? Uno muore e va in giro lo stesso, come se fosse vivo. Siamo esattamente lo stesso e non esistiamo più.

Non siamo neppure l'oblio, a essere rigorosi.

L'avvocato è morto ieri e oggi ha il profilo intatto, la salute perfetta e gli amici di sempre, quasi scommetto che passeranno molti mesi prima che sappiano che è morto. Certe ironie sono così tristi che non dovrebbero chiamarsi ironie.

Non sopporto molto quel che sento, ho la mania di mettermi dall'altro lato.

E i suoi figli, sua moglie, la sua vita? È intollerabile che ci sia la morte.

La vita è una lunga cancellazione.

Ogni giorno scompariamo un po', portiamo via un po' di chi ci ama. Se il cielo esiste conterrà un pezzo di mia madre, probabilmente il sorriso, il modo in cui il mondo si apre quando mi guarda; un po' di mio padre, quasi scommetto che è la sua sensibilità strana, l'egoismo intollerabile; un po' della donna che amo, certamente la pelle nella mia quando mi sveglio, le labbra perfette all'interno delle mie, un po' di mia sorella, di mia nipote, se non contiene un pezzo di ciascuno allora non esiste alcun cielo, di sicuro.

Quello che non posso essere mi impedisce la bocca come una museruola.

Il problema è la possibilità, l'esistenza di alternative, tutto a portata di un tentativo, le sensazioni, gli orgasmi, i legami, l'affetto, e poi la fine di tutto.

Finire è un bullismo insormontabile.

Mi massacra quotidianamente, la fine, so che è stupido, dovrei pensare a quel che ho e non a quel che non posso avere, ma in verità se ci penso è perché ci credo, guai a me se non vivo per sempre.

Accumuliamo eventi come accumuliamo immondizia, perché ci sia qualcosa oltre a noi da buttar via.

Caro avvocato,

riposi in pace, ma soprattutto in subbuglio, che ad annoiarsi basta già il non avere corpo, vero?

Ha compiuto gli anni da poco, basta scorrere un po' la sua bacheca per capirlo, prima era stato nella Repubblica Dominicana, anche nel Congo, sembrava felice con sua moglie, tutto impeccabile, ed è morto.

Come si toglie la morte da Internet?

Bisogna insegnare le emozioni ai programmatori, e anche a me, già che ci siamo, tutti i giorni, così non me ne dimentico.

Quale sarà stata l'ultima causa di litigio?

Fatene un poema, che si contesti la perennità, ecco a cosa dovrebbe dedicarsi un avvocato mentre è vivo, provare senza margine di ricorso che nessun Uomo merita di terminare, o almeno di esserne consapevole. Si è mai visto un animale depresso perché sapeva di dover morire?

O l'immortalità o l'ignoranza.

Quando morirò, create per me vari profili di Facebook, e ammazzatemi un po' alla volta, oppure mai,

lol.

OGGI TI SCRIVO sui «se» che sono importanti nella vita. Tienili stretti e poi stringili di nuovo nei momenti in cui sarai più spaventata. Vedrai che non ti mancherà mai nulla. Giuro.

Se ami con ogni certezza, rinuncia ad amare, perché, sappilo, quando si ama con ogni certezza non si ama per niente.
Se non hai paura di dire che ami, come se sentissi di mettere in mostra la parte più immensa di te, smetti di amare, perché, sappilo, quello che ci fa aver paura è l'unica cosa che vale la pena di aver paura di perdere.
Se non ti addormenti tutti i giorni con una voglia inspiegabile di tornare a svegliarti solo per stare tra le braccia della persona con cui ti sei addormentata, rinuncia ad amare, perché, sappilo, solo ciò che ci fa addormentare felici facendoci venir voglia di svegliarci felici è davvero amore.
Se non ti svegli tutti i giorni con una voglia inspiegabile di tornare ad addormentarti solo per potere addormentarti in pace accanto a chi ami, rinuncia ad amare, perché, sappilo, solo ciò che ci fa svegliare felici facendoci venir voglia di addormentarci felici è davvero amore.
Se non ti senti perduta ogni volta che sei lontana dalla persona che ami, anche solo per qualche secondo, rinuncia ad amare, perché, sappilo, quando si ama si è nel posto giusto solo se si è nello stesso posto della persona che si ama.
Se non ti senti incredibilmente felice solo perché vedi felice la persona che ami, rinuncia ad amare, perché, sappilo, quando si ama, la felicità esiste solo in coppia, e quando uno dei due è felice senza che l'altro sia felice vuol dire che sono entrambi infelici finché non saranno entrambi felici.

Se non ti vedi diventar vecchia accanto a un vecchio che è la persona che ami e se questa immagine non ti emoziona fino alla punta dei capelli, rinuncia ad amare, perché, sappilo, quando non si capisce che invecchiare è bello perché offre la possibilità di poter amare fino alla fine dei propri giorni la persona che si ama, allora forse non si ama affatto.

Se mentre leggi tutte queste parole che ti ho scritto non ti viene voglia di raggiungermi dietro il laboratorio di scienze e darmi l'abbraccio più forte che tu abbia mai dato, rinuncio ad amarti, perché, sappilo, ho deciso da un pezzo, quando ti ho vista entrare alla lezione di psicologia per la prima volta, che l'amore eri tu, e se non sei tu allora preferisco stare da solo. In fin dei conti, meglio passare la vita limitandomi a sognare di essere tuo, che passare la vita limitandomi a fingere di essere di un'altra.

Con amore infinito,

Pedro, della 3ª B (quello seduto accanto a te alle lezioni di portoghese)

È IL DOLORE a stringere i nodi. Il resto stringe, al massimo, piccoli legami.

Bisogna andare in fondo a ciò che esiste per riuscire a sopportare quello che arriverà. C'è sempre un altro strato di dolore da provare – e soltanto chi è solido in tutti gli strati precedenti riesce a sopportare l'impatto di quello in arrivo.

Vivere all'inverso del dolore è non sopportare i rovesci della vita.

Aborrire il dolore senza evitare di considerarlo naturale: ecco il segreto per una sana sopravvivenza.

Il dolore accade. Non c'è niente da fare. Il dolore accade. Ed è imprevedibile. Nessuno riesce a prevedere il dolore – o almeno quanto male può fare. Essere preparati al dolore è conoscerne ogni passo, misurarne ogni movimento. È attaccarlo senza evitare di accettarlo.

Negare l'esistenza del dolore è negare l'esistenza della vita.

Quello che ci unisce è ciò che ci ha fatto soffrire. Nulla di particolarmente grave. Ma quello che ci unisce è ciò che ci ha fatto soffrire. Ci siamo considerati capaci, quando è arrivato il dolore, di unirci senza cedere alla facile tentazione di soffrire ciascuno per sé. Amare non è un «si salvi chi può»; amare è un «ti salvo perché posso». Ci salviamo sempre, quando ci sono lacrime da piangere. Non siamo accondiscendenti, non accettiamo con rassegnazione. Ma ci salviamo. Se soffri vengo da te, accolgo parte del tuo soffrire, condivido parte del mio non soffrire. E così ci equilibriamo. Tu hai metà del mio non soffrire e io metà del tuo soffrire. Soffri la metà di quanto potresti soffrire e io soffro la metà di quanto potresti soffrire. Non ci penso neppure, all'equazione che risolvo. Penso soltanto che ti sto estraendo metà del dolore. E mi basta perché la metà del dolore che soffro sia felice di me. E poi è all'incontrario. Quando sto male io, tu vieni e dividi con me quello che mi uccide. E andiamo avanti, tutti e due, seguendo la marea ma mai senza provare, attimo dopo attimo, a invertire il flusso delle onde.

Una relazione senza dolore non è una relazione: è una rappresentazione.

C'è poco altro da assaporare se non quello che ci rende così, unici senza smettere di essere uguali. Siamo fatti di una pasta che è la voglia di vivere. Guardiamo alla vita come un bambino guarda un giocattolo. Vogliamo sapere cosa fa, quanto vale, quanto divertimento può offrirci. E ci divertiamo. A volte, certo, con il giocattolo possiamo farci male. Una ruota viene via e va sostituita, la gamba di una bambola salta e va portata all'ospedale delle bambole. Allora sì, diventiamo gli adulti più responsabili del mondo. Accettiamo i difetti e andiamo in cerca di un modo per ripararli. Ci amiamo come bambini folli per gioco e ci salviamo come adulti supereroi. Siamo metà incoerenza e metà salvatori del pianeta. È il nostro modo di dirci amati.

Ti amo irragionevolmente. E con ogni ragione.

Usa il deodorante.
Di' tutte le parolacce che hai voglia di dire.
Lavati i denti.
Fa' qualcosa che ti spaventi.
Scherza.
Non scegliere il facile solo perché ti sembra facile.
Non mangiare con la bocca aperta.
Non fare il difficile solo perché ti sembra difficile.
Ama senza sapere chi.
Mangia cioccolatini.
Ama solo quando ti senti qualcuno.
Bacia con la lingua.
Sogna qualcosa di impossibile.
Sii orgoglioso di ciascuna ruga.
Sperimenta nuove posizioni sessuali.
Ridi di te stesso.
Sogna qualcosa di possibile.
Ridi degli altri.
Immagina il tuo peggior nemico seduto sul water.
Ridi di tutto.
Non pensare mai che scherzi troppo.
Piangi.
Salta la corda.
Porta chi ami in un motel.
Tuffati in mare ogni volta che puoi.
Ama il sole.
Abbraccia.
Ama la pioggia.
Perdona chi ami.
Ama il vento.

Perdona chi non ami.
Lavati tutti i giorni.
Non rinunciare mai a un orgasmo.
Condividi.
Aiuta.
Guarda.
Sforzati di toccare con la pelle.
Sorridi a chi ti vuole bene.
Abbraccia forte.
Sorridi a chi ti vuole male.
Non aver paura di arrenderti.
Sii unico.
Non aver paura di non arrenderti.
Rispetta la maggioranza.
Sii contento di tutto ciò che temi.
Infischiatene della maggioranza.
Dà tutto ciò che hai a tutti coloro che ami.
Procedi all'incontrario solo perché ti va.
Usa creme idratanti.
Fa' quello che hai voglia di fare.
Sposati per amore.
Ridi per sempre.
Vivi per amore.
Rischia.
Sfida il rischio.
Sii pornografico.
Drogati di adrenalina.
Prosegui.
Avanza.
Lavati regolarmente il sesso.
Fa' tutte le scelte in nome del piacere.
Ama regolarmente con il sesso.
Insisti nel vivere.
Vieni regolarmente.
Continua questa lista.
Tutti i giorni.
A tutte le ore.
Ora.

C'ERA LA PELLE a convincermi che esistevi, e quando
ti toccavo trovavo anche la prova dell'esistenza di Dio.
La nostalgia esiste per dimostrarmi la piccolezza della morte perché
dopo averti perso, soltanto la certezza dell'estinzione mi dà sollievo, e nulla
fa più male del guardare la vita e non trovartici dentro.

Vorrei definire l'immortalità come se non fosse
la presenza di te nella mortalità di me, passo i giorni a
cercare piani alternativi, manovre che mi divertano il
dolore, e di notte quando mi corico giuro che provo a evitare il
tuo odore di tutto tra le lenzuola vuote.

Non può accadere nessuna vita se hai smesso di accadermi, accade
soltanto il respiro, l'obbligo, i passi che neppure devo
aver voglia di fare per riuscire a farli, perché perfino il male
ha smesso di aver ragione di esistere se non posso
digerirlo insieme a te, e non so a chi raccontare che ti amo alla
follia se non sei qui per poterti amare alla follia.

La follia più grande è che tu sei la mia sanità, aver bisogno
di te per non cadere nell'inetto me, nella
incapacità di sostenere quel che con te era mera vita.

Il segreto dell'amore è trasformare la mera vita, renderla
una vita più grande, e anche un giorno comune è indimenticabile
quando lo si passa con te.

O torni da me o mi ammazzo per sempre, non
con le armi, non con veleni o suicidi sterili, soltanto
così, tutti i giorni, vivendo la nostra morte,
lentamente, come se tutto il senso della vita
passasse da me a te.

Se torni,
portami con te.

QUANTE VITE ha la tua vita?

«Quando morirò, calpestatemi fino alla morte», dicevi, quel sorriso nascosto dietro le labbra, malandrino, ogni volta che qualcuno ti parlava dell'eventualità di scomparire, un giorno, come tutti. «Esser vivi consiste nel non morire», aggiungevi, «e io fino a prova contraria me la sono cavata bene a essere immortale», e tutto il tuo sguardo mi dava quel distacco che non ho mai saputo avere e tu non hai mai saputo smettere di avere. Perché la morte uccide solo chi non la teme?

Passo la vita a cercare di dimenticarti e perciò non smetto di ricordarmi di te a ogni istante.

Il tuo posto sul divano intatto, il tuo odore sparso per la casa, dopo tanto tempo (sei andato via già da un anno senza dirmi niente?). E la tua voce.

È con te che commento le notizie (c'è un governo addirittura peggiore del precedente, lo sapevi? E la gente è stufa ma non lo dimostra, si lascia vivere e fa chiacchiere ma non agisce), è con te che vedo le serie che tante volte, fino al mattino, condividevamo. Io al mio posto e tu al tuo, come deve essere. E ti giuro che quando chiudo gli occhi sento le tue mani tra i miei capelli (la tua pelle, nessuna morte mette fine a una pelle così), e tutte le lacrime hanno senso dopo aver amato così tanto.

Dedico la mia vita alla tua morte come prima la dedicavo alla tua vita.

E non sono infelice, amore mio. Ti deludo ma continuo a essere la donna di sempre, la tua donna di sempre, con le stesse imperfezioni di sempre e la voglia di sempre di vederti felice. So che ti manca il corpo, so che ci manca il contatto fisico, ma continuo ogni giorno ad alzarmi e coricarmi per vederti. Prima che te ne andassi aprivo gli occhi e ti vedevo; ora chiudo gli occhi e ti vedo. E forse morire è questo, forse morire non è altro che una voglia incontrollabile di passare più tempo a occhi chiusi che a occhi aperti.

Mi addormento per incontrarti e sono felice.

I medici sono preoccupati, parlano di lutto, la mia famiglia (i tuoi figli sono bellissimi; Carlos si è iscritto alla facoltà di Ingegneria, come suo padre; Joana è la prima della classe e ha già un fidanzatino, sembra un bravo ragazzo; e tutti ti amano da morire; e tutti ti amano anche nella morte) mi chiede di staccarmi da te, di abbandonare questa casa in cui siamo felici e cercare altre case, altri corpi, altre vite. Disgraziati, non sanno quel che dicono. Non sanno che quando si ama come ci amiamo noi la morte vale molto poco, è un viaggio più lungo, nient'altro. Mi aspetti nella casa finale così come io ti dedico la nostra casa in attesa del finale.

C'è una felicità assurda ogni volta che mi ricordo di te.

«Quando morirò, non vi scordate di andare in cerca di quello che per colpa mia non avete trovato», dicesti, il letto bianco della tua morte, i medici con le lacrime agli occhi (ci volevi tu per far piangere i medici, tu e il tuo senso dell'umorismo fino all'ultimo respiro; e quel sorriso dietro le labbra, così malandrino, così bello che fa male), «e per piacere lasciate perdere i pianti, durante il funerale; fate un falò intorno alla bara e ballate fino all'alba», chiedesti. Tutta la stanza (era la 23 di quel piano in cui mi è mancata la terra sotto i piedi) con le viscere ferite, e non so se hai detto qualcos'altro prima che gli occhi ti si chiudessero verso la lontananza. Il miglior omaggio che ti abbiamo reso è stato far venire il miglior DJ del paese al rave del tuo funerale.

C'erano balli, allegria e dolore, tanto dolore sotto la musica, e nessun suono riusciva a silenziare il tuo addio.

Quanta musica devo sentire per non sentirti in me?

Ora siamo di nuovo noi due soli. Ti vivo in cerca dell'oblio e così tutto il tempo è scarso e nello stesso tempo inutile.

Quando vorrai essere raggiunto so che mi chiamerai. Nel frattempo chiuderò gli occhi ogni volta che ti vorrò. Così come ora, proprio ora, ti voglio.

A presto.

UN GIORNO, magari, vorrei essere libero, ma oggi preferisco essere tuo. Svegliarmi attaccato alla tua pelle come se non ci fosse alternativa, baciarti ogni labbro come un castigo desiderato. E mantenermi imprigionato in questo angolo di libertà che chiamiamo lenzuola.

Un giorno, magari, vorrei essere perfetto, ma oggi preferisco essere fallibile. Sbagliare quando mi chiedi di toccarti senza precisare come, o quando pretendi che ti abbracci senza stringerti fino alle lacrime. E sussistere, insufficiente, nel potentissimo momento di amarti.

Un giorno, magari, vorrei essere normale, ma oggi preferisco essere strano. Provare la paura come si prova un paio di scarpe, camminare per strade che nessuno vuole asfaltare, e sapere che se mi guardano meravigliati è semplicemente perché sono una meraviglia. E insistere così, testardo e felice, sulla possibilità di inventare impossibili non ancora testati.

Un giorno, magari, vorrei essere giudice, ma oggi preferisco essere giudicato. Fare cose che qualcuno può criticare, cose che qualcuno può non apprezzare, o semplicemente cose che non servono a niente e che faccio solo perché sì. Ed essere incoerentemente felice, così leggero che mi basta creare per sentirmi all'altezza di essere vivo.

Un giorno, magari, vorrei essere immortale, ma oggi preferisco essere finito. Credere nella rarità della vita, nel mondo limitato della pelle, anche nel conteggio in sospiri del tempo in cui davvero ho saputo esser vivo. E sostare pienamente alle porte della morte, sventurato ed euforico, tutti i giorni, sempre sul punto di morire e sempre incredibilmente vivo.

Un giorno, magari, vorrei essere indipendente, ma oggi preferisco essere appartenente. Appartenere al tuo collo per esistere, all'istante in cui mi guardi perché esista un io come materia guardabile, o accettare definitivamente che dentro il tuo corpo scopro l'esistenza del mio. E sapere che mentre per gli altri c'è un Dio, per me ci sei tu a tenere viva la mia fede in Dio.

Un giorno, magari, vorrei concludere questo testo, ma oggi preferisco lasciarlo così, incompleto e franco, in attesa che tu o qualcuno (o semplicemente la vita) arrivi a scoprirne l'ultimo paragrafo, quello che impone tutti gli «ah!». E andarmene così, senza dar retta alle parole, verso il tuo corpo di nuovo aperto.

Un giorno, magari. Ma oggi no.

LE PERSONE che amo.

Le persone che amo hanno difetti, possono anche puzzargli i piedi, ma credono nella vita eterna e sanno che il paradiso è il momento in cui impariamo ad amare. Non scappano e cercano sempre di dimostrare che la cosa più facile è dire «non so» e «non posso», non temono le critiche ogni volta che si espongono facendo quel che hanno voglia di fare. E continuano, orgogliose, a sbagliare follemente e sempre follemente desiderano correggersi.

Le persone che amo.

Le persone che amo hanno rughe sul volto anche se sono bambini, una pelle che gli insegna tutti i giorni ad andare avanti per non restare indietro, e una voglia incrollabile di cambiare il mondo in ogni gesto che fanno. Non sfuggono alle loro responsabilità come individui, e ancor meno negano l'invecchiamento come una costante dell'essere vivi, soffrono disperatamente perché in fondo è la prova del fatto che hanno un'anima. E insistono, spudorate, su una strada di perdizione stabile che le porta verso la loro felicità squilibrata.

Le persone che amo.

Le persone che amo sono complicate da capire, parlano a volte di cose strane, hanno desideri irrealizzabili e quel che è peggio è che cercano di esaudirli. Non perdono tempo a parlar male di chi agisce, non sprecano energia cercando le mancanze di chi ci ha provato. E continuano, leggere, a sviluppare le proprie teorie sull'esistenza, i loro manuali di tutte le specialità che la specialità dell'esser vivi racchiude.

Le persone che amo.

Le persone che amo passano la vita a ridere, mandano al diavolo chi pretende da loro una cravatta annodata all'anima, sono fan della pornografia reiterata del denudare i sogni, e se qualcuno gli chiede una mano non hanno problemi a dare il braccio intero se serve. Non rifiutano i piaceri, non dicono di no all'orgasmo, non credono nella fede che castra e in tutti gli dèi che vendono la privazione. E si lanciano, quasi sempre a capofitto, nella voglia di tutto per la prima volta, per la prima volta la vita, il giorno, la notte, tutti i tramonti che non tramontano mai.

Le persone che amo.

Le persone che amo non sono le migliori al mondo. Ma sono persone.

Mi basta questo per poterle amare.

IL POETA si sedette, respirò a fondo e scrisse:

La frase infinita per l'amore infinito

Un giorno passammo la giornata a definire quel che avevamo
intorno, cominciammo dalle cose più vicine
e capimmo che la felicità, a ben
vedere, consiste nel guardare quel che non fa soffrire, e
fu così che passammo il pomeriggio quel giorno
in cui passammo la giornata a definire e a guardarci, senza
una parola, perché tutti sanno e anche noi
sapevamo che tutte le fini iniziano con
parole, dette o da dire, e tutto quello che volevamo
era che nulla di tutto ciò, io che ti guardavo e tu che mi guardavi
per poter entrambi guardare la felicità
dopo che l'avevamo definita, finisse, e la verità è
che non finì: io continuai a essere felice guardandoti,
tu continuasti a essere felice guardandomi, e scommetto
che mi dicesti che io ero bella e sono certa
che io ti dissi che tu eri bello, senza una parola
ti dissi anche che bisognava allungare il tempo per
far sì che tutta la vita che ci restava fosse un buon inizio
per tutti i minuti in cui volevo amarti, poi
decidemmo di andare in cerca di nuove definizioni e tornarono
le parole, tu dicesti che era bene definire la paura, e

all'improvviso ce ne stavamo abbracciati a
dirci l'un l'altro la paura che quanto
eravamo finisse, e bisognava stringere forte
perché non ci scappasse, e così, senza
accorgercene, stavamo già definendo
l'abbraccio, quella cosa che, in fondo, non è altro che il
mezzo che gli umani, impotenti, hanno trovato per avere
l'illusione di non lasciarsi sfuggire chi
più amano; e mentre ci abbracciavamo stavamo già
pensando che c'era ancora molto da definire, il mare o il
vento, per esempio, tu cominciasti con il dire che il mare
è ciò che quando mi guardi sembra piccolissimo e io
dissi che il vento ha l'unica utilità di trascinare
la tua voce fino a me, poi dissi anche che non credevo
nell'azzurro del mare dopo aver visto i tuoi occhi e tu
dicesti
che a volte hai paura del vento perché ci sono parole che
può portarti via e che tu vuoi tanto ascoltare; fu allora che
dissi
«ti amo» e neppure il vento lo impedì, tu dicesti «amami
e
dimmelo sempre al di sopra di tutti i venti», e all'improvviso
già l'abbraccio si era fatto più stretto, già la felicità
era di nuovo più definita, e l'unica definizione che
ci restava era la più grande di tutte; cominciai io, nel
panico, e
affermai con convinzione che l'amore è quella cosa che
sospende la
vita, tu concordasti e aggiungesti che l'amore
perfetto è quello che sospende la vita per la vita
intera, io volli ancora specificare che in alcuni contesti
si dice che amore e vita possono essere sinonimi
perfetti ma che io ero totalmente in disaccordo, perché
è più che provato che la vita non è né sarà mai
all'altezza di essere grande quanto l'amore; fu
a quel punto che tu ti ritraesti dall'abbraccio e preferisti

il corpo intero, e l'unica definizione che tornammo a sfiorare
quel giorno e quella notte fu quella del gemito, che lasciammo,
educati come siamo, a tutti i vicini che
ebbero la pazienza di udire il nostro piacere

E così, senza neanche un punto messo come si deve, termina la poesia infinita

Così scrisse il poeta, prima di coricarsi, solitario, e passare la notte a piangere mentre ascoltava il piacere dei vicini al piano di sopra.

CREDEVA che fosse necessario avere due donne: una da amare e l'altra da avere accanto.

«Non è possibile unire i due lati di quello che voglio: se da un lato voglio pace, dall'altro voglio guerra. La donna che amo mi inquieta; la donna che ho accanto mi calma», diceva, ogni volta che gli chiedevano perché amasse in quel modo così strano. «Sono un uomo che può solo avere due donne», concludeva, e sorrideva, mentre baciava teneramente la donna che aveva accanto e, subito dopo, baciava appassionatamente la donna che amava.

Un giorno una delle due, la donna che amava, morì inaspettatamente. Costernato, abbandonò dopo pochi minuti i suoi familiari e il loro pianto insopportabile e cercò, in preda alla disperazione, la consolazione della donna che aveva accanto. Arrivò a casa, disse il suo «sono tornato, cara» di sempre, ma non sentì il «sono qui, amore» di sempre. Mise a soqquadro la casa. Poi mise a soqquadro innumerevoli volte la città, gli ospedali, le case degli amici. Telefonò dappertutto. Finché, finalmente, si rivolse alla polizia. Disse il nome di lei e alla fine qualcuno gli disse che sapeva esattamente dove trovarla, senza aggiungere alcun dettaglio. Quasi senza respirare, annotò il luogo e si mise in cammino, ansioso di avere un abbraccio che gli pacificasse almeno un lato. Finché non arrivò, al limite dell'angustia totale.

«Meno male che sei tornato», gli urlò, addolorata, la madre della donna che amava, vestita di nero e di lacrime, quando lo vide comparire da lontano. «Non sapevamo dove fossi finito, sei andato via senza dir niente a nessuno», aggiunse.

E poggiò la testa sulla sua spalla sconfitta.

SEMBRAVA un uomo normale ma era un uomo senza amore. Nonostante le apparenze, un uomo senza amore non è affatto un uomo.

«Vuole ballare?»

La donna, che non aveva mai visto prima, lo guardava negli occhi, fissando ogni movimento della sua bocca come se si aspettasse di sentire il segreto della vita eterna.

«Scusi, ma non sono bravo a ballare.»

La solita risposta di lui, ogni volta che c'era la possibilità che qualcosa potesse ferirlo. «Se non puoi batterla, cerca di sedurla», era la sua massima riguardo alla paura. Ma quella donna non aveva paura. Oppure, se ce l'aveva, se ne infischiava.

«Io, se non sono brava a fare una cosa, la faccio, all'infinito. Solo così c'è mordente: quando non sappiamo bene come fare, o non lo sappiamo affatto. E proviamo, sperimentiamo, osiamo, correndo rischi e inventando strade. Fare qualcosa che non sappiamo minimamente come fare è, probabilmente, la cosa più eccitante del mondo. Dopo l'amore, certo.»

Tutto questo senza un sorriso, senza scherzi: quella donna non scherzava con le cose serie. Ed era serissima.

«Vuole ballare?»

In silenzio, sentendosi osservato come dentro un'ecografia di emozioni, l'uomo cercò di scappare. Quell'uomo cercava sempre di scappare (l'Uomo cerca sempre di scappare).

«Non sono bravo, come le ho detto. E poi non mi piace. Per niente. Non mi piace per niente ballare.»

Piano B in azione. La cosa più curiosa della paura è che ci

costringe, per evitare di fare cose che temiamo, a fare cose che temiamo ancora di più. Scappare è un atto di coraggio ammantato. Ma se c'è da aver paura, che sia almeno una paura sensuale, una paura sexy. Una paura con l'orgasmo dentro.

«Il fatto che una cosa non ci piaccia è la seconda buona ragione per farla. Quando una cosa non ci piace, il problema non è la cosa in sé, il problema siamo noi, che non riusciamo a prendere da quella cosa ciò che di buono ha da offrirci. Dobbiamo analizzarla, guardarla da tutte le angolazioni possibili. E allora troviamo sempre ragioni per farla e farcela piacere. A volte dobbiamo prima farla e solo dopo capire perché l'abbiamo fatta.»

La donna insisteva. Era una di quelle rare persone che si arrendono solo dopo aver vinto. Ed è l'unico modo possibile di arrendersi.

«Vuole ballare?»

Alla fine ballò. Intorno, nessuno si accorse né di lui né di lei. Era una coppia come tante, l'ennesimo amore che vinceva la battaglia. Forse, più che il sogno, è il coraggio a far saltare e progredire il mondo (il sogno immagina; il coraggio è).

«Signorina, vuole ballare?»

chiese stranamente lui, il giorno più speciale della sua vita, una delle miriadi di volte che andarono entrambi a ballare. E lei capì che, quella volta, la stava invitando a ballare. Si fermò. E disse di sì.

Finché morte non li separasse.

«VORREI DIMENTICARE il nome delle lenzuola quando ti ho, lo spazio del letto da occupare quando mi manchi, ma il tempo passa e potrebbe essere troppo tardi.»

Furono le prime parole che lei scrisse per farlo tornare. Ma durarono poco. Le guardò, le sentì troppo poetiche per dire la dura verità di quel che sentiva. Le cancellò. E ricominciò.

«Ho mal di stomaco perché non ti ho. C'è un buco che non guarisce al centro di quel che provo. Torna tra le mie braccia, altrimenti cosa me ne faccio di questo corpo?»

Fu il suo secondo tentativo. Le sembrò che andasse molto meglio, le parole giuste al posto esatto. Ma poi rilesse. Capì che forse era troppo viscerale, troppo fisico. Voleva qualcosa di più equilibrato – però comunque capace di dimostrargli lo squilibrio provocato dalla sua assenza. Ci voleva qualcosa che legasse l'assenza fisica all'assenza totale. Senza belle parole, senza metafore eccessive, senza cedere alla tentazione di quei cliché che si trovano in tutti i libri tascabili. Doveva essere unica. E riprovò.

«Sei il modo migliore di vivere. Potrei dirti che ti voglio per tutto quello che sei. Ma ti mentirei. Ti voglio per tutto quello che sono con te. Ti voglio per quello che sono. Perché mi sento, in te, la persona che voglio essere. Sei il mio modo migliore di vivere. Ti voglio per egoismo. Ecco. Ti voglio per egoismo. Spero che tu mi voglia per lo stesso motivo.»

Ora era perfetto. Rilesse. Le piacque. Era esattamente quello che voleva dire: l'onestà doveva essere, a quel punto, l'unica via. Non ci volevano idee complesse, poesie belle ma vuote. Soltanto la sincerità, la più pura sincerità, sarebbe riuscita a farlo tornare. Prima di stampare il testo, su un foglio bianco e asciutto, rilesse ancora una volta. Le piacque ancora di più. Finalmente il testo perfetto per un momento così imperfetto. Aveva già il dito sul tasto «print», pronta a premere, quando capì che in fondo non aveva trovato quello che cercava. Lui era appena arrivato, l'aveva guardata e le aveva aperto le braccia. Lei lo guardava e non c'era bisogno di dire nulla.

Il testo se ne rimase lì, immobile, e il cursore eccitato a vederli amarsi.

LA DIRIMPETTAIA insiste nel passare l'aspirapolvere mentre ti amo, sento ogni particella che viene risucchiata mentre la voglia di te mi aspira, e l'unico pulviscolo che attraversa la luce sono i tuoi occhi e il tuo bacio.

C'è tanta paura nella stanza quando vai via, mi stendo, tutto avvolto, in attesa che tu venga, la finestra mi porta la vita che continua, come se fosse possibile continuare senza di te, gli altri mi guardano, disteso e avvolto, e provano pena per il vecchio che aspetta soltanto qualcuno che lo porti nel mai più.

La vicina passa l'aspirapolvere, non so più da quanto tempo la vedo così, tutti i giorni, sempre alla stessa ora, né di mattina né di pomeriggio, o forse né di mattina né di pomeriggio solo dentro di me, c'è sempre lei che passa l'aspirapolvere mentre io ti amo.

Come ora, che cerco nelle fessure del soffitto – prima o poi le farò riparare, giuro – qualcosa che non so bene cosa sia, forse un buco più profondo, o una macchia di un colore diverso, intorno c'è un buio che non sopporto, il tuo odore si vede ogni volta che provo ad aprire gli occhi.

Ho bisogno del tuo odore più che della vita, e non ti ho mai detto, vigliacco che non sono altro, che c'è un coraggio in me che dipende da te, perché qualcosa mi dice che sei la giustificazione per tutto, e che perfino uccidere per te non sarebbe peccato. E quel maledetto aspirapolvere – quando torni? – non smette e non mi lascia smettere, probabilmente non esiste nessun aspirapolvere e nessuna vicina, sarò io in cerca di te. Ma tu lo sai, te l'ho detto che ogni volta che la vicina passa l'aspirapolvere io sono lì ad amarti?

Ieri ti ho visto lavare i piatti e ho pensato a Dio, o a una cosa qualunque altrettanto grande, ho pensato che c'è una dichiarazione d'amore ogni volta che ti guardo e che scopriamo che la vita non passa quando ci convinciamo che finirà. Poi ho smesso di pensare e sono venuto da te, ti ho passato la mano lungo la schiena, il tuo sorriso mentre ti scoprivo, e mi hai aiutato ad amarti mentre ti aiutavo a mettere i piatti nella lavastoviglie. Che razza di dio è quello che permette a una cosa come questa di finire, che permette a una cosa tanto piccola come due corpi di sostenere cose tanto grandi come le nostre volontà di per sempre?

La dirimpettaia passa l'aspirapolvere e noi ci amiamo, e se qualcosa attraversa la carne sono i tuoi occhi e i tuoi baci, e ogni volta che la dirimpettaia passa l'aspirapolvere, non so se te l'ho detto, io ti sto amando.

IL GIORNO si addormenta sotto gli occhi, e le tue mani sono la pelle che Dio ha scelto per toccare il mondo; non c'è posto più divino del tuo bacio, e quando voglio volare mi stendo ai tuoi piedi.

Ti chiedo di non andar via, di restare solo perché io resti, di rimanere nel tuo lato del letto, e io nel mio, a sentire che il tempo scorre, e puoi anche addormentarti, puoi leggere una rivista che parla delle donne sul tappeto rosso e degli uomini con gli addominali invincibili, oppure semplicemente guardare il soffitto e pensare a te stessa; io resto qui, a guardarti per sapere che esisto, a pensare a quanto ti voglio e alla grandezza del tuo corpo dentro il mio. Sapere che nella curva della tua schiena c'è la curva della vita, percorrere con gli occhi il tuo sudore che cade, e capire l'eternità possibile.

L'immortalità è un orgasmo con te.

Gemi fino alla fine del mondo dentro le mie orecchie, tutto il mio corpo viene quando tu stai per venire e la verità dell'universo è la fisica esigua dello spazio tra di noi. Stringimi per sempre fino al principio delle ossa, finché la carne non sarà impossibile e dovrà esserci qualcos'altro a spiegare la nostra esistenza.

So soltanto che sono molto di più di un corpo quando vieni a stringermi.

Quando ti abbraccio anche la poesia si curva, troppo piccola nella sua metrica per l'intangibile che ci unisce, la gente non crede possa accadere una cosa del genere ed è quello che ci salva dalla scomunica. Poi vai via, chiedi di uscire, ché esiste anche la vita e le bollette da pagare, e io capisco in fondo che il vero problema è che nessuno capisce l'essenza della vita.

Arriva la donna delle pulizie e mi trova con la penna in mano, a scriverti queste parole o altre a caso, disteso nel mio lato del letto in attesa che tu venga di nuovo, e in silenzio va pulendo quel che c'è da pulire, sa già che non deve pulire le orme dei tuoi piedi sul pavimento della cucina (sono così belli i tuoi piedi sparsi per la casa), ancor meno le sigarette spente che lasci nel portacenere, e io continuo a scrivere non so che, cose che scrivo solo per liberarmi di te per pochi istanti, non so dove vanno le frasi e sospetto che anche loro sappiano poco di me, e molti minuti e ore dopo, già con tante frasi tra di noi, la porta si apre, la donna delle pulizie non c'è già più, in cucina ci sono già prove del fatto che mentre ti scrivevo ho nutrito il corpo per tenermi vivo, perché soltanto vivo posso amarti, e il tuo sorriso. Tutte le frasi, tutto il lavoro di un giorno, e il tuo sorriso. A che serve scrivere se c'è il tuo sorriso a fine giornata? Viene voglia di strappare tutto, ogni foglio e ogni mia ora senza di te, e cercare il verso perfetto dentro il vederti quando a fine giornata la porta e tu e il tuo sorriso. C'è ancora chi mi legge solo perché c'è ancora chi non ti conosce. Sono così piccolo per la tua grandezza, amore mio.

Quando ti riabbraccerò avrò un testo da darti, prometto, ogni giorno. Finché non arrivi tu e allora niente è alla tua altezza, e il grande artista, stammi bene a sentire, il grande artista è solo chi è sempre al di qua di ciò che ama.

ERA CAPACE di resistere a tutto, tranne all'irresistibile. Era, in fondo, come tutti gli uomini e tutte le donne: sopportava anche l'insopportabile.

Fu allora che arrivò lei. Le parole sussurrate, i passi piccoli, la pelle come fosse intoccabile. Chiese un caffè e lui capì di essere perduto. Poi disse «grazie» e non capì che lui, dentro il «sissignora», si era già arreso ai suoi occhi, alla sua timidezza, alla fatalità di amarla come se non ci fosse altra scelta.

Era capace di evitare l'amore, purché non amasse. Era, in fondo, come tutti gli uomini e tutte le donne: amava anche il detestabile.

Quel giorno, camminò con lei tutto il giorno. Lei non lo seppe, ma camminò con lui a ogni tavolo che serviva, a ogni «sissignorà» che diceva. Quando uscì dal lavoro, mentre si toglieva la maglietta del bar in cui ormai lavorava da oltre vent'anni, rivide mentalmente la faccia di lei, le sue smorfie, la voce incollata all'orecchio di lui anche se era a più di un metro di distanza. Cercò di capire di cosa sapesse la sua bocca, la sua pelle come seta, il momento in cui le labbra si sarebbero unite. Si addormentò così, baciandola, e così si svegliò, aggrappato a lei per proteggerla dal mondo.

Era capace di essere coraggioso, purché non avesse paura. Era, in fondo, come tutti gli uomini e tutte le donne: temeva anche quel che poteva farlo felice.

Accadde il terzo giorno ma sarebbe potuto accadere un giorno qualunque. Lei arrivò, lui si riempì il petto di coraggio e disse il massimo che riuscì a dire sulla bellezza di lei. Attese, con il cuore in tumulto, soltanto qualche secondo.

Lei disse «tante grazie» e chiese il solito caffè nel solito modo. Poi continuò a leggere il giornale e a prendere appunti su un quadernino che portava sempre con sé. Lui andò a prendere il caffè, ma era già morto da qualche secondo. Rimase lì, a guardarla, per provare a sé stesso che era capace di resistere alla morte. Poi lei disse «buona giornata, arrivederla» e si incamminò verso l'uscita come faceva sempre, lui rispose quello che rispondeva sempre, ma lei aggiunse uno strano «buona lettura» mentre era già all'esterno.

Era capace di vivere per sempre, purché fosse mortale. Era, in fondo, come tutti gli uomini e tutte le donne: viveva di quel che poteva ucciderlo.

«Se domani sarai qui, ti garantisco che dovrai amarmi per sempre», c'era scritto sul foglio che lei aveva lasciato sul tavolo. Quella notte lui dormì nel bar, sotto il bancone, guai se la sveglia gli avesse giocato qualche brutto scherzo. E lei arrivò.

C'È QUALCOSA di Dio nel modo in cui mi ami, mamma.

Le altre persone non sono grandi quanto te, le altre persone non sopportano la vita quanto te. Le altre persone piangono, soffrono, viaggiano nella vita in cerca del modo migliore di vivere. Ma tu mi ami, mamma. Tu mi ami così, senza condizioni, e sembra che mentre mi ami neppure esisti. Te ne stai lì, semplicemente, a vedermi esistere, e così scopri e mi insegni che la vita si riduce al veder vivere chi ami.

C'è qualcosa di impossibile nel modo in cui mi ami, mamma.

Il possibile dovrebbe pretendere che ti fermassi quando stai male, che ti fermassi quando il mondo, quel gran figlio di puttana del mondo, ti costringe a inventare nuovi modi di darmi tutto ciò che mi serve. Il possibile ti direbbe di no, che una persona sola, così piccola e grande come te, non può sostenere tutto il peso di due vite. E tu sei ancora lì, forte come soltanto tu sai essere, impossibile come soltanto tu, a sorridere quando mi vedi con il quaderno in mano e dici che sono il primo della classe. Certo, essere bravo a scuola è importante, ma il mio più grande orgoglio è essere figlio della madre più impossibile del mondo.

C'è qualcosa di geniale nel modo in cui mi ami, mamma.

Le altre persone non inventano il tempo come fai tu, non riescono a capire qual è l'equazione che consente di star sempre dove bisogna stare, le altre persone arrivano in ritardo, mancano alle responsabilità, a volte si dimenticano delle cose da fare, le altre persone non riescono a vivere facendosi bastare la metà delle cose di cui avrebbero bisogno. E tu riesci a fare il miracolo della moltiplicazione dei pani e dei corpi, sei al posto giusto in cui ho bisogno di te nel momento esatto in cui ho bisogno di te con le precise parole di cui ho bisogno, a parlarmi di quanto sia importante credere di non sapere nulla, e io ti ascolto e capisco che il segreto della tua esistenza è sapere che soltanto l'amore batte la matematica, e che nessun numero è all'altezza di te quando mi abbracci.

C'è qualcosa di me tutto intero nel modo in cui mi ami, mamma.

E se dovessero chiedermi quanti anni hai, dirò che hai l'età del per sempre.

E IL TUO ODORE sparso per il letto.

I collant che usavi per uscire la sera, piegati alla perfezione come nascondessero una teoria matematica complessa, i tacchi a spillo in fila per colore, i vestiti ordinati per taglia, il pavimento e le strisce dei tuoi passi pesanti quando avevi fretta e la vita ti stava aspettando.

E la cucina disordinata, i piatti accatastati, l'odore insopportabile della tua assenza per tutta la casa.

Sono l'uomo più fragile del mondo quando non ti ho, vago tra i mobili in cerca di un motivo per camminare, mi siedo sul divano senza sapere dove andare, e la verità della vita è che le tue braccia non ci sono e io non ho dove stendermi.

Come posso credere in Dio se neppure il tuo corpo era eterno?

Resta lo spazio soltanto nostro della memoria: quando eri arrabbiata eppure comunque bellissima, quando piangevi e anche in quel caso eri bellissima, quando sei morta e hai continuato a essere bellissima.

«Amare significa che la persona che ami sarà sempre bellissima», mi hai detto, forse un'ora o due prima di lasciarti andare. Io sono tornato a casa con la tua morte e ho dedicato i giorni successivi ad amarti. Ho visitato il tuo cellulare, le tue mail, i fogli sparsi che scrivevi qua e là, i messaggi che ci mandavamo per tenerci uniti. Non ho trovato una sola pecca nel tuo carattere, una sola incoerenza. Eri la donna più sana del mondo e forse proprio per questo sei morta. Perché la vita potesse continuare a essere squilibrata, perché il mondo fosse fatto di gente che sbaglia come tu non hai mai sbagliato.

Sei troppo perfetta per meritare un corpo fallibile. Nessun corpo era alla tua altezza, e bisognava distruggerti prima che la tua perfezione distruggesse l'equilibrio del mondo.

La tua fotografia grande sul mobile del salotto, il modo in cui sorridevi quando non sapevi cosa fare. Sei così bella, amore mio.

E ora ho tempo di troppo per vivere senza di te. I giorni non passano, le parole non vengono fuori. Povero chi pensa che uno scrittore viva di dolore. Se vivessi di dolore, avrei già scritto molto di più di queste scarne righe da quando sei andata via. Se vivessi di dolore, sarei vivo per sempre.

Il tuo spazzolino accanto al mio. Perché è così devastante avere tanto bisogno di te?

La cosa peggiore della vita è dover dormire. Gli occhi si chiudono e tu sei qui, si riaprono e sei ancora qui. Ci sono farmaci che mi costringono a smettere. Ma poi c'è il sogno, e tutto ciò che in sogno mi fai e sei. Che crudeltà è questo dovermi svegliare in un posto in cui non ci sei tu? La cosa peggiore della vita è doversi svegliare.

Faccio pena a tutti, mi guardano come se guardassero un morto e in quei momenti ti invidio: tu sei morta e nessuno ti vede. E io continuo a dover camminare, a dover mangiare, a dover dire «buongiorno» a chi non mi dà niente – perché non mi dà te. La prossima volta, promettimi che se vai via mi porti con te. Non c'è bisogno che sia romantico, né drammatico. Basta tu faccia quel che hai sempre fatto: vai e mi porti con te, semplicemente.

E il tuo odore sparso per il letto. Forse è l'unica cosa che ancora mi tiene in vita. O in questo stato in cui mi trovo, che sia vita o meno.

Ti scrivo tutti i giorni per cercare di ricordarmi di te. Per ricostruirti con le parole, per darti vita con la poesia. Scrivo tutti i giorni per cercare di ricordarmi di te. E tutti i giorni si concludono con un urlo finale, che ormai tutti i vicini conoscono e ignorano. Anche oggi.

AVEVA DECISO che non avrebbe superato quella notte. La vita gli faceva troppo male per poter continuare e bisognava mettere fine a quel dolore al più presto.

Sul tavolo c'erano già le varie possibilità di lieto fine: le pillole che, aveva letto in Internet, in pochi minuti, se prese in quantità altamente esagerate, avrebbero svolto il loro compito senza grandi dolori; la pistola del suo defunto padre, Dio lo protegga, già carica e pronta ad agire, bastava puntarla nel posto giusto, che aveva studiato attentamente su un vecchio manuale di scuola; un piatto pieno del suo cibo preferito, ovvero un piatto pieno di veleno letale, un miscuglio di cui gli aveva parlato molti anni prima un amico medico, che comprendeva veleno per topi e perfino un po' di aceto balsamico; e infine un cuscino di dimensioni generose, che aveva comprato per leggere a letto ma che poteva servire perfettamente, ora, per congedarsi in silenzio dal mondo. Oltre a tutte queste possibilità, ne aveva ancora delle altre, che non erano sul tavolo ma in fondo erano sul tavolo comunque: la finestra aperta e un salto dal quattordicesimo piano avrebbero di certo provocato la morte, né più né meno; e la vasca da bagno era piena, perché l'annegamento non rimanesse fuori dalla lista delle possibilità.

Ora non restava che scegliere. E, ovviamente, scrivere la lettera di addio che, come aveva visto nei film, era sempre bene scrivere. Nella lettera non avrebbe dato la colpa a nessuno di preciso – soltanto alla vita, quella disgraziata che gli aveva tolto il lavoro, la donna amata e, con lei, i figli che ormai non vedeva da mesi. Avrebbe scritto che non provava nessun rancore, nei confronti di nessuno, ma semplicemente sentiva che era giunta l'ora di trovare un'altra via e di provare esperienze nuove. La morte gli sembrava, perciò, l'esperienza giusta per questa fase della sua vita.

Mentre scriveva, si chiedeva chi sarebbe stato il primo a leggere quelle parole. Forse il responsabile dell'ambulanza, il signor Gouveia, una cara persona, che era stato instancabile quando era morta sua madre. Pur sapendo che non c'era nulla da fare, l'aveva portata comunque a gran velocità all'ospedale del paese, poggiandola con cura sulla barella e trattandola come una vera principessa negli ultimi istanti di vita. Sì: probabilmente sarebbe stato il signor Gouveia. E probabilmente avrebbe guardato il corpo morto e avrebbe pensato che era uno spreco, che la vita è così grande e bella che nessuno dovrebbe poterla far finire senza giusta causa. E l'unica giusta causa per morire, avrebbe detto come dice sempre, è non riuscire a star vivi.

Poi, pensava mentre continuava a scrivere, il signor Gouveia avrebbe telefonato a Carla. Lei sarebbe arrivata con quella sua faccia sognante, quella pelle sempre da bambina, e avrebbe letto, con le lacrime che la rendevano ingiustamente ancor più bella, quello che lui aveva scritto. Avrebbe compreso perfettamente le sue parole, i suoi motivi, e poi avrebbe abbracciato il signor Gouveia, che le avrebbe ripetuto mille volte la stessa frase: «Non faccia così, non è colpa sua».

Poi sarebbe toccato ai figli. Antonio, il più grande, sarebbe rimasto deluso. Di sicuro avrebbe pensato che non era vero, quando mai, era impossibile che il suo superpapà, che non aveva paura di niente, avesse fatto una cosa del genere.

Joana, la piccolina, non avrebbe neppure capito cosa stava succedendo. Avrebbe chiesto perché il papà fosse così immobile, o semplicemente non avrebbe chiesto niente perché nessuno glielo avrebbe fatto vedere. La madre, comunque, le avrebbe parlato di lui nel modo migliore possibile, ché in questo Carla (che bella, cazzo; ma che bella) era esemplare: non avrebbe smentito la versione secondo cui il padre, quel vigliacco di padre che aveva rinunciato a vivere, era il più eroico degli eroi.

Finalmente la lettera era scritta. Bisognava ora decidere dove metterla, e questo avrebbe potuto deciderlo solo dopo aver preso un'altra decisione. Decidere in che modo e dove si morirà è un privilegio, certo, pensava; ma pensava anche che non gli era mai parso tanto complicato prima. Avrebbe dovuto valutare una sola possibilità e seguirla fino in fondo, concluse, mentre si ricordava delle tante volte che aveva accompagnato la sua Carla (che bella, cazzo; ma che bella) a fare shopping e, dopo tre o quattro ore, erano usciti a mani vuote perché lei, dato che le piaceva tutto, non era riuscita a comprare niente. Morire – si diceva ora man mano che accarezzava alternativamente la pistola, il cuscino e il piatto pieno – era un grattacapo.

Il piatto. Aveva deciso. Si sedette tranquillamente, si legò al collo un tovagliolo a fargli da bavetta, come aveva imparato da suo padre (un vero uomo non si sporca il vestito, figlio mio) e, stringendo forchetta e coltello, cominciò a morire. Avrò una morte ben condita. Ebbe ancora il tempo di fare dell'autoironia, prima di addentare il primo boccone e di essere interrotto dallo squillo del cellulare. Non si può più neanche morire in pace, scherzò, ma poi non resistette alla curiosità e si diresse verso l'apparecchio, poggiato sul banco della cucina. La curiosità è una delle poche cose più forti della morte, teorizzò sarcasticamente, come se volesse, negli ultimi minuti di vita, lasciare una qualche tesi filosofica in eredità a chi gli sopravviveva. Prese il telefonino e lesse, con un sorriso sulle labbra, in nome del mittente. Carla. E un messaggio semplice: «Sai una cosa? Sta facendo giorno!».

NESSUNO CREDE alle parole della pelle, esistono
le paure, i passi che sfuggono, la vergogna
impossibile, e l'unica frase esatta è quella del corpo.

Nelle notti delle nostre lenzuola, il silenzio
era sopravvalutato, io intendevo il verbo
attraverso i tuoi occhi, e tu capivi che tutto
quel che c'era da dire andava toccato.

Più facile che parlare è amare, osservare i
movimenti grammaticali del piacere, udire il
discorso assoluto e irresistibile dell'orgasmo.
Ci amavamo a parole senza bisogno
di parlare, perché quando muovevi un braccio
tutta la linguistica si muoveva con te,
tutta la sintassi si movimentava, il lessico
alterato all'interno della nostra euforia, e
per quanto grande fosse il silenzio mai
la nostra vita fu così poco silenziosa.

Quando ci fu bisogno di parlare
cominciò il silenzio indesiderato. Cominciai
col dirti della tua bellezza, della dimensione inarrestabile
dei nostri momenti, tu rispondesti che solo
la poesia poteva dire quel che facevamo, ma il
problema delle parole è la finitezza, c'è sempre
più gente che aggettivi, più persone
che avverbi, e dipendere da un suono

è accettare sin dall'inizio che un giorno il silenzio sia per sempre.

Chi ha avuto l'idea di inventare il verso
se già esisteva il piacere?

Ora siamo soli con le parole, tu
dove i miei occhi non vedono e io isolato
nella necessità di scrivere per poterti sentire
sotto le lettere. Tutto l'amore esiste
ma tace da quando abbiamo disimparato
l'istante del silenzio. Forse un giorno sarò capace
di rincontrarti nella penombra della notte
vuota, nell'armoniosa costruzione di un'assenza
rumorosa. Fino allora continuerò a guardarti nella foto
piccola che hai lasciato sul tavolo del salotto, in questo allegro
silenzio. È il mio unico modo di ascoltarti.

Chi ha avuto l'idea di inventare il testo
se già esisteva l'amore?

TI AMO TANTO, cazzo, ti amo così tanto che ho un infinito bisogno di te. Ma quanto è bello, cazzo, amarti così, come se mi mancasse l'aria quando mi manchi e ancora più aria mi mancasse quando ti ho.

Oggi voglio scordarmi le parole belle, le parole miti, ed essere selvaggio e duro e forte come è selvaggio e duro e forte quello che provo per te. Oggi non voglio la poesia – se non la poesia dell'amarti da matti, del desiderarti come si desidera la vita. Oggi ti amo a paroloni, a parolacce: cazzo, quanto ti amo, amore mio.

E il tuo corpo. Quel bastardo del tuo corpo, la perdizione del tuo corpo. Lo cerco con una dipendenza insaziabile, come se non ci fosse più mondo oltre la tua pelle. E la verità, porca puttana, la verità è che non ce n'è. C'è la curva della tua schiena, lo spazio vuoto tra le tue braccia quando non sono in te, la bocca golosa del tuo sorriso. E le tue gambe che si aprono a me come se tutte le necessità si concentrassero nella necessità di te, come se il piacere fosse padrone del mondo. E lo è.

Voglio che tutto il resto vada a farsi fottere se sei tra le mie braccia. Ecco la più crudele delle sentenze, e che mi perdonino tutti gli altri, che mi perdonino anche Dio e il suo peccato, che mi perdonino i politicamente corretti e i poveracci che restano a metà strada. Che mi perdoni il mondo intero ma le uniche cose che voglio sono la certezza del tuo corpo e la verità della tua anima. Mi bastano per avere la certezza e la verità di me, di questo me che solo tu hai creato, di questo me che esiste solo con te. Questo me che vuole solo la vita, la più pura delle vite: amare fino alla fine del giorno, amare tutti i giorni, amare finché non arriva la notte e amare finché non torna il mattino di nuovo. Amarti perché nulla mi manchi. Desidero in te la fine del mondo. E mi basti tu perché nulla mi manchi. Mi basta che tu venga, con quel tuo passo da principessa e da demonio, quel tuo sguardo da «proteggimi con la dolcezza ma non smettere di scoparmi con la forza», e che tu mi dica di darti la tenerezza senza toglierti il sudore, di darti la complicità senza toglierti il gemito, di darti la comunione senza aver paura di divorarti, fino all'ultima goccia, per terra. Mi basta che tu venga da me e che tu venga quando ti scopo, che tu mi voglia e mi desideri. Mi basta che tu sia questa specie di tutto, questa specie di assoluta signora di quello che sono e sento, di quello che sento e penso. Mi basta che tu sia.

Oggi avevo la necessità di dirti che soltanto gli amori piccoli sopravvivono con le parole piccole, le paroline. Con un semplice «ti amo», con un dolce «sei bella». Solo gli amori piccoli sopravvivono con le parole piccole. Il nostro è troppo grande per poter sopravvivere con parole come le altre, con parole che già esistono, con parole che qualcuno un giorno ha messo nel dizionario perché erano già state dette tante volte. No. Il nostro richiede parole nuove e grandi, come «oddioquantotiamocazzo», oppure «ti amofinoinfondoalleossaporcaputtana», e tante altre che tutti i giorni e tutte le notti, a letto, sul divano, per strada e in tutti i posti in cui ci amiamo (e noi ci amiamo dappertutto, grazie a Dio) andiamo inventando per dircele. È il nostro modo di farci dentro le parole. È il nostro modo, anche se incompleto, di dirci tutti interi o niente. E non siamo per nulla sani, per nulla raccomandabili, per nulla equilibrati. Vogliamo la totale appartenenza oppure preferiamo la totale assenza. Può essere impraticabile mantenere questa forza, questa intensità, questo «oraomaipiù», questo «senonmidaituttopuoianchesparire» per sempre. In fondo, sai bene e lo so anch'io che potremmo tranquillamente essere impossibili. Ma a che serve questa boiata del possibile?

TRA UN PO' mi amerai, lo so,
dopo la birra, la partita sta finendo, intanto mi intrattengo a riordinare la cucina, ci sono dei piatti da lavare, anche dei panni, lavare a terra un attimino, stirare le tue camicie e poi è fatta, penso all'abbraccio che mi darai, sono felice quando mi abbracci, sai? Per come il tuo corpo protegge il mio.
Manca ormai poco e poi sarai mio, ci sono molti modi di amare e il tuo è questo, devo capirlo.

Tra un po' mi amerai, lo so,
dopo la cena con i tuoi colleghi. Sei il più stimato tra i dipendenti, non mi sorprende, è naturale che ti vogliano presente a tutto, hai anche provato a non andarci, a trovare una scusa qualunque, l'ho visto, ma non ha funzionato, pretendono che tu ci sia, ma quando tornerai lo faremo. Sono felice quando mi tocchi, lo sai? Devi tornare presto per non farmi mancare niente.
Ormai manca poco e poi sarai mio, ci sono molti modi di amare e il tuo è questo, devo capirlo.

Tra un po' mi amerai, lo so,
appena ti svegli. Mi avevi promesso che nel fine settimana saresti stato mio, sono già le quattro del pomeriggio e non ti svegli, sei stanco di questi giorni, la ditta deve chiudere un ordine e tu devi lavorare senza sosta, vero? Ma non manca molto, fra un po' ti sveglierai, ne sono sicura. Mi piace toglierti le cispe dagli occhi, guarda tu, farti bello per me, mi

manca la profondità delle tue braccia, dell'interno della tua bocca, sono felice quando mi baci, lo sai?

Altri due minutini e sei qui, non ce la faccio più, lo confesso.

Manca poco e poi sarai mio, ci sono molti modi di amare e il tuo è questo, devo capirlo.

Tra un po' mi amerai, lo so,

dopo l'orgasmo, sei stato così distante mentre mi volevi, mi hai presa da lontano e io ti volevo più vicino, quasi non mi hai guardata negli occhi, sei molto stanco, non hai una vita facile, certo, ma quando finirà la necessità arriverà l'amore, mi stringerai in quel tuo modo di salvarmi dal mondo, sono così felice quando mi stringi, sai? Mi dirai il «ti amo fin dentro le ossa» che non mi dici da un pezzo, e tutto tornerà ad avere senso in questo letto sudato, ne sono certa.

Ormai manca poco e poi sarai mio, ci sono molti modi di amare e il tuo è questo, devo capirlo.

Tra un po' mi amerai, lo so,

dopo la frustrazione, queste cose passano, non ho dubbi, senti che sono stato un marito assente, e in effetti lo sono stato, vuoi che tutto sia diverso, nient'altro. Oggi ti ho mandato dei fiori e un bacio per posta, ti ho scritto dieci o venti messaggi, forse cinquanta, va'. Non hai risposto né sei tenuta a rispondere, hai tutta la ragione ma questa rivolta passerà, tornerai a casa, casa nostra, te lo ricordi? Non la riconosco più da quando non ci sei, sono così felice quando sei in casa, lo sai? Un altro paio di giorni e poi tornerai, di sicuro.

Ormai manca poco e poi sarai mia, ci sono molti modi di amare e il tuo è questo, devo capirlo.

Tra un po' mi amerai, lo so,

dopo aver firmato questo foglio, ci tieni molto e io capisco perché, la tua tristezza esiste e io la rispetto, ma non mi arrenderò, continueranno i bigliettini, i messaggi, i fiori, oggi ho preteso dal mio capo un orario normale, voglio arrivare a casa e avere il tempo di amarti, devi solo tornare, per piacere, firmo tutto per farti capire che la cosa più importante per me è la tua felicità, sono così felice quando sei felice, lo sapevi? E soprattutto perché tu mi veda di nuovo come la persona che ami, me lo prometti? Ecco la firma, tieni, sei una donna libera, puoi amarmi di nuovo, vieni quando vuoi ché io ti aspetto nel letto di sempre, ho messo delle lenzuola nuove e dormo sul divano, le inaugurerò con te, costi quel che costi.

Ormai manca poco e poi sarai mia, ci sono molti modi di amare e il tuo è questo, devo capirlo.

«NON SO DOVE VADO, ma ci vado con me stessa.»

Lei, seduta sul letto, pigiama a fiori, il sudore di una notte di piacere che le scorre lungo la schiena.

All'orizzonte la mattina.

«La libertà è una puttana cieca, che si apre a me come l'inferno si apre alla morte.»

Lui, ancora steso, corpo svestito e le lenzuola che gli coprono soltanto le gambe e l'inizio della pancia.

Accanto, la vicina spazza il pavimento.

«Devo liberarmi del tuo corpo. Ogni volta che penso al piacere penso al contatto con la tua pelle. Ogni volta che sento l'odore dell'orgasmo sento il sapore selvatico del tuo sesso. Ogni volta che voglio essere felice ti immagino dentro di me. Senza di te non mi sopporto. Senza di te non ce la faccio. Devo liberarmi del tuo corpo. Andare lontano, dove tu non esisti. E sperare che tu non venga. Sperare che il principio di tutto sia nel corpo.»

Lei, già in piedi, di fronte allo specchio del bagno, gli occhi bagnati di sudore e forse di un principio di pianto.

In salotto i vestiti sparsi sul divano.

«E a che serve la salute se non c'è il piacere? Che me ne faccio di me se non esiste l'orgasmo?»

Lui la afferra da dietro, lo specchio comincia ad appannarsi.

In camera il letto vuoto.

«Vorrei molto di più che le tue braccia, molto di più che la tua pelle. Vorrei molto più che te se tutto quello che puoi darmi è questo. L'insufficienza di tutto questo. Ci vorrebbe molto di più.»

Lei si gira verso di lui, le labbra tese e l'immagine allo specchio di due bocche eccitate.

Alla finestra la pioggia che batte.

«Perché vuoi di più se questo vale per tutto?»

Lui, le braccia avvolte intorno a lei, tutto il corpo pronto ad amare.

Accanto, la vicina lava i piatti.

«Se devo essere puttana, voglio esserlo solo per te.»

Lei, il letto occupato, di nuovo la schiena e il sudore.

E poi lui.

«Se devo essere incompleto, che valga per tutto.»

E finalmente l'amore.

E finalmente l'amore. Tutte le vite dovrebbero cominciare così.

MI CHIEDI un consiglio, ora che vado via, ora che in questo letto c'è più un morto che un vivo, e io penso che potrei parlarti di tante cose, dirti tante belle parole, capaci di ispirarti; potrei anche citarti una poesia di Pessoa o di Rilke, un pensiero di un qualsiasi filosofo famoso; potrei raccontarti dell'importanza di godersi ogni secondo, o di quanto è magico sapere di amare; potrei essere il vecchio più colto del mondo ma preferisco dirti soltanto di guardare. Solo questo, molto semplice. Guardare.

Guarda. Guarda sempre. Guarda molto. Guarda con occhi che toccano, con occhi che sentono, con occhi che abbracciano, amano, addirittura odiano. Ma guarda. Non smettere mai di guardare. La vita succede negli occhi. Anche se li tieni chiusi, anche se non riescono a vedere. La vita succede negli occhi.

Guarda lo spazio inutile tra il sogno e la realtà. Riempilo. Cerca di riempirlo con tutto ciò che sei. Ci sono grandi difficoltà da superare, momenti in cui avrai voglia di non guardare. In quei momenti devi guardare ancora di più, in quei momenti devi aprire gli occhi ancora di più. In modo da vedere cosa puoi fare per vedere una cosa diversa. Il segreto del successo è vederci bene. Capire chi hai davanti, chi hai accanto, chi hai dietro. Devi veder bene per scegliere bene, per decidere bene. Anche se fa male, anche se pesa, anche se hai voglia di non guardare. Guarda. Guarda sempre.

Guarda quello che hai. È il tanto che hai. Quello che hai è sempre tanto. Guarda chi ti ama. Guarda chi ti vuole bene, chi ti cerca per essere felice. Guarda anche la strada affollata, milioni di persone che puoi conquistare. Trascina.

Non accontentarti mai di meno che del trascinare, non dare mai meno del tutto, non metterti mai in una storia qualunque se non per divorare, consumare, leccare, assaporare senza lasciare un solo boccone intatto. Guarda con occhi che vivono. Guarda con occhi che chiedono, che rapiscono, con occhi che rubano, davvero. Ruba il mondo che ti è destinato e ruba ancora di più il mondo che non ti è destinato. Guarda tutto quello che puoi, tutto quello che sai. I più felici sono quelli che vedono meglio, quelli che vedono prima e più in fretta – e soprattutto quelli che vedono dal posto giusto. Tutto ha un posto giusto per essere visto. Cerca il tuo. Tutti gli sguardi hanno un posto felice. Guarda dall'angolo giusto. Puoi anche stancarti, crollare perché crollare è umano. Ma non smettere mai di guardare.

Prendo dalla vita quello che ho guardato. E quando chiudo gli occhi, è quello che ho visto a occuparmi, a intrattenermi mentre il dolore picchia sempre più forte e la morte si avvicina. Penso a tua nonna quel pomeriggio in cui per la prima volta le toccai la mano. E guardo. La sua mano, così piccola e bella come lei sola sapeva essere, e poi il leggero sorriso quando il mio corpo, senza volerlo ma volendola già, sfiorò il suo. Della vista mi resta quello che ho guardato. L'immagine di tua madre in braccio a me, e poi tu, e tuo fratello. Porto via con me le persone che amo dentro quello che ho guardato. Anche gli spazi. La terrazza del quartiere dove tante volte ho letto il giornale (porto via con me i giornali, le lettere stampate, i titoli più forti – a volte guardo la notizia dell'incendio allo Chiado, lo sai?), la panchina del parco dove sono stato maestro invincibile di domino, signore assoluto del ramino (Dio ti liberi dal non esserlo anche tu, ché la tradizione della nostra famiglia va mantenuta), e poi le ferie lontano, il mare, la sabbia e l'orizzonte a perdita d'occhio. Porto via di me quello che ho guardato. Porto in me quello che sono stato capace di guardare. E per questo, solo per questo, ti voglio qui ora, ora che l'ultimo sguardo sta arrivando. Lasciami guardarti forte, stringerti, consumarti dentro allo sguardo. Lascia che ti guardi per sempre, va bene?

LA DONNA SI SIEDE sul letto, spalle al muro, apre il portatile e scrive, mentre va asciugando, come può, le lacrime che cadono sulla tastiera.

Non sono donna da mezzo bicchiere. Se non è pieno: non lo voglio. Se non è pieno: non è neanche un bicchiere. Preferisco non bere che bere solo il possibile. Al diavolo il possibile. Il possibile è troppo facile per coinvolgermi.

Questo per dirti che mi hai persa nel momento in cui sei andato via. So esattamente com'è andata, sento esattamente come mi sono sentita. Un minuto c'eri e un minuto dopo non c'eri già più. Magia nera, forse. Mi hai parlato della vita, che doveva andare così, le persone, a volte, devono prendere delle decisioni. E tu avevi deciso di partire.

C'è chi dice che era inevitabile, che le decisioni più difficili sono le più importanti, che bisogna scegliere, molto spesso, tra il pessimo e l'insopportabile. Tu hai scelto il pessimo e hai lasciato a me l'insopportabile.

Ma la cosa buona dell'insopportabile è che è un problema risolto in partenza. Non si sopporta. Punto e basta.

Al contrario del pessimo, l'insopportabile non ti lascia speranze. Sai che non lo sopporti, che non c'è modo di sopportarlo. E cerchi altre vie. L'insopportabile è molto più umano del pessimo, l'ho capito ora, che ti scrivo queste frasi sapendo che sei lontanissimo da qui e che non tornerai mai. Non sopporto l'immagine di quel che siamo stati, il tuo sorriso quando facevo una delle mie battute che non facevano ridere nessuno, il modo in cui mi facevi ridere quando provavi a cucinare le ricette che vedevi fare ai grandi chef della tivù e poi, chiaramente, il modo in cui la tua pelle sembrava scoprire la mia. Non sopporto quello che siamo stati e questo mi basta a essere pronta per quello che voglio essere.

Un giorno saprai che amare a distanza succede solo quando non si ama. Quando si ama, perfino la distanza di un bacio è una lontananza troppo grande. Hai voluto testarci, metterci alla prova. Hai fatto promesse di amore eterno e poi di te è rimasto così poco.

Di te sei rimasto tu.

È stato pesante, all'inizio, capire come potesse esserci vita se non c'eri tu. Mi svegliavo, tutti i giorni, in cerca del tuo corpo, in cerca delle tue braccia, della tua mano, e rimanevo così, tutta la notte e tutto il giorno, in cerca di te in tutti i posti in cui eravamo stati felici. Niente fa più male della felicità che non torna, la felicità che hai perso e che, ogni volta che la ricordi, ti dà un martirio grande almeno quanto la gioia che prima ti aveva dato.

Ma poi passa.

Il bello della vita è che tutto passa. È passata la ricerca, è passata la ferita. Ed è rimasto questo. Io e questo. Io e un buco senza fondo al centro della vita.

Ed è arrivato il coraggio. Proprio oggi, proprio ora, proprio in questo momento. Vado via dalla distanza per sempre.

Se dobbiamo stare lontani, che il corpo non resti mai fuori.

Un tempo tua,

io.

La donna si alza, si veste, cammina fino allo studio di fianco alla camera da letto, raccoglie il foglio che ha appena stampato, lo poggia sul letto, nel posto in cui prima era seduta, e va via, non più di un minuto prima che l'uomo, aprendo gli occhi, capisca di essere solo nel letto e di avere accanto un foglio di carta.

LA MALINCONIA è la filosofia del corpo, l'istante in cui tutto il mio io si trova a riflettere. Mi siedo dentro ciò che penso ed elenco, un'idea dopo l'altra, ciò che mi tiene vivo. C'è bisogno della malinconia perché l'allegria abbia senso, è importante capire ogni momento di distanza perché tutte le presenze accadano.

Gli occhi del mio gatto a insegnarmi la vita.

Ci sono giorni, come oggi, in cui la felicità consiste nello starmene così, malinconico, a capire la ragione della vita. Scrivere delle frasi, come queste, guardare il mondo che mi resiste e insiste: la signora al semaforo, gli occhi bassi, in attesa che scatti il verde per scappare di nuovo da sé stessa; il bambino che, indifferente alla pioggia, gioca a pallone contro un muro su cui immagina la gloria e uno stadio intero che applaude; lo studente universitario che pensa all'esame di domani mentre decide esitante se chiamare la ragazza che gli piace per chiederle di fidanzarsi con lui; e io, riflesso nel vetro di questa finestra, in attesa che questa felicità malinconica vada via.

C'è uno spazio troppo grande tra quel che vedo in me e quel che sono.

Fa tanto male essere da meno. Vorrei essere geniale, fare di queste righe il copione dell'umanità, con tutte le donne e tutti gli uomini a recitare le mie parole come se dicessero la legge della vita, e intanto ottengo solo idee sciolte, vuote, dinanzi all'apparizione della carne. In principio era la pelle, avrebbe detto Dio se avesse avuto un corpo. È nella mia pelle che vivo, è in lei che trovo tutte le strade per qualsiasi cosa ci sia in me. Il problema dell'anima è che ha bisogno di materia, e in fin dei conti soffrire è l'atto più fisico che si possa vivere.

La vecchietta sceglie insieme alla figlia il posto in cui morirà.

L'abisso senza pari del piacere, il ricordo di quel che è stato, la tristezza muta di non poter tornare alla prima volta. La più grande crudeltà della vita è che ci sia soltanto una prima volta, solo quella apparizione della scoperta, un attimo prima non lo sapevi e un attimo dopo sei lì; la più grande crudeltà della vita è che consente soltanto una prima volta per il primo bacio, una prima volta per il primo cioccolato; la più grande crudeltà della vita è che non esiste altro che questo, un uomo e una donna e la loro evidenza, la loro povera limitatezza. La più grande crudeltà della vita è avere una vita sola.

Il bambino che piange come se già sapesse di dover crescere.

Nei giorni così mi dimentico di continuare, e preferisco rimanere fermo a veder muoversi quello che resta di me. C'è tutta una costruzione dogmatica in quello che vedo, perché esiste solo quello che mi passa al setaccio, perché esiste solo quello che esiste in me. Penso allo spazio più profondo di intimità, mi chiudo senza poter tornare, ma poi mi siedo a tavola, tutta la famiglia riunita per vivere e mangiare, e so che devo sorridere e informarmi sugli altri, inventare nuove felicità per le nuove malinconie, e credere nella possibilità di continuare. L'unica certezza è che mi causerà dolore.

Quando il dolore arriverà, è bene che mi trovi qui a saltellare.

«VOGLIO SAPERE come si resiste al momento del tuo non esserci», gli chiese lei, la porta già aperta e i passi di lui. «Voglio sapere come si resiste al momento del tuo non esserci», ripeté, e lui procedette, la porta aperta e i passi di lui. Non era successo niente se non il finale di tutto. Fu quello che lei pensò, da sola, stesa sul pavimento come un tempo si stendeva per lui, tappeto insano e senza scrupoli. Bisogna amare per quello che viene dopo gli scrupoli, al di là di ogni etica, dietro ogni onestà, scrisse qualche ora dopo, sui tasti addolorati di un computer che lui aveva lasciato lì. Non ricorda di aver scritto quello che scrisse in seguito, le mani sole, abbandonate alla precisione del tatto, viziate della necessità di possederlo anche solo per l'istante di un dito su un tasto. La grandezza delle tue braccia non la ricorda neppure Dio, perché bisogna stringere forte l'interno di ciò che sento per sapere come si misura un abbraccio. Le lacrime, fragili come tutte le lacrime, e una camera da letto vuota e una donna vuota e le lettere sui tasti e i tasti addolorati. Come si impara a non amare, domande senza fine nelle parole senza fine, lei e i dubbi di chi all'improvviso ha perso ogni dubbio. Come si impara a non aver bisogno di nessuno, a non averti tra le cose che mi tengono in vita, come si impara a cercare la salvezza quando non sei qui a salvarmi. Senza punto interrogativo, senza nessuna domanda, perché le domande che cambiano la vita non richiedono risposte, perché le domande che cambiano la vita non sono mai davvero delle domande, sono solo il metodo più facile per imparare a rispondere. Vorrei capire perché non sei qui, e il collo girovago, in cerca del corpo di lui, lui che entra dalla porta, lui che entra dalla bocca, lui che entra da tutto il corpo. Ma lui non c'è, in verità forse non c'è mai stato. C'è la camera da letto e c'è la casa, entrambe immobili a veder passare una donna, una camera da letto e una casa senza amore dentro, come se ci fossero una camera da letto e una casa senza amore dentro, come se una camera da letto e una casa non fossero, più che spazi in cui abitare, spazi in cui amare. All'improvviso la speranza di un telefono che squilla, lui di là, «Scusa», lei di qua, «Ti amo ed è imperdonabile», lui di là, «Ho di nuovo bisogno di me per essere pronto ad amarti di nuovo», lei di qua, «Se ci metti più di venti minuti a tornare, non mi avrai mai più, te lo garantisco», ma sa che non è vero, sa che se solo riuscisse a dire la verità direbbe: "Hai tutta la mia vita intera per tornare, te lo garantisco", e lui di là direbbe: "Devo comprendermi in te per poterti amare", e lei senza dire una parola, il telefono spento, i tasti del computer di nuovo, e di nuovo le domande, di nuovo le risposte, di nuovo le lacrime. I gatti accoccolati senza sapere che la fine del mondo è arrivata. Voglio amarti senza aver bisogno di amarti, scrisse, e pensò che fosse la frase finale, per poter inventare un nuovo corpo, una persona nuova, pensò che non servivano altre parole, che bastava quella frase, quella sentenza, per decretare la giustizia della solitudine; ma dopo un po' sarebbe arrivato un momento diverso, un momento in cui tutto sarebbe cambiato, lei l'avrebbe chiamato eufemisticamente vita, e in verità fu molto di più, probabilmente l'istante in cui tutto quel che esiste si concentra in quello che sta esistendo. Ci fu un oceano, grande quanto la distanza di quei dieci, quindici minuti, a separarli, finché la porta si aprì, lui entrò, e perfino i gatti capirono che non c'era più bisogno di nessun'altra frase, almeno fatta di lettere. Solo dopo, due o tre giorni dopo, fu scritta la frase finale. Nessuno poté leggerla, lei non lo permise, almeno fino al momento in cui, più di cinquant'anni dopo, il computer fu ritrovato tra le reliquie di una donna morta. Fu lui, desideroso di morire insieme a lei per accompagnarla, che lo ritrovò. Si dice che smise di respirare nell'esatto momento in cui terminò di leggere, ma forse è un'esagerazione. Tutti sanno che lei non aveva mai avuto bisogno di nessuna frase per bloccargli il respiro.

L'AMORE serve a molte cose ma mai a ricevere.

Amare è una gioia – ma è anche una catastrofe. Ma a che serve il mondo se non ci sono le catastrofi?

Oggi ti ho amato con tutto quello che avevo, come ti amo sempre con tutto quello che ho. Ti ho dato tutto il sesso, tutto il sudore, tutte le lacrime, tutte le vene che palpitavano tutte, tutti i baci dentro le labbra, tutta la mia vita in istanti, in minuti, tutto il senso nella vita disteso in un letto. Ho percorso il tuo corpo come se percorressi l'eternità – e se c'è qualcosa di eterno nella vita, è solo il piacere, l'istante immortale di un orgasmo, il secondo indelebile di un'euforia.

L'ironia della vita è che dura appena il tempo necessario a essere eterna.

Ed è a quel punto, solo a quel punto, che arriva l'amore. L'amore è lo stronzo bugiardo che ci convince che una cosa che fa parte della vita è infinita, anche se la vita è finita. Lo stronzo che ci convince che, sebbene faccia parte di una cosa che finirà e deve finire, non finirà mai in noi.

L'amore non esiste – e per questo, solo per questo, è la cosa più reale che possiamo avere nella vita.

L'amore serve a molte cose ma mai a vivere.

L'amore uccide. Uccide in modo violento. Uccide con una forza immensa. Uccide tutti i giorni. Ed è solo in queste morti, in queste piccole morti, che risiede l'importanza della vita. È in queste piccole morti, e solo in queste piccole morti, che la vita accade. Oggi mi hai ucciso di nuovo e io potrei passare tutta la vita a farmi assassinare da te in questa maniera.

Amare è una grazia – ma amare è anche una disgrazia. Ma a che serve il mondo se non ci sono le disgrazie?

Mi tocchi la pelle e io so che vivo, le mani cercano il tuo corpo in cerca della salvezza delle tue ossa, della perennità del tuo calore. Non c'è codice etico tra noi, ci scopiamo come possiamo, quando possiamo, nel modo che possiamo, ognuno in cerca del suo piacere assoluto, del suo pezzo di immortalità tangibile. C'è una battaglia senza misericordia per l'orgasmo, il corpo di ognuno è il sostegno del corpo dell'altro, le necessità e le pulsioni e le eccitazioni sono padrone di tutti i nostri movimenti. Non pensiamo l'uno nell'altra, neanche per un secondo, quando scegliamo il modo di amarci. Non vogliamo saperne del piacere dell'altro quando ci facciamo felici all'interno dei nostri piaceri. Ce ne sbattiamo dell'orgasmo dell'altro, ce ne infischiamo di quello che l'altro vuole e desidera. Ci vogliamo, in noi, interi e pieni, dando quel che abbiamo solo a noi stessi. Siamo gli amanti più egoisti del mondo, i più esecrabili partner sessuali del pianeta. Ci scopiamo in nome di noi stessi. Ed è così, soltanto così, che ci condividiamo totalmente.

Qualcuno ci definisce egocentrici, figli di puttana, egoisti. Noi ci definiamo felici.

L'amore è molte cose ma non è mai politicamente corretto.

LA PROVA DEL FATTO che le parole sono ingannevoli è sapere che «furto» è una parola molto brutta però può anche essere molto bella, come quando qualcuno come te entra nel mio corpo e mi porta via l'anima, e sai che è stato un furto, nient'altro che un furto, ma io se potessi vorrei essere derubata così da te tutti i giorni.

Un giorno scriverò un dizionario di parole brutte che tu hai trasformato in poesia.

Come «sequestro», per esempio, cosa orribile, lo sanno tutti, tranne me. Come quel giorno che venisti a prendermi al lavoro e mi dicesti: «Vieni via ché non resisto più», e io risposi: «Non posso», e tu dicesti: «Puoi eccome», e in effetti veramente potevo, si può sempre tutto quando si vuole tutto. E così ce ne andammo, io sequestrata da te e legata sul sedile posteriore della tua macchina parcheggiata in un vicolo cieco tutto sporco, e fu lì che capii che anche i posti sono come le parole, non si sa mai quanto valgono fino a quando non sappiamo come li useremo, come li vivremo, e quel vicolo sperduto al centro della città, puzzolente e quasi inabitabile, riuscì a essere la destinazione più bella del mondo il pomeriggio in cui rendesti la parola «sequestro» un'opera d'arte. E se mi chiedessero di scegliere uno dei posti più meravigliosi del pianeta io sceglierei quello, perché i posti più belli del mondo, come mi hai insegnato tu quel giorno e tanti altri giorni come quello, non sono altro che i posti più felici del mondo.

Un giorno scriverò una grammatica di errori colossali che tu hai trasformato in regole.

Come la mia assenza di pause lunghe quando scrivo di te,

o per te, o su di te, voglio respirare di più, più a lungo, usare punti e non ci riesco, mi vengono solo virgole, pause brevi, come queste, solo queste, un semi-respiro, un quasi-respiro, forse perché pensare a te mi toglie il fiato e mi impedisce di respirare, forse solo perché non voglio punti, non mi concedo nulla che significhi distanze tra noi, e poi voglio fare transizioni in un modo che non sia «e», e non ci riesco, uso sempre «e» e ancora «e», tutto è legato da una «e», e questo accade, voglio credere, perché siamo sempre io e te, solo io e te, nessun'altra parola può separarci, solo una «e», una «e» che lega, che ci fa stare insieme anche dentro le parole, e ora forse è il momento di concludere questo testo, o per lo meno questo capoverso, forse un punto ci starebbe bene, una frase forte e poi un punto e sarebbe tutto perfetto, ben tornito, ben chiuso, letterariamente perfetto, e i critici direbbero: «Sissignore, abbiamo qui un poeta, uno scrittore» e i miei lettori mi apprezzerebbero di più e non direbbero, come dicono ora, che questo testo è noioso, ripetitivo e poco melodioso, ma se vuoi che te lo dica me ne sbatto dei critici e dei miei lettori, ti scrivo e quando ti scrivo non ammetto che ci sia un punto, in questo testo e in nessun testo che ci scriva, e perciò lo lascio così, appeso e con una «e» da finire, perché tutti sappiano che è così che tutti i testi d'amore, di vero amore, devono concludersi, senza punti e con una «e» alla fine. Ti chiedo solo di non dimenticare mai che ti amo e che se scrivo lo faccio per scriverti, e che se a un certo punto dovrò scegliere tra scrivere bene e scriverti bene preferirò sempre scriverti bene, amarti bene, stringerti tra capoversi e segni di interpunzione, inventare figure stilistiche che ti meritino, amarti al di là di tutte le lettere, e

L'ETERNITÀ è sapere che esisti, aprire gli occhi mentre dormi, oppure addormentarmi mentre mi guardi, e poi vivere per sempre.

Non mi interessa essere eterna, te lo confesso, perché l'eternità è faticosa quando non siamo mortali. Bello, davvero, è sapere che muoio e che accadi tu. Sono certa che il grande vantaggio della vita sia proprio il fatto che finisce, che è finita, vale il tempo di un soffio e di un orgasmo. Voler rendere eterna la vita è volerla far finire, toglierle ogni valore, ridurla appena a una delle tante cose eterne e senza interesse che ci sono nel mondo.

Che me ne importa che una pietra sia eterna se poi non è altro che una pietra?

La rarità della vita è quello che più mi affascina, la certezza che sia così piccola, così fragile, quasi niente, e se mi dicessero che morirò per sempre mi ammazzerei proprio adesso.

Amami come se stessimo per finire: ecco la richiesta che ti faccio perché possiamo essere eterni.

È così che mi rendo immortale nella piccolezza della vita. Mi appassiono per quello che mi affascina, mi abbandono a quello che mi appassiona, sono intera in ciò a cui mi abbandono. Non penso alla possibilità del per sempre, non desidero, neppure, che il momento perfetto si estenda nel tempo, perché per fortuna ho imparato che il momento perfetto, quando si estende, diventa un momento esteso e non un momento perfetto. Il valore delle cose preziose è nella loro perennità, nella loro incapacità di essere infinite, e solo così diventano infinite.

Che cos'è l'immortalità se non il momento in cui finisce qualcosa di indimenticabile?

Quando mi stringi al centro delle braccia, c'è in me la certezza che è corrotto tutto ciò che siamo, ci sono troppe eternità nel momento dei nostri corpi, come se Dio ci avesse regalato vite extra, vite ingannate, e la cosa più interessante della vita è il nostro volere a tutti i costi mantenerci vivi quando è proprio ciò che è eterno a ucciderci.

Uccidimi ogni giorno mentre sei vivo: ecco la richiesta che ti faccio perché tu mi mantenga viva.

Vorrei sopravvivere come mi pare sopravviva il mondo intorno a me. Persone stanche di vivere chiedono al medico di prolungargli la vita, persone che non hanno mai vissuto ma neppure rinunciano a essere vive, come se la vita si misurasse in numeri o in ore, come se una persona così a novanta anni avesse più vita di me. So che ho già vissuto quello che avevo da vivere, e se ci fosse giustizia morirei proprio ora e farei posto ai giovani, a quelli che possono ancora vivere decine e decine di anni ma non hanno mai vissuto. La cosa più perversa della scienza è credere che la vita sia scientifica, che certe macchine e certe misurazioni possano definire il senso di chicchessia. E poi c'è la sicurezza, la strana mania di voler sapere tutto quando la magia di tutto sta nel non sapere, affatto, tutto. Mi piacciono gli spazi in bianco, le spiegazioni da dare, i fenomeni da capire.

Se un giorno saprò il motivo per cui mi fai venire così, scommetto che non verrò mai più così.

Non voglio che tu viva per sempre né voglio che il nostro amore sia eterno. Voglio che un giorno ci succeda di non tornare a succedere.

Ora vieni qui, ti prego, e scopami per l'eternità.

SI ALZAVA all'ora che voleva, in genere tra le dieci e le undici, per via di un vicinato che aveva l'abitudine, certi giorni piuttosto che altri, di essere parecchio agitato la mattina. Poi, con tutta la calma del mondo, indossava i soliti vestiti bianchi che adorava usare quando non doveva uscire, comodi, che gli permettevano di muoversi a suo agio, faceva colazione, a volte da solo e altre volte in compagnia, e dedicava il resto della mattinata a sognare.

Se ne stava così a guardare una macchia sul muro o fuori dalla finestra, a lungo – mai meno di un'ora o due. Nel frattempo andava percorrendo il mondo, i ricordi, immaginando come sarebbe stata in futuro la sua vita. Aveva già fatto, come c'era da aspettarsi, molti piani, ed aveva la ferma convinzione che li avrebbe realizzati.

In seguito, quando il sogno era interrotto dallo stomaco, e spesso dall'incessante rumore che facevano i vicini, era ora di pranzo. Si nutriva bene, gli piaceva assaporare quello che gli veniva dato, e credeva che la felicità fosse anche quella capacità di assaporare sempre, nel miglior modo possibile, quello che gli veniva dato.

Di pomeriggio gli piaceva giocare all'aperto, nel parco verde e ampio che aveva la fortuna di possedere – e si divertiva così tanto che si dimenticava di fare merenda. A volte si vestiva da soldato e immaginava di conquistare nuovi territori con il suo potente esercito, altre volte fingeva di essere un mago del pallone, che con i suoi dribbling e le sue tecniche impari riusciva a vincere qualsiasi difesa. Qualunque fosse il gioco, l'unica certezza era che a fine pomeriggio, quando la notte cominciava a impossessarsi del cielo, si sentiva sempre stanco – ma, soprattutto, sempre fortunato e vincente.

Era il momento di mangiare di nuovo, ma stavolta più affamato perché il gioco stanca più del sogno. Divorava quello che c'era da divorare, scambiava le parole possibili con chi gli capitava, e poi se ne andava, felice come sempre e consolato come non mai, in camera sua, dove tutte le sere, senza eccezioni, riceveva una telefonata intorno alle undici.

Era suo fratello, che lavorava rinchiuso in un ufficio, dalle otto a mezzogiorno e dalle tredici alle diciannove o venti o ventuno e anche più, sei giorni su sette e a volte anche la domenica, e che lo aveva rinchiuso lì, da oltre dieci anni, perché credeva fosse l'unico pazzo della famiglia.

SI STESE SUL LETTO, chiuse gli occhi e si concentrò a piangere. C'era tanto di cui piangere. La perdita del figlio più grande, il rumore insopportabile della lamiera schiacciata contro il muro; la disoccupazione, dopo quarant'anni dedicati alle calzature del paese; la tristezza infinita del non amare l'uomo che la vita aveva deciso di farle sposare. Tanto di cui piangere e soltanto un letto come compagnia. Si girò di nuovo su sé stessa, gli occhi sempre chiusi, e rimase così, con la testa sul cuscino, a cercare di piangere ancora un po', ancora più a fondo. Sentì tutta la carne che le si stringeva dentro, una sensazione di mondo in rovina, la fine dietro l'angolo. E si addormentò.

Arrivò a casa prima del previsto, forse perché presentiva un qualche motivo per arrivare a casa prima del previsto. Lungo la strada, come sempre, pianse dietro gli occhiali scuri, il ricordo del figlio maggiore le piombava sempre addosso. Come si resiste alla perdita di un figlio, si domandava tutti i giorni, senza risposta, da quando lo aveva perso. A volte pensava di dover resistere, che la vita doveva continuare, e che se era successo significava di sicuro che serviva a imparare qualcosa; altre volte, invece, aveva soltanto voglia di scendere da quell'autobus in cui ogni giorno si addentrava perché il rumore le impedisse i ricordi, in quella vita che non le riservava nient'altro che soffrire. Ma quel giorno arrivò a casa prima. Passò accanto al divano dove nessuno sedeva, alla stanza del suo figlio maggiore, intatta dal giorno della morte, la parola «Ricardo» incollata alla parete sul poster che gli aveva regalato per il suo decimo compleanno, alla cucina vuota, e finalmente arrivò in camera sua. Si sentiva un silenzio estraneo.

La solitudine aveva i suoi vantaggi, pensava lui, seduto nel solito bar, mentre sfogliava il giornale di sempre al tavolo di sempre. Gli permetteva di scegliere l'ora che voleva per fare quello che voleva, riempire gli spazi in bianco come meglio credeva, trovare le migliori soluzioni per i problemi che sorgevano. La solitudine è il modo migliore di starsene in pace, concluse, e si alzò, disse il solito «buongiorno» al signor Gouveia, un «a domani» finale e i saluti abituali. Già da un pezzo aveva smesso di credere nella vita e sospettava che fosse un sentimento reciproco. In verità, la vita gli aveva già portato via tutto ciò che amava e lo aveva lasciato lì, come un resto di spazzatura in attesa di essere raccolto da tempo. Finché gli occhi di lei...

La vita è il momento in cui le persone. Proprio così. Senza nessun'altra parola. La vita è il momento in cui le persone, le disse lui, avvolto nell'abbraccio di lei, il corpo vecchio come se fosse giovane. C'è sempre una persona per ogni miracolo, rispose lei, la mano già sul sesso inaspettatamente entusiasta di lui. C'è sempre un corpo extra per ciascuna vita, aggiunse, il corpo vecchio come se fosse giovane. Si amarono, lì, lui non ricorda neppure dove né come ci arrivò, come se non ci fosse passato, come se non ci fosse futuro. Si amarono lì nel momento esatto della vita. Lei si chiamava Carla e lo amava da sempre. Lui si chiamava Luís ma ultimamente non si chiamava affatto – si limitava a urlarsi e a piangersi. Si conobbero in un bar che non era stato fatto perché la gente si conoscesse, in un bar che era stato fatto per dare spazio alla solitudine. Erano entrambi a pochi anni dalla fine, la morte sempre più vicina. Decisero, al centro del letto in cui i corpi ringiovanirono, di amarsi fino alla fine e non piangere la morte dell'altro. Quando morirò, voglio che tu viva per sempre, che incontri altre persone per tenerti viva, le chiese lui. Lei annuì con la testa, l'abbraccio senza distanza, la pelle irta come se non fosse vecchia. Poi le bocche si unirono, le labbra cercarono l'eternità. E la trovarono.

FU INVOLONTARIO, ma tutto ciò che vale la pena di essere vissuto è involontario. Eri al centro della sala quando mio padre andò alla sepoltura. E all'improvviso una voglia inspiegabile di ridere. Mio padre – Dio lo protegga, quanto lo amavo, quanto, tanto che ancora oggi mi ferisce ogni secondo di distanza – che se ne andava sottoterra per sempre, e poi i tuoi occhi. Una voglia assurda di sorridere. Tutta la vita che mi suggeriva di continuare a viverla dentro i tuoi occhi. Non eri neppure particolarmente attraente, un uomo come tutti gli altri in mezzo a tanti uomini come tutti gli altri. Il prete si congedava in nome di Dio da mio padre e i tuoi occhi furtivi nei miei. Tutti i posti vanno bene per amare, mi ricordo di aver pensato quel giorno, nel capire che perfino un funerale di qualcuno che ami può essere il momento più romantico di una vita. Non ci fu, quel giorno, alcun passo in avanti. Ma non ci fu neppure nessun passo indietro, il che per chi ama è sempre un buon inizio. Era stato mio padre a presentarci, già morto, e sarebbe stato mio padre a unirci di nuovo.

Accadde sette giorni dopo, alla messa di rito con il pianto di rito – quanto piansi, quel giorno! Come se solo in quel momento, una settimana dopo, avessi capito che davvero mio padre se n'era andato e non sarebbe tornato. La parte più ironica della perdita è che può arrivare un po' alla volta e a volte con qualche giorno di ritardo. Piangevo la fine della vita quand'ecco i tuoi occhi in seconda fila. Dove hai imparato a guardare così, ti chiesi con lo sguardo, non so neppure se resistetti al sorriso che sorrideva dentro di me. Mi guardavi e sembravi chiedermi scusa per quello sguardo mentre dentro mi faceva male tutto. Tutte le lacrime sono poche quando si perde un padre, lo sapevi? Certo che lo sapevi, e perciò alla fine della messa, sulla porta della chiesa, ti facesti coraggio e venisti a dirmi quello che nessuno, quel giorno, mi aveva ancora detto. Cominciasti dal banale «le mie condoglianze», e io pensai che alla fine eri solo uno tra i tanti e che i tuoi occhi non esistevano, ma poi dicesti «complimenti» e mi tremarono le gambe. Ti accorgesti del mio silenzio sconcertato, ripetesti «complimenti» e aggiungesti solo «per quello sguardo», prima di sfiorarmi leggermente la spalla e andar via. Giuro che vidi la vita intera andar via con te su una macchina bianca e piccola in cui non ho mai capito come facessi a entrare con la tua mole. Seppi così che poteva morire tutto in me ma non sarebbe mai morto quello che vedevo in te. Ci furono poi molte persone tra di noi, facemmo mille cretinate, percorremmo mille strade, finché, dopo più di cinque anni dalla prima volta, arrivasti alla porta di casa mia, io ero già una donna sposata e madre di due figli, e dicesti, con tutta la naturalezza del mondo: «Buonasera, sono Pedro e sono l'uomo della tua vita». Poi mi consegnasti un foglio su cui c'era scritto soltanto: «Scrivi qui una cosa qualunque se vuoi che vada via immediatamente». E io pensai di scrivere ma le mani si immobilizzarono, mio marito in salotto a chiedermi chi fosse e io lì, davanti a te, con un foglio su cui dovevo scrivere una cosa qualunque se non volevo che fossi tu l'uomo della mia vita. Non scrissi. Non ti ho mai scritto neanche una parola, almeno fino a oggi, fino a scrivere queste parole con te steso al mio fianco come sempre sei al mio fianco quando lavoro, e quando mi domando se è rimasto qualcosa da dire tra noi e rispondo sempre di sì, che ci sono parole che non ho avuto il coraggio di dire o di scrivere. E meno male.

«UN CAFFÈ e un amore eterno, per piacere», disse lui, guardandola come se fosse la vita. C'erano intorno tutti i tavoli e tutte le persone sedute ai tavoli, l'odore acido e caldo della caffeina, il sole ramingo che entrava dalle finestre grandi di vetro sporco. La necessità di altre parole si spense quando il silenzio rimase, per un secondo o due, a dire quel che c'era da dire. È chiaro che entrambi sorrisero, è chiaro che lei non gli portò l'amore eterno ma l'amore possibile, nascosto in una bustina di zucchero. Lui non volle leggere subito, volle farsi forte e aspettò, prese il caffè (lentamente, secondo lui, ma in verità non ci mise più di venti secondi) mentre azzardava ipotesi su cosa ci fosse scritto, e tra tutte le ipotesi scelse la più semplice, anche qualcosa come: «Smonto a mezzanotte» gli sarebbe bastato.

«Smonto a mezzanotte», ripeteva lui, milioni di volte, con il conto in mano (la mano rigida, secondo lui, ma in realtà gli tremava così tanto che il cameriere non riuscì ad afferrare il foglio) e il respiro perduto da qualche parte tra il terrore e la speranza. «A domani, allora», si congedò (normalmente, crede lui, ma in realtà nessuno in quel bar capì un tubo di quello che disse, data la velocità con cui lo disse), i passi affrettati e la bustina di zucchero così grande da occupargli tutto il corpo. Voleva che tutto fosse perfetto mentre leggeva il messaggio, voleva leggerlo nel posto più adatto, perché quel momento fosse poi indimenticabile, e già si immaginava molti anni dopo, di fronte al camino, a raccontare ai nipotini come aveva conosciuto la nonna, le loro avventure, una semplice bustina di zucchero come personaggio principale. Poi pensò che la storia si sarebbe tramandata di generazione in generazione, che quattrocento o cinquecento anni dopo, quando forse non ci sarebbe stato più zucchero, sarebbe stata ancora nota la storia di quella bustina di zucchero che aveva fondato l'esistenza di un'intera famiglia. «Smonto a mezzanotte», disse più di una volta, come chiedendo a chi comanda il mondo di far avverare quel desiderio.

"Il mare è sempre un buon posto per amare", pensò, già seduto sulla sabbia, due o tre metri fra lui e l'acqua che andava e veniva. La bustina stropicciata in mano, il sudore freddo e le braccia doloranti, l'intero organismo che gli chiedeva clemenza. Si fece coraggio, aprì la mano, già il sole tramontava in fondo al mare (pensò che una perfezione più assoluta sarebbe stata impossibile, mentre una lacrima già cadeva sulla sabbia senza che se ne accorgesse), e aprì il pezzo di carta, qualche granello ancora vivo si faceva sentire. Guardò una volta, due, si passò il palmo della mano sulla faccia per asciugare le lacrime, poi guardò di nuovo. Mezz'ora dopo, con la notte e la luna e il mare freddo, guardò ancora una volta e tutto rimaneva uguale. Non c'era scritta neanche una parola, niente, assolutamente niente, solo la marca dello zucchero, il nome del fabbricante e gli ingredienti. Forse, a caratteri più piccoli, la data di scadenza, e fu certo che gli avevano dato la bustina sbagliata, che doveva essercene un'altra perduta nell'immondizia con su scritto tutto quello che voleva leggere. La luna pareva scura quando, con gli occhi bassi e il peso di tutte le illusioni addosso, abbandonò la spiaggia. Un senzatetto lo guardò impietosito e gli diede una pacca sulla spalla. Vide tutta la famiglia svanire, i nipoti davanti al camino, il mito di tante generazioni di bustine di zucchero e del messaggio che aveva creato tanta vita. Niente di tutto ciò sarebbe successo, ne era sicuro, già senza lacrime ma con gli occhi bassi. Non c'era nessun biglietto da leggere. Ma lei sarebbe comunque smontata a mezzanotte.

LA PIOGGIA comincia a cadere sulla terra bagnata,
ecco perché ti amo.

È chiaro che c'è il tuo sorriso, il modo in cui
tagli il pesce quando ci sediamo
a tavola, lo sforzo dei tuoi occhi per
non piangere quando ti bacio,
ecco perché ti amo.

La tua pelle sa di quello che mi tiene vivo,
ecco perché ti amo.
Ti svegli sempre di cattivo umore, non
usi parole né apri gli occhi per intero, come
se chiedessi alla luce di non strapparti da quello
che so essere un sogno in cui ci amiamo per
sempre, ti giri dall'altra parte in attesa che
il mio corpo stringa di nuovo il tuo, ti ritrai
tutta per stringermi in te,
ecco perché ti amo.

Usciamo in strada ed esiste la gente anche se
né tu né io la vediamo più del
necessario per poterci amare in segreto,
sappiamo di poter baciare tutto in due e che
nessuno può vederci nonostante uomini e donne
ci vedano abbracciarci e baciarci nella fila del
supermercato o quando aspettiamo i popcorn prima
di fonderci al cinema, con i piedi maleducati
sulla poltrona davanti e le mani

tante volte a cercarsi al di sotto dei corpi
nel buio adolescente dell'ultimo spettacolo,
ecco perché ti amo.

Quando voglio sorridere mi ricordo
che esisti e sorrido di continuo,
ecco perché ti amo.

Tra tanta gente dovevo proprio trovare l'unica
donna al mondo che come me non ama viaggiare,
ecco perché ti amo.

Passiamo la vita fianco a fianco perché
così vanno le cose, sappiamo che si deve lavorare
e tutto il resto per amarsi
senza pensare ad altro,
conosciamo la città in cui portiamo
l'amore, i letti a cui mostriamo il valore di
mercato del sudore, andiamo in cerca di una sosta in
un posto in cui possiamo amarci in pace e
capiamo che se stiamo
insieme ci stiamo amando in pace,
ecco perché ti amo.

La prima volta che ti vidi promisi a me
stesso che non ti avrei amata,
ecco perché ti amo.

Andiamo a letto senza orario fisso, già il giorno
esiste o sta per esistere, ridiamo molto
a letto, non dici nulla di interessante, io
dico cose senza interesse, i nostri
sorrisi sarebbero sufficienti a tenerci
insieme, ma poi c'è il modo in cui raggiungiamo
l'orgasmo, che consiste nel difficile compito di
amarci, mi ami e io ti amo ed è così che
stranamente raggiungiamo l'orgasmo,
ecco perché ti amo.

Ho la certezza assoluta che stare con te sia
la decisione più stupida della mia vita,
ecco perché ti amo.

LA PROFONDITÀ dei gemiti di lei si sentiva in tutto il palazzo, oppure era soltanto dentro le mie orecchie ma pareva si sentisse in tutto il palazzo. Quando hai imparato ad amarmi così?

Si alzò dopo l'orgasmo, piedi scalzi sul pavimento freddo della stanza, andò in cucina, addentò qualcosa, e pensò che il momento più importante della vita è quello in cui, ogni giorno, si rinasce. Dalla finestra vide le barche nel mare, immaginò tutte le possibilità che ha un mondo solo, persone e ancora persone che vivono la vita davanti agli occhi di persone e ancora persone, pensò che forse era egoismo da parte sua preoccuparsi soltanto della propria vita, ma quando cominciò a pensarci più a fondo lei scomparve, non c'era più neppure il velo che le copriva il corpo.

«A partire da oggi ti amo per sempre», più o meno così ti comunicai che ero tuo per sempre. La casa in silenzio sorrise, tu avesti la certezza che non c'era spazio per nient'altro che noi due, e ci amammo senza che i corpi lo sapessero. L'unica certezza che ho è che la tua pelle non esiste, e neppure il tuo odore, neppure il tuo tocco – sono irrealtà che mi legano alla vita, memorie sensitive che mi impediscono di morire.

«La sensazione di te mi tiene in vita e sarà lei a uccidermi», ripeté, almeno dieci volte, in un altro orgasmo qualunque in un altro letto qualunque. Nessun orgasmo si ripete ma tutti ci trasformano, e quelle parole nella voce di lei fermarono ogni respiro. Quando aveva imparato a mentire così?

Il pranzo era stato al ristorante più economico del quartiere, lei e i suoi occhi, e lui che era lì per caso pensò che essere milionario presupponesse amare occhi come quelli. Tutto era cominciato così, lo sapevano entrambi. Ma niente dura per sempre, soprattutto quel che è eterno.

Mi piace passeggiare per strada con te, darti la mano e mostrarti mia, sapere che ho la gioia della tua compagnia per qualche minuto. Tutti pensano, ne sono certo, che se tu mi ami vuol dire che qualcosa di speciale ce l'ho. È chiaro che contano anche i soldi, tutto quello che ti do, ma neppure la richiesta che mi hai appena fatto, di accompagnarti in banca, mi convincerà che mi vuoi per una ragione diversa dal mio modo di essere. Quando hai imparato a ingannarmi così?

Lei disse «qui» e lui firmò, poi disse «anche qui» e lui firmò, due o tre bancari sorrisero esteriormente e scossero la testa internamente, nell'aria c'era la sensazione di un casinò in cui qualcuno avesse impegnato i vestiti pur di continuare a giocare. Si congedarono: «È stato un piacere», disse lui, e strinse la mano al direttore della banca, che per la prima volta in vita sua non provò nausea nello stringere la mano a un povero vagabondo senza un solo spicciolo sul conto. All'uscita la signora addetta al ricevimento li guardò con commiserazione, abbozzò il sorriso più naturale che riuscì ad abbozzare in quel momento, la porta si aprì e andarono via, in piedi tutti e due ma lui, anche se era così grande, entrava perfettamente nelle due mani divine di lei. All'uscita si diedero il primo bacio senza il fastidio del denaro. Quando aveva imparato, lei, a liberarlo così?

Non ho altro che questa casa in cui viviamo, ti sei presa tutto e io sono felice. Ieri quando sei arrivata hai detto che avevo nutrito un altro bambino affamato e che ora il mondo era un posto più felice. Io ero felice, certo, per il bambino e per il mondo, ma se vuoi sapere la verità me ne infischio del bambino e del mondo, mi interessa soltanto il tuo corpo, e che tu sia qui. La grande utilità dei soldi è che ti aiutano ad amarmi, e se vuoi che te lo dica comincio a credere che li abbiano inventati solo per questo. Quando hai imparato a insegnarmi così?

C'È UNO SPIRAGLIO di luce che entra dal letto,
e la più grande ingiustizia della vita è il tuo esistere ed essere mortale.

Nelle albe in cui scopriamo il piacere, le
lenzuola si aggrappano al corpo, anche la felicità si ritrae
per poterci intendere. Tu mi insegni a trovare
l'interno delle tue gambe, lo spazio in cui tutti
gli orgasmi si fondono, poi c'è tutta una tessitura
da cercare, le rughe sapienti intorno ai tuoi occhi,
il tocco morbido di tutte le curve del tuo seno, fino
a che si impone la verità assoluta. Tutta tu mi trascini
dentro di te e tutto io mi spingo
nel calore del tuo ventre. E accade il cielo.

C'è una sottile linea di sudore che unisce il capezzale al fondo del letto,
e la più grande ingiustizia della vita è il tuo esistere ed essere mortale.

Arriva il mattino con la sua luce illogica, e la certezza che
la notte se n'è andata e l'importante è proseguire. Ogni volta
che ti amo trovo la morte perfetta. Ci ergiamo,
le anime pigre che non sanno cosa farsene della
vita là fuori, il segreto desiderio che non ci sia
mondo. È allora che scompari, in pochi minuti,
e mi mostri il vuoto di ogni cosa. Tutto ciò che ti
serve esiste solo per servirti. Quando cala il mattino e tu

non ci sei, tutta la casa tace in attesa di sentirti, percorro
i corridoi come un vagabondo, e basta
un tuo «domani torno» perché ogni mobile e ogni
letto abbia di nuovo senso. O sto con te
o sto da solo, penso ogni volta che non ci sei, e finisco
sempre raggomitolato in me e in lacrime nello spazio
del letto che ti appartiene, vinto dalla
possibilità che ci sia un abbraccio finale, un giorno,
da consegnare, dalla crudele esistenza di vita in te.
Perché mai dovresti essere umana se ti amo così?

C'è una porta che si apre piano, il gatto sa già che sta arrivando il mondo intero,

e la più grande ingiustizia della vita è il tuo esistere ed essere mortale.

ERI LA DONNA più bella del mondo e quel che è peggio è che il mondo se n'era già accorto. Il salotto immobile a guardarti arrivare, abito lungo, quelle cose che se non sbaglio si chiamano paillettes, le tue caviglie nude, da sole sostenevano il peso di Dio tutto intero. E gli sguardi di tutti, donne e uomini, innamorati dei tuoi passi, uno dopo l'altro, la tua testa alta e il tuo sorriso. Quando hai sorriso, quel giorno in cui siamo entrati a braccetto per la prima volta a una festa con i fotografi e i flash e noi due soli come sul divano, tutti si sono fermati a guardarti passare. Il mio corpo accanto al tuo era invisibile, come sempre avevo sognato che l'amore dovesse essere, come sempre ti ho chiesto che fosse l'amore. Tutto quello che volevo era farti da accompagnatore, avere l'occasione di guardarti il sorriso mentre sorridevi, ed essere certo che sorridessi così solo perché mi avevi accanto. Che altro senso può avere la vita se non quello di farti sorridere?

Uomini, tanti uomini intorno al tuo corpo, desiderosi di scoprirvi un errore, uno spazio, il punto di unione tra noi. Mi hai guardato tutta la sera per chiedermi scusa di tutta quella gente che ti desiderava, e io sapevo che faceva male, stringeva il cuore, ma poi mi ricordavo che tu eri così, così grande e insopportabilmente bella, solo perché c'era un noi. Amarti è un privilegio, lo so, e per saperlo non c'era bisogno di tutta quella folla innamorata di te. Quando mi dici che ti senti la donna più fortunata del mondo perché stiamo insieme, io sono sicuro che è vero – è vero che io sono solo uno tra i tanti, non invento personaggi, non mi invitano a feste eleganti, non concedo interviste e non sono perseguitato dai fotografi, non ho nessuno che mi veneri, ma ho in me tutto l'amore del mondo e mi basta, non mi manca nulla. Che altro senso può avere la vita se non il fatto che non ci manca nulla?

Quella sera mi hai insegnato il significato di me, mi hai detto, tra un cenno e l'altro della testa a malincuore ogni volta che il mondo ti chiedeva un commento, che quando pensavi di andare a letto pronunciavi il mio nome. Non parlavi di sesso ma di sonno, di questo parlavi, in quel semplice atto di un corpo che prende un altro corpo e dice: «Vieni a dormire» e l'altro va, tutti e due avvinghiati a quelle parole così sincere: «Vieni a dormire», dicevi, e io venivo, oppure era il contrario, io dicevo: «Vieni a dormire» e tu venivi, e andavamo a letto tutti e due, abbracciati, oppure con le teste poggiate l'una sull'altra, ci tenevamo stretti, nello spazio intoccabile sotto le lenzuola, dove tutta la vita si riduce all'essenziale: l'amore o niente. Quella notte l'essenziale della vita non fu diverso. Dopo le fotografie e le richieste, dopo tutti i sorrisi (ti ho già detto che quando sorridi guadagno almeno venti minuti di vita?) e tutti gli autografi, ce ne siamo tornati allo spazio più clandestino del nostro essere, all'esistenza primaria di due creature. E ricordo ancora, come se fosse ora (e in verità è sempre ora quando il ricordo è così forte) le parole che ti ho detto quando mi hai guardato negli occhi e senza dire una parola mi hai chiesto l'abbraccio perfetto. «Io ti scopo mentre gli altri ti desiderano», ho sussurrato, il tuo sorriso aperto, le labbra urgenti. Quella notte, come tante altre notti in cui abbiamo dormito insieme, non abbiamo dormito affatto. È per questo che esiste la mattina, e per fortuna ci siamo dentro, proprio ora. Smetterò di scrivere per lasciarti dormire un altro po', sì. Che altro senso può avere la vita se non la possibilità di una mattinata con te sotto le lenzuola?

ALMENO CI RESTA il calcio, diceva il vecchietto alla fermata dell'autobus, gli occhi appesantiti dalla vita intera che aveva alle spalle, e io lì, senza sapere cosa dire, avevo voglia di dirgli che non mi interessava per niente il calcio, né tutte le altre merdate del genere, se Naná, la strafiga della 3ª B, quella che, ne ero certo, sarebbe stata la donna della mia vita, non voleva saperne di me, oppure se mia madre, rompicoglioni come solo lei sa essere, non mi fa andare alla festa di capodanno al bar del liceo. Almeno ci resta il calcio un cazzo, vecchiaccio, che ne sarà di me se non posso avere Naná né andare alla festa a cui vanno tutti?

Poi l'autobus si è fermato di colpo. E ho visto una cosa che non avevo mai visto prima in vita mia – in settant'anni su questa terra, diamine. Due adolescenti, che non avevano più di tredici o quattordici anni, sono saliti, con le lingue unite dentro la bocca, avvinghiati come se non ci fosse domani e come se lì non ci fosse nessun altro. Lui infilava la mano dove poteva tra i vestiti aderenti e la pelle di lei, e lei si sfregava a lui come se aspettasse la comparsa del genio della lampada. È uno scandalo, questa gioventù, ecco. E hanno fatto questo per tutto il viaggio, senza parlare quasi mai, ho capito solo che lei si chiamava Naná – che razza di nome è? – e lui Carlos, non so neppure come ho fatto a scoprirlo, Dio solo sa se non ha avuto anche lui vergogna a guardarli, perché le loro bocche erano troppo occupate per preoccuparsi delle parole. Questo Paese ormai va a rotoli, lo dico sempre, io. Almeno ci resta il calcio, almeno ci resta il calcio.

Sapessi quanto ti amo, genietto mio. Sapessi che mi avvinghio così a lui solo per provocarti, guardarti negli occhi qui in mezzo a tutta questa gente e capire se mi vuoi, se hai bisogno di me, se mi cerchi come ti cerco io quando penso a cosa ne sarà di me. E ora che mi guardi, su questo autobus pieno di gente, e mi dici senza una parola che vorresti essere Carlos, che vorresti essere il corpo che sente il mio, so che ne vale la pena. Vale la pena di fare tutto questo sforzo, perché l'amore richiede sacrifici e sono disposta a provare i corpi necessari fino a trovare l'anima perfetta. Sono una romantica moderna, che si consegna a molti per essere di uno solo, e guai a me se mia madre lo sa, ma non posso fare altrimenti. Ti amo, genietto mio, ti amo come dicono debba essere l'amore, e spero solo che un giorno trovi il coraggio che non hai mai trovato e allora vieni da me a dirmi che mi vuoi per sempre; spero tu venga, con quella tua bella testa, e inventi tutte le parole per tutte queste sensazioni. E allora si fermerà tutta la scuola per vederci amare. La scuola ferma a vederci amare, quando verrai da me a regalarmi questo momento?

«E allora andai», diceva il vecchietto con un paio di bambini seduti di fronte, sopra le bocche aperte che ascoltavano la storia. «Andai da lei, pur sapendo che stava con il capitano della squadra di calcio della facoltà, e le dissi così: "Semmai dovesse restarmi qualcosa di non detto, nella vita, spero non sia 'ti amo'. Ti amo".» I nipotini si guardarono, uno si asciugò una lacrima, l'altro domandò: «E poi, nonno? E poi?». Poi il vecchio non disse neanche una parola, si alzò, aprì un cassetto e tirò fuori una vecchia foto, in cui si vedeva una coppia giovane abbracciata accanto al portone d'ingresso di un'università. «Poi successe questo», spiegò infine il vecchio, mostrando la foto come se mostrasse la cura per la morte, «poi ci fu la vita, dovete sapere che esiste la vita, ci fummo io e lei e la famiglia, io e lei e il calcio, io e lei e i film».

«Poi ci fummo io e lei», ribadì il vecchio. Forse quello che gli rigava il viso era una lacrima e con assoluta serenità, sotto gli occhi sempre più umidi dei bambini, disse soltanto le parole che ancora oggi mi commuovono quando ci ripenso: «Senza di lei non mi restava più neanche il calcio».

Mi piace tanto, mi piace tutto, quando va così. La tivù accesa e all'improvviso tu mi guardi e mi ami, sento le mie ginocchia all'interno delle tue cosce, il peso insostenibile del tuo corpo nel mio. La tivù continua, con i film e le serie e perfino il calcio, che possono anche aiutarci a essere felici, ma quando arriva l'ora di un corpo nell'altro, o di uno sguardo nell'altro, o semplicemente dell'attesa che passi un dolore, l'abbraccio a sostenere la ferita, quando arriva l'ora di noi, nulla di ciò che ci rende felici basta a renderci felici, serve il noi assoluto, noi assolutamente resi al compito di far sì che questa vita puttana sia immensa, proprio immensa, sai?; e perdonami, c'è sempre un momento dentro questo momento in cui mi ricordo del mio vecchio e della sua storia, e gli dico che sì, sempre, sì, ci resta almeno il calcio, nonno. E poi tutto il resto, che è meraviglioso, sì.

DILLE CHE L'AMO, per favore. Innanzitutto dille che l'amo, che fa male dentro al buio delle lacrime e che le sue cose sparse per la casa mi dicono che la sola cosa che si può fare quando si ama è perdonare. Dille che se sono qui, così lontano, è perché ho bisogno di tempo per sentire che ho bisogno di lei, come un affamato che decide di passare l'ennesimo giorno senza mangiare, solo perché il cibo poi gli sembri ancora più buono. Dille che l'amo, per favore. Che quando chiudo gli occhi vedo ancora l'altro uomo con lei, i corpi nudi e la casa di noi con lui dentro. Dille che quando chiudo gli occhi non sopporto ancora il peso del dolore, che immaginarla d'altri nel posto in cui fummo sacralmente nostri mi fa impazzire, e che se c'è una cosa insopportabile è dover sopportare quello che mi ha fatto per poterla riavere. Dille che non si fa quello che mi ha fatto lei, ma che preferisco avere la traditrice che amo piuttosto che una qualunque donna fedele che non sarò mai capace di amare. Dille che l'amo e che sono abbastanza stupido da rivolerla. Dille anche che l'amore è questa cosa imbecille, illogica, senza la minima coerenza. Che mi sveglio con lei negli occhi tutti i giorni, che quando incontro il futuro lei è sempre nei paraggi. Dille che l'amo, per favore. E che perdonarla non ha perdono. Che il modo in cui mi tratta e mi ha sempre trattato ha superato ogni limite, che non sono il suo cagnolino ma se vuole sono un ometto che può abbaiare. Che non mi ha mai riconosciuto il valore che merito, non mi ha mai detto come io le ho sempre detto che la vita esiste solo perché lei esista, non mi ha mai portato la colazione a letto, non mi ha mai accarezzato i capelli mentre mi stendevo tra le sue braccia, non mi ha mai neppure abbracciato quando qualcosa in me premeva. Dille che non mi merita neanche per sogno, ma che voglio essere suo per sempre. Che tutto ciò che è consigliabile la sconsiglia, che non ha senso per me continuare a vivere accanto a qualcuno che non so se mi ama o no. Che quando guardo lo spazzolino che usava lei, e che chissà perché mi sono portato dietro, penso solo di farlo a pezzi per vedere se mi libero di lei, se la spezzo in me, per vedere se mi libero da questa prigione che è amarla così tanto, volerla così tanto, essere così schiavo di una che forse non mi vuole neppure come schiavo. Dille che mi manca perfino il suo cattivo umore, le lacrime furiose ogni volta che qualcosa non andava come voleva lei, in modo quasi infantile, o proprio infantile, come mettere il muso per ore solo perché al supermercato non c'era il suo cioccolato preferito. Dille che ancora mi sveglio in piena notte per tirarle su le coperte, che ancora la cerco al mio fianco per cercare di addormentarmi, che il freddo del letto senza di lei non ha parole che lo definiscano e ancor meno ha coperte che lo riscaldino. Dille che sono suo per sempre. Che ci saranno tante vite in noi, tanti uomini e tante donne, e che comunque sarà lei, sempre lei, la più inesauribile lei, la più sconsigliabile lei, la mia donna. Che se dovessi scegliere un posto per morire sceglierei un angolo in fondo alle sue braccia. Dille che l'amo, per favore. Innanzitutto dille che l'amo. E dille anche che non torno più.

PRIMA ERO FELICE, poi sono diventato adulto.

Se solo venisse la vecchiaia a salvarmi, chissà, magari con un po' di incoscienza sarebbe più facile sopravvivere.

Quel che ferisce è la presenza ossessiva del cervello.

Solo la finzione è eterna, quel che non esiste, quel che accade all'interno di ciò che sento, un bacio, certo, toccarti la mano, una tua parola all'orecchio, o semplicemente l'odore del vento.

Solo un vecchio o un bambino possono conoscere l'odore del vento, sai?

C'è un rapporto innegabile tra un corpo nudo e la felicità, il piacere quasi sempre arriva svestito, per quel che vale, è raro che una persona nuda sia infelice.

Mi soffoca il peso indeciso dei rimorsi.

Ho fatto tante cose che non avrei dovuto fare e a volte me ne pento, altre volte invece ne sono orgoglioso. Come è possibile che un fatto così bello possa essere diventato così brutto? C'è un'inconsistenza imperdonabile in chi ha creato tutto ciò.

Da quanto tempo non passo una giornata completa? Manca qualcosa nelle mie ore e non so se lo sopporto, devo confessarlo, ho bisogno urgentemente di una vita, o di una pelle.

La felicità è amare da turista, e non appartenere mai a nessun posto.

Vista da fuori anche la guerra è bella, servono altri argomenti per disdegnare il giudizio degli occhi?

Morire non è un verbo immobile, l'età si muove ma quel che uccide è la vita, i giorni interminabili e troppo corti, gente con la vita accomodata dentro la nostra, non è egoismo, ma solo sopravvivenza.

Solo un imbecille separa carne e anima, come Dio, per esempio. La vecchiaia è una resurrezione triste, insegna a vivere e poi uccide, il fascismo del corpo fa male da morire, va detto.

Mi fa male il tempo incompiuto, la festa smisurata a cui non posso partecipare, vorrei tornare al principio del disorientamento, ricominciare tutto daccapo.

E piangere meglio.

Non voglio morire, questo posso annunciarlo, non è la morte a essere un'intransigenza, è il corpo finale, il transito bugiardo, l'inizio e la fine del caos. Solo quel che si può tagliare con il coltello è perituro, io no.

Non è la morte che è intransigente, l'intransigenza è morire
mentre sono vivo.

«ANCHE SE ANCORA non lo sai, sei la donna della mia vita.»
«Anche se ancora non lo sai, sono un uomo.»

La vita è così: a volte finisce. La mia, in quel preciso istante, è finita. Andata. E stranamente mi ha lasciato qui. Abbandonato da due donne negli ultimi cinque anni, sono ora fatalmente innamorato di una terza che è, in verità, un uomo. In fondo, è solo il mio inconscio che resta fedele a una promessa che feci a me stesso quando Joana mi lasciò: non mi innamorerò mai più di una donna.

«Hai un lato femminile.»
«Sì, quello sinistro. È quello con il trucco.»
«Anche se sei bello, sei bella.»
«Okay, okay. Se vuoi scopiamo. In camera tua o in camera mia?»

La seduzione è così: a volte funziona. Questo qui è, senza ombra di dubbio, l'uomo più facile della mia vita (anche perché è il primo che provo a conquistare). Bisogna decidere: camera mia, anche se è mia solo da poche ore (da quando sono entrato in questo hotel), è già troppo mia per essere condivisa con qualcuno. Ancor meno con un uomo. Lo confesso, ho qualche pregiudizio nei confronti degli omosessuali.

«Sei la donna con il pene più grande che abbia mai conosciuto.»
«...»

«Ma ora, per piacere, girati di lato, okay?»
«...»
«Grazie.»

L'eterosessualità è così: a volte si capovolge. Se si fa sesso con una donna che ha il pene, il problema più grande (per quanto piccolo sia) è proprio il sesso – che scatena un'evidente difficoltà logistica: di disposizione; di incastro. Per fortuna mi sono abituato, sin da piccolo, ad avere cose in meno; affrontare cose di troppo è, perciò, piuttosto semplice.

«Io sono Ruben.»
«Piacere?»
«No. Per ora basta così. Però grazie.»

LA COSA PIÙ STRANA degli amori impossibili è che a volte succedono.

Scelse, dopo averci pensato a lungo, la gonna azzurra, aderente, che l'avrebbe condotta al momento più importante della sua vita. Si truccò con la cura di chi prepara una bomba atomica, ogni filo al suo posto, scelse gli stivali alti per sentirsi più protetta, come se la pelle coperta la proteggesse dal mondo. Poi si guardò spaventata allo specchio e abbozzò il sorriso possibile, le labbra tremule e un groppo negli occhi, l'ansia dominava interamente il corpo.

«Perdonami», davanti allo specchio lui provava quello che aveva da dire, «Perdonami se un giorno ho creduto che ci fosse vita senza di te», con aria fiduciosa, sicuro di sé, «Ti voglio per sempre e sono certo che saprà di poco», e uscì in strada, vestito di tutto punto, scarpe impeccabili, amore impeccabile, la realtà, solo quella, aveva la macchia di un errore che ora voleva correggere.

Si incontrarono al caffè di un tempo, il tavolino era vuoto come se li stesse aspettando. Lui arrivò per primo, le parole imparate a memoria dentro la testa, i gesti, perfino i gesti, pensati fino all'ultimo dettaglio. Finché non arrivò lei, i passi come se calpestassero gente, la gonna azzurra stretta e tutti gli uomini lì a guardarla. Lui disse quel che aveva da dire, lei ascoltò quel che aveva da ascoltare. Volevano entrambi abbracciarsi lì, subito, prima che il mondo finisse. Ma nessuno dei due corse quel rischio. Lui aspettò che lei dicesse: «Sì, ti perdono», lei aspettò che lui dicesse: «Scusa ma devo abbracciarti tutta, anche contro la tua volontà». E il tempo giusto per il momento giusto andò perduto.

A casa, lei si tolse la gonna azzurra, gli stivali alti e cedette, il corpo poggiato sul letto come se all'improvviso fosse esangue. Lui rimase al bar ancora qualche minuto, solo per congedarsi da quel che non era stato capace di fare, prima di tornarsene lentamente alla camera vuota, con l'odore di lei e dei suoi vestiti. Se fosse stato un uomo coraggioso, avrebbe commesso la vigliaccheria di rinunciare alla vita.

Si sposarono e vissero quasi felici per sempre. Ma non tra di loro, ovviamente. Lei trovò un uomo perfetto e lui trovò una donna perfetta. Le cose procedevano, con il tempo dimenticarono come erano stati insieme, che cosa li aveva fatti correre e saltare – ma mai camminare. Vennero i figli, nuove sfide, le rughe, i nipoti, la pelle che cedeva e tutto il tempo era fatto di episodi di passione sempre più rari.

Sarebbero morti distanti, distanti quanto la geografia lo permetteva, con la misura insopportabile di un oceano a separarli. Certo è che, stranamente, le lapidi di entrambi contenevano lo stesso errore, «un refuso imperdonabile», secondo i rispettivi marito e moglie: la data del decesso si riferiva a oltre trent'anni prima, e nessuno riuscì mai a capire perché. La scritta, quella immediatamente sotto la data, non conteneva alcun errore.

Quel che equivale a morire non è fermarsi, ma tirare avanti.

LEI È NUDA e tutte le cellule della pelle si sollevano al passaggio della lingua di lui. Si sente una nave che salpa, una donna con i passi corti e i tacchi alti, e la lingua di lui scivola ora all'interno delle cosce di lei, forse si sente anche il respiro senza fiato di uno dei due. Il letto come un altare e la tacita devozione di due corpi che si inginocchiano dinanzi alla più grande delle fedi. Lei si contorce leggermente, si sposta un po' verso destra, la lingua trova un'angolazione nuova, lui segue le tracce di quello che lei cerca, entrambi uniti nella ricerca di un'anima nascosta in mezzo alle lenzuola (sento la voce di Dio, quando mi tocchi così). La mano di lui le sale lungo la pancia, il sudore e le dita, lontano un cane abbaia, un bambino gioca con un altro bambino, l'autobus delle sette arriva, la mano di lei sulla testa di lui, le dita tra i capelli, aggressive e leggere, come se volessero guidarlo, e la stanza immobile li vede vincere.

«Usami tutta intera per potermi amare dappertutto», era stata la richiesta disperata di lei. Erano nell'hotel più caro della città, ora si sentivano soltanto inquietudine e respiro fitto, fuori di lì tutta la vita e nulla che contasse davvero. Lui non rispose subito, la guardò, pensò che avrebbe potuto parlarle di quanto gli piacesse, della profonda incapacità di immaginarsi senza di lei. Avrebbe anche potuto raccontarle, pensò, che si sentiva perduto, che tutta la sua vita era andata a rotoli nell'istante in cui l'aveva incontrata, e che l'unica capacità che gli rimaneva era quella di amarla; poi pensò che non sarebbe mai stato capace di darle quello che voleva lei, le macchine, le case, ancor meno i viaggi, perché se si era rovinato per colpa sua non poteva, per colpa sua, tornare ad essere lo stesso di un tempo. Infine pensò all'ironia di tutta la situazione, a quanto sarebbe stata stupida e perfetta la vita senza di lei. Non sapeva se la odiava ma sapeva che l'amava. Era perfettamente suo. Perfettamente di lei, perfetto quanto può esserlo un pazzo o uno sventurato. Avrebbe potuto dirle tante cose, tutto quello che gli passava per la testa, tutto quello che gli faceva credere di essere a pochi istanti dal perderla per sempre se le avesse detto che la voleva per sempre. Avrebbe potuto dirle tante cose importanti, tante cose decisive, ma bastò che lei lo afferrasse e lo tirasse dentro di sé per capire che solo il silenzio era urgente.

«Si sono serviti dei corpi per servirsi della vita», scrisse e pronunciò il testimone di nozze, con le mani già tremanti per l'età. Tutti gli astanti si erano vestiti di nero per congedarsi dai due vecchietti che avevano rinunciato a tutto, nella vita, tranne all'orgasmo. La foto sulla lapide non aveva il volto di nessuno dei due, soltanto le lenzuola sudate e loro due, come sempre, lei nuda e ogni cellula della sua pelle sollevata al passaggio della lingua di lui.

SE FOSSE SALITA su quel treno, marzo freddo e stazione affollata, forse la sua vita sarebbe stata diversa. Forse lui sarebbe stato lì ad aspettarla, nell'ultima fila, seduto all'ultimo posto dell'ultimo vagone come sempre, con gli occhi aperti in cerca di un rischio che ancora non conosceva. Poi, di sicuro, lei avrebbe percorso il corridoio come se stesse percorrendo la strada che porta al destino, ogni passo la avvicinava sempre più a lui. E infine quello sguardo, il treno che partiva e lo sguardo fermo, lui che la guardava come se la stesse spogliando tutta, lei che lo guardava come se non ci fosse più nulla da fare.

Non ci sarebbe più stato nulla da fare e perciò non avrebbero perso tempo a farlo. Il treno sarebbe stato affollato, tanta gente e tante vite e nessuna vita si sarebbe intromessa tra loro. Più o meno tre ore di viaggio, tutto il conto alla rovescia del tempo sarebbe ricominciato per decretare cosa ne sarebbe stato di loro. Avrebbero parlato di tutto, lui serio ed eccitato, lei timida ed eccitata, ma in verità da sempre avrebbero parlato soltanto d'amore. Del loro, chiaramente, che era nato senza che nessuno lo sapesse, come tutti gli amori nascono senza che nessuno lo sappia, ancor meno chi ama. Avrebbero saputo molto l'uno dell'altra, lei avrebbe saputo che cosa creava lui, parole senza senso, quando davanti agli occhi di lei (così grandi, così in lui, così profondi), quando davanti al corpo di lei (non una sola vena ferma, tutte a battere in attesa dell'istante della pelle) lui avrebbe conosciuto le paure di lei (avrebbe voluto proteggerla, con tutte le ossa, dal dolore, chiederle di entrare tra le sue braccia e respirare), perfino un po' di passato e quello che si era perso.

Di sicuro avrebbero compreso che tutte le sconfitte hanno un senso e che tutto quel che avevano perduto li aveva portati fin lì. Sarebbe stato il viaggio più corto della loro vita eppure non sarebbero mai più andati così lontano. Non ci sarebbero stati, quasi fino alla fine, tentativi audaci, né tentativi diversi dal favore degli occhi. Finché, lui non avrebbe saputo spiegare come, lei non avrebbe saputo spiegare come, sarebbe entrata in campo la mano. Lui l'avrebbe amata con la mano all'interno dello stivale alto di lei – ancora oggi saprebbe definire con esattezza il tocco di lei, l'istante in cui le scoprì un pezzo di pelle e credette di aver scoperto il segreto dell'esistenza della fede. Lei sarebbe arrossita un po' ma l'avrebbe lasciato fare, avrebbe capito subito che l'amore può perfettamente consistere nell'arrossire un po' ma lasciar fare. La mano sarebbe rimasta lì, a lungo. La stazione d'arrivo e due persone concentrate, con tutta la mente, nei pochi centimetri in cui la mano dell'uno era all'interno degli stivali dell'altra.

Nessuno avrebbe capito, mentre il treno rotolava via come se tutto fosse uguale, ma il mondo sarebbe cambiato, lì, irrimediabilmente, senza che alcun dio potesse impedirlo. Perché sarebbe arrivato l'attimo del bacio, si arriva sempre all'attimo iniziale del bacio. Tutto diverso dai film, non ci sarebbero state corse né abbracci smisurati, men che meno movimenti studiati, soltanto lui con il coraggio profondo di rischiare un bacio al limite di tutto, e lei senza sapere come rifiutare quel che non le sembrava rifiutabile. L'amore totale può perfettamente essere un bacio timido all'ultimo posto dell'ultimo vagone di un treno che senza saperlo starebbe cambiando il corso del mondo.

Sarebbe allora finito il viaggio e nulla avrebbe potuto impedire loro di cominciare il percorso fatale. Sarebbero arrivati, certo, il letto e l'orgasmo, ma nulla di tutto ciò sarebbe stato completo senza ciò che molto tempo dopo – quando lei ormai credeva solo, miscredente, che tutte le avventure così grandi dovessero avere soltanto un finale sbagliato (la realtà poteva castigare con severità solo l'esistenza della perfezione, e questo aveva anche una certa logica, la giustizia poetica a equilibrare il mondo) – entrambi avrebbero denominato, eufemisticamente, amore, in mancanza di un termine più adatto a quello che avevano vissuto, ventiquattr'ore su ventiquattro (proprio ventiquattro, perché ventidue o ventitré sarebbero equivalse allo spreco inspiegabile di una cosa troppo assurda per esistere).

Se lei fosse salita su quel treno, forse oggi sarebbe accanto a lui, nel letto dove un giorno accadde la prima volta, a leggere un testo esattamente uguale a questo, che lui avrebbe scritto pochi secondi prima di baciarle la schiena, passarle piano la mano sulle labbra e dirle che se avesse potuto tornare indietro avrebbe fatto tutto assolutamente uguale, così, lei, lui e il treno su cui il mondo è cambiato, e alla fine quel «ti amo» che non basta mai.

«Ti amo.»

«SOLO STAMATTINA ho trovato due nuove fidanzate.»

Nessuno sa il suo nome ma tutti ne conoscono le parole, gli adulti lo temono come temono tutto ciò che è strano, i bambini lo adorano e lo chiamano Testa Stanca. Del resto, non c'è nulla di più affascinante della sensibilità dei bambini, soltanto loro possono capire, in un istante e senza pensarci su, che quella testa ha già fatto quel che aveva da fare e ora è a riposo, perduta per non dover ritrovare chi si è lasciata indietro.

«Un giorno cambierò il mondo con due parole.»

E per le strade di Cascais, la baia a perdita d'occhio, eccolo che se ne va di qua e di là, la gente non sa se ridere o piangere per i passi e le parole del pazzo che ha soltanto, secondo i bambini, la testa stanca.

«Signorina, lei è così bella che sinceramente non so.»

La signorina ride, è davvero bella, forse ha trent'anni, non di più, sorride e passa avanti, non lo guarda, non ha il coraggio di guardarlo, lui continua a guardare lei ma non la segue, ha già trovato due fidanzate solo stamattina e non sembra particolarmente preoccupato di trovarne un'altra. Sarà quel che sarà, c'è da fare un giro in paese, perché altre persone lo evitino (tanti turisti e la magia di un pazzo in ogni punto turistico solo per rallegrarli), i pazzi spaventano più dei cattivi. Il sole comincia a tramontare in lontananza, alla fine del mare, e Testa Stanca non si arrende, continua a stancare il corpo per equilibrare i conti al centro di sé.

«Il mondo intero dipende da due parole mie.»

Accanto a lui un uomo, probabilmente inglese, dall'accento marcato lo guarda e vuole dargli una banconota, lui

rifiuta anche se non ha bisogno di rifiutare, non ha bisogno di elemosine, soltanto di parole. Procede tra la gente, la luce del giorno cala, l'inverno è alto e freddo. Testa Stanca se ne torna a casa, giornata andata, l'ennesima, prima di tornare alla scatola di cartone sul retro della rosticceria del centro, una buonanotte calorosa ai vicini, una visita breve al cassonetto dell'immondizia solo per non morire di fame, e il riposo del sonno di un guerriero che si è stancato di lottare.
«Ancora esisti tu.»

Lei lo svegliò come aveva fatto tante altre volte prima, nella casa a centinaia di chilometri che un giorno lui aveva abbandonato, senza che nessuno sapesse mai il perché. Gli passò la mano sul viso, senza dire nulla. Lui aprì gli occhi. Mai un letto di cartone gli era parso così accogliente. Non voleva credere ai suoi occhi, se li strofinò una volta, poi un'altra, e capì che era davvero lei. La strinse tra le braccia, la pelle bianca e pulita di lei sulla camicia sporca e nera di lui, poi disse di nuovo, stavolta a bassa voce – forse lo sentì soltanto lei – che un giorno avrebbe cambiato il mondo con due parole.
«Ti amo.»
E il mondo cambiò.

ERA TUTTA LA VITA che aspettava l'uomo della sua vita, e fu necessaria una morte a farlo arrivare. Vestito di nero, come vestono tutte le morti, e solo dopo quattro o cinque mesi lo vide sorridere. Era un uomo che aveva perso sua moglie. Il cimitero pieno e lei lì, senza sapere cosa farsene di quello che sentiva per una persona che non aveva mai visto prima, ma che già amava.

«La cosa più stupida dell'amore è che l'amore è così stupido che non ha nemmeno bisogno di conoscere chi ama», scrisse quella sera su un foglio a caso di un quaderno a caso. Si sentiva un'adolescente e voleva solo affrontare da adulta quello che le scorreva al centro delle vene. Ma come si fa a diventare adulti davanti all'amore? Come può una persona innamorata sentirsi adulta se l'amore consiste, in gran parte, nel riportarci all'infanzia, al momento in cui tutto succede di nuovo per la prima volta? Queste furono due delle domande che lei non scrisse ma che avrebbe perfettamente potuto scrivere, non fosse stato che, invece di aver paura di quello che stava accadendo, cominciò ad aver paura di quello che non stava accadendo.

«Nessuno aspetta tutta la vita una cosa che non varrà per tutta la vita», scrisse dopo, e quel che seguì fu molto semplice: una telefonata di qua, una telefonata di là, e in pochi minuti era molto più tranquilla anche se (o: magari perché) era molto più preoccupata. Sapere dove lui abitava era, in quel momento, la vittoria perfetta, la vittoria possibile. Poi c'era il dolore di lui e l'impossibilità che un uomo che ha appena perso l'amata torni ad amare con la stessa forza. Chi ha aspettato una vita intera ne aspetta due, avrà pensato, speculazione pura perché non scrisse nulla. Si sa soltanto che si mise a letto, con un sorriso sulle labbra e un foglio con delle lettere e un indirizzo nella mano destra, e si addormentò, come se già stesse amando.

È proprio nel momento in cui ci si addormenta come se già si stesse amando che l'amore comincia.» La mattina era arrivata, lui continuava ad abitare all'indirizzo di sempre, lei continuava ad avere una voglia matta che tutto accadesse subito. E non accadde. Bisognava attendere il primo istante, ma potevano esserci istanti intermedi: «Momenti di solitudine a due», come poi li avrebbe chiamati. Lo avrebbe amato senza che lui lo sapesse. C'è amore più infallibile di questo? Lo avrebbe seguito, con calma, ovunque fosse necessario seguirlo, conosciuto per amarlo meglio. Lo avrebbe amato in silenzio. C'è amore meno rumoroso di questo?

«Se un giorno mi guarderai, prometto che ti guarderò anch'io», ecco la dichiarazione d'amore che le restava e alla quale promise di essere fedele; non sarebbe entrata nella vita di lui se lui a sua volta, chissà come e perché, non fosse entrato in quella di lei. Finché non venne il momento in cui tutte le promesse smisero di contare. Lei lo seguì fino al ponte al centro della città, non capiva perché lui stesse andando lì, a passo lento e forse versando qualche lacrima per terra, con tutta la vita o tutta la morte a un passo di distanza. Quando capì quel che stava per succedere volle assolutamente guardare, non chiese il permesso e guardò. Lui la guardò, la guardò profondamente, e sarebbe stata di certo l'ultima immagine della sua vita.

«Fu quando mi costringesti a scendere da quel ponte che mi convinsi a rinascere», avrebbe scritto lui, un giorno, su un Post-it incollato al frigo della casa di entrambi, un bilocale piccolo ma così grande che nessuno dei due aveva bisogno di nient'altro che una stanza esigua e un divano.

«Ho aspettato tutta la vita una morte così», non scrisse lei, né lui. Se lo dissero, senza che nessun altro li sentisse, all'orecchio, e tutti i gemiti smisero di aspettare.

Ama.
Lavarti i denti accanto a chi ami.
Toccargli sfacciatamente il sedere.
Mangiare cioccolato fino a non poterne più.
Passare la notte a dire idiozie.
Baciare sempre con la lingua.
Mandare al diavolo il capo.
Passare la vita a dire idiozie.
Lasciare dichiarazioni d'amore nascoste per la casa.
Fare felice tuo padre.
Oziare regolarmente.
Fare felice tua madre.
Lanciare la sveglia contro il muro periodicamente.
Far felice chi puoi.
Dormire quindici o venti ore di seguito.
Mettere la mano fuori dal finestrino.
Tingerti i capelli di blu o di giallo.
Mettere la testa fuori dal finestrino.
Cantare in bagno perché ti senta tutto il palazzo.
Leccare il tappo dello yogurt.
Correre come un pazzo sulla spiaggia.
Sbagliare come un mulo solo perché ci provi.
Praticare sesso orale con frequenza.
Essere testardo come un mulo solo perché ti va.
Cambiare l'arredamento della casa in un giorno solo.
Ballare quando sei felice.
Passare ore a prenderti cura di te.
Ballare quando sei triste.
Parlare bene di chi ami.

Metterti le dita nel naso di nascosto.
Parlare bene di chi non ami.
Ballare finché sei vivo.
Custodire segreti inconfessabili.
Provare posizioni sessuali improbabili.
Raccontare segreti inconfessabili.
Masturbarti senza alcun senso di colpa.
Avere segreti inconfessabili.
Verificare a quanto va la tua macchina.
Dire quel che non si può dire.
Infischiartene assiduamente delle convenzioni sociali.
Sognare quel che non può succedere.
L'orgasmo ogni volta che puoi.
Grattare e farti grattare la schiena.
Il gemito ogni volta che puoi.
Passare molte ore a raccontare barzellette.
Addormentarti tutto storto sul divano.
Passare molte ore ad ascoltare barzellette.
Ridere come un pazzo.
Farti una pettinatura stramba solo perché hai voglia di cambiare look.
Ridere di tutto e di niente.
Piangere a destra e a manca.
Rotolarti sulla sabbia quando sei tutto bagnato.
Piangere perché anche quello è un diritto.
Abbracciare il tuo gatto e il tuo cane.
Mandare l'austerity a farsi fottere.
Baciare instancabilmente.
Non prenderti minimamente sul serio.
Evitare i rompiscatole.
Suonare uno strumento qualunque.
Perdonare chi è umano.
Rinunciare a quel che non ti serve.
Lottare per il diritto all'idiozia.
Scrivere un libro.
Dare la precedenza al piacere.
Leggere un libro.
Non rinunciare mai a chi ami.

Imparare forsennatamente.
Prendere in braccio chi ami.
Insegnare forsennatamente.
Rimanere senza fiato almeno una volta al giorno.
Nascere almeno una volta in più rispetto a tutte le volte che sei morto.
Vivere forsennatamente.
Te.

ERA UN BRAV'UOMO ma amava due donne.

Una era la donna pacifica, la donna-quiete, la donna-condivisione, la donna-complicità. Ogni volta che gli serviva una spalla, lei era lì, a braccia aperte, il petto tutto intero pronto a ospitare i suoi dolori. Non era particolarmente sensuale, non era particolarmente attraente, ma era di una bellezza che solo lui riusciva a scoprirle sotto il volto stanco di ogni giorno, una famiglia, una casa, due figli e tutta la vita sulle spalle. L'amava in assoluta pace, in dolce tranquillità, senza un solo brivido, è vero, ma anche senza la minima sofferenza violenta. Era la donna perfetta per vivere – e lui sapeva che senza di lei non ce l'avrebbe fatta a resistere, non ce l'avrebbe fatta a sopportare quello che troppe volte lo aggrediva. Lei era la barriera insormontabile, l'ultimo fortino di quanto riusciva a sopportare. In lei imparava a sopravvivere, in lei imparava a non arrendersi. L'amava perché era il modo migliore di continuare ad amarsi come persona, perché una persona buona come lei poteva amare solo qualcuno che fosse altrettanto amabile, e lui certe volte non si sentiva affatto amabile. La amava per egoismo, è vero, ma faceva tutto quello che poteva per renderla felice, era romantico e affettuoso, le faceva regali a sorpresa, qualunque cosa lei desiderasse, arrivava in capo al mondo per potergliela dare. Era la donna della sua vita anche se c'era un'altra donna della sua vita.

L'altra era la donna-libidine, la donna-vulcano, la donna-adrenalina, la donna-piacere. Bastava uno sguardo suo a far tremare il mondo intero, a fargli rizzare ogni capello, a fargli venire la pelle d'oca al solo sfiorare la pelle di lei. Non era equilibrata né ponderata, non era ammaestrata né addomesticata. Era una bestia feroce, che lui amava in quanto bestia feroce, e se un giorno si fosse calmata lui certamente avrebbe smesso di desiderarla. Accanto a lei non c'era pace possibile, quiete eseguibile: era l'orgasmo o niente. Non credeva nell'esistenza del grigio e vedeva nella possibilità del piacere l'unica prova reale dell'esistenza di Dio. «O mi scopi ora, o per me puoi anche perdermi per sempre», gli diceva senza paure ogni volta che sentiva in lui una qualunque esitazione al momento di cercare il gemito più grande del mondo. Era profondamente superficiale, forse era il modo migliore di descriverla; aveva una fede incrollabile nel fatto che non ci fosse nulla di più profondo del diritto a un ora perfetto, e probabilmente, se un giorno avesse scoperto che non c'era più nulla di nuovo da sentire, sarebbe morta di frustrazione. Era viziata di prime volte e perciò ogni volta che si incontravano dovevano cominciare col fingere di essere perfetti sconosciuti che lentamente si andavano scoprendo. Era la donna della sua vita anche se c'era un'altra donna della sua vita.

Il problema dell'amare due donne è il pericolo che un giorno, per un'incresciosa coincidenza, esse si incontrino. Fu quello che accadde. Lui era con la donna pacifica, grembiule addosso e il cibo in forno quasi pronto, quando la donna-libidine comparve. Non chiese permesso ma domandò, lì e subito, il piacere assoluto («O mi scopi, o per me puoi anche perdermi per sempre»). Andò così. L'altra, poveretta, scomparve in un attimo. Il tempo di togliersi il grembiule e gettarlo a terra. Il vantaggio dell'amare due donne è il pericolo che un giorno, per un'incantevole coincidenza, esse si incontrino in una donna sola.

«LA FOLLIA della vita è il corpo, sai?»

Davanti a lui una donna con le lacrime appese a un filo, un sorriso forzato, la sensazione che in qualunque momento lui possa andar via, l'uomo di sempre, la vita di sempre, e ora se potesse vorrebbe di nuovo tutti i litigi, di nuovo il modo in cui lui a volte non le dava tutta l'attenzione, tutto pur di averlo fuori da quel letto che come tutti i letti d'ospedale odora di qualcosa di molto simile all'odore della morte. Che odore ha l'odore che abbiamo quando ci troviamo davanti a qualcuno che vedremo morire?

«Promettimi che sarai felice con il primo che ti farà felice.»

Possono anche spuntare delle lacrime, e ora spuntano davvero, lei non ce la fa e piange, ma spunta anche la certezza di un futuro. Lui le chiede di andare avanti senza di lui, l'amore può perfettamente essere, molte volte, questo capire che l'altra parte di noi può anche andare avanti senza di noi.

«Perché non ti alzi e vieni a giocare con me, papà?»

La bambina è arrivata, non era previsto ma è arrivata, non sa ancora cosa stia accadendo ma sa che quello è suo padre, fermo, come se fosse un pigro che non vuole alzarsi, e cos'è la morte o la prossimità della morte se non una pigrizia che non passa?

«Papà ora non ce la fa.»

Nessun padre dovrebbe essere costretto a dire che non ce la fa, il «non ce la fa» è impossibile per un padre, per una madre, tutti i padri e tutte le madri dovrebbero sapere che hanno in sé dei superpoteri, e che se c'è una cosa che non possono fare è proprio dire di non farcela.

La prova di tutto ciò è descritta qui di seguito.

«Hai visto che ce la fai, papà?»

Alla fine ce la fa, ci ha messo qualche minuto ma ce l'ha fatta. Il padre, trascinato da tutta la sua vita e da tutta la forza che ha nelle braccia, un braccio sulla donna che ha sposato e l'altro sulla donna che ha visto nascere, è riuscito a sollevarsi, è in piedi, i tubi che gli spuntano dal corpo sembrano non esistere, c'è solo lui e chi ama, e lui in piedi. Gli occhi delle due donne, come sempre, innamorati di quel che lui è, l'amore intero appare intero, dei semplici tubi non potranno mai impedire un amore intero, ci sono un uomo che ama due donne e due donne che amano un uomo, solo questo, soltanto questo, intorno tutto è perfetto quando dentro di noi c'è lo spazio occupato, tutto occupato, da chi amiamo.

«Vieni, papà, facciamo una passeggiata.»

Se volessimo vedere ciò che sta accadendo con occhi negativi diremmo che questa è l'ultima passeggiata della vita di quest'uomo, sostenuto da due persone, una su ciascun lato, una piccola e una più grande, i tubi lo seguono, l'asta della flebo pure, i passi sono piccoli, le gambe squallide, magre da morire, e rendono ogni centimetro una vittoria, ogni passo un atto eroico. Ma invece non è nulla di tutto ciò, non è un'ultima passeggiata, è soltanto la passeggiata di tre persone che si amano e che nessun corpo riuscirà a separare. Lui può essere più lento ma è lui, può essere magro e sfinito ma è lui. Quando si ama, nessun corpo mette fine all'amore. Cosa contano delle gambe incapaci rispetto a qualcuno che si ama così tanto?

«Guarda, lì c'è casa nostra, papà.»

E camminano tutti e tre, con gli occhi fissi sulla finestra e lontano, confusa tra le tante, c'è una casa in cui tutti e tre ora arrivano, si immaginano di nuovo là, la bambina gioca e saltella in giardino, la moglie e il marito la guardano dall'ingresso, sorridono e si abbracciano. «Ne è valsa la pena», dirà uno dei due. «Ti amo e la amo», dirà l'altro. Poi lui insegnerà loro le regole di un gioco qualunque, giocheranno tutti e tre in un giardino in cui tutte le memorie sono ancora vive, e rimarranno lì, qualunque cosa accada, dentro lo spazio riservato a chi riesce a immaginarsi soltanto se immagina accanto a sé altre persone così.

«Domani torno e mi porti di nuovo a spasso, va bene, papà?»

Sì, domani tornerà, tornerà sempre, anche se il letto un giorno dovesse rimanere vuoto e il papà andare a spasso in un altro posto, un posto in cui lei non può vederlo. Domani la bambina tornerà e quando un giorno sarà adulta non smetterà di tornare, nella casa in cui ha guidato suo padre, nella casa in cui suo padre l'ha guidata, per insegnargli che nulla di ciò che si tocca con la pelle resta nella pelle. E che cos'è esser vivi se non essere ancora capaci di regalare sensazioni agli altri?

«Ogni volta che tornerai ci sarò.»

E c'è.

QUANDO MI ALZO mi piace stendermi accanto a te, aspettare il momento in cui ritorna il sonno, capire la dimensione inarrestabile dell'assurdità di essere vivo, e addormentarmi in te.

Ti amo emotivamente, e con ogni ragione.

Preferisco l'alba perché mi sveglia riportandomi a te mentre dormi, e quando ti tocco e ti apri a me non so se avremo abbastanza vita per amarci completamente.

Bisognerebbe spiegare il principio del mondo per spiegare il principio di noi.

Oggi sei distante e il suono delle macchine non è lo stesso, la finestra vuota senza il tuo corpo ritagliato in mezzo alla luce di fuori, le parole di mio padre senza il tuo sguardo e il tuo udito sembrano segni a indicare che esiste soltanto quello che passa attraverso di te.

Non ho bisogno di te fino alla morte; ho bisogno di te fino alla vita.

Cade la sera e la nostalgia si leva, ti ho lasciato da poche ore e ho perso anni di vita, non ricordo più cosa esistesse prima di te, e a dirti la verità perfino le mani mi fanno male come se fossi vecchio mentre ti scrivo queste parole.

Temo i silenzi solo quando non ti sento taciturna al mio fianco.

Mi piaci in un modo incomprensibile, come se accadesse quel che mi accade soltanto al di là di te, come se accadesse soltanto quello che accade con te, gli altri vicino a noi, le luci, la televisione accesa, tanta gente che io amo ma che non è il mio posto nel mondo.

Per favore, di' ai tuoi che hanno inventato Dio.

Cerco con queste lettere di avvicinarmi alla tua pelle, probabilmente tutte le opere sono nate da questa voglia violenta di recidere distanze, di avvicinare i corpi attraverso le parole, e quando mi diranno che sono un genio sapranno che stanno parlando di te.

Il segreto della letteratura è abdicare al linguaggio.

Nessuno, quando ama, pensa alle parole, sono le parole che servono ad amare e non il contrario, e *ti hamo* è sempre il verbo più corretto del mondo – perché nulla, neppure un insignificante codice ortografico, può rendere sbagliato un *hamore* come questo.

Solo chi ama male scrive male.

«CHE COSA stai disegnando?»
«Dio.»
«Ma nessuno sa come è fatto Dio.»
«Aspettate un attimo e lo saprete.»
Fu così che conobbi Zambé, il ragazzino di cui voglio parlarvi oggi. Era sbarazzino, una bella testa, tutta la vita dentro agli occhi quando mi guardava, nell'aula di quella scuola, e quando mi faceva credere che le uniche cose inesistenti sono quelle che non si immaginano. Con Zambé ho imparato a essere bambino e credo bene che non ci sia insegnamento più prezioso di questo.

«Cosa vuoi fare da grande?»
«Tornare a essere piccolo.»
E lo ha fatto. Lo ha fatto davvero. Qualche mese fa, quando l'ho incontrato, era lì, con lo stesso sguardo, la stessa voglia di scoprire tutto per la prima volta, aveva in braccio un bambino e ho capito che era solo una scusa per non crescere.

«E allora, che fai?»
«Invento.»
«Cosa hai inventato oggi?»
«Un nuovo modo di abbracciare.»
Mi ha insegnato immediatamente quell'abbraccio, tutta la strada immobile rideva di noi, qualche sguardo di scherno, e io e Zambé che saltellavamo in un nuovo modo di abbracciarsi che nessuno capiva ma faceva un gran bene. In fin

dei conti, quello che la vita ci regala è una cosa che nessuno capisce ma che fa un gran bene.

«Cosa stai facendo?»
«Insegno a leggere a mio figlio.»
«Ma ha due anni.»
«Sì, ma è ancora in tempo.»
«E conosce già le lettere?»
«A che serve conoscere le lettere per saper leggere?
Ed è rimasto lì, con quel sorriso inconcludente che soltanto le persone libere riescono ad avere, con un bambino di due anni in braccio al centro di un parco in cui tutti pensavano a bollette, crisi, cose insignificanti come la sopravvivenza, dimentiche del fatto che la cosa più importante stava accadendo e si chiamava vita, e intanto il sole brillava alto. In fin dei conti, quello che la vita ci regala è il suo semplice accadere, con il sole che brilla alto.

«Cosa gli regalerai per Natale?»
«Pensavo di regalargli un bacio.»
Con tutta la serietà del mondo, Zambé scherzava, e forse quello era il segreto della felicità dei bambini. C'è qualcosa di più serio dello scherzo, per un bambino?

«Mi piacerebbe assistere al mio funerale.»
«Ma perché?»
«Proverebbe che sarei ancora vivo.»
Zambé era, passi il pleonasmo, un bambino filosofo.

«Hai paura della morte?»
«No.»
«Perché?»
«Quando arriverà, so che non mi troverà vivo.»
E così è stato.

È INSOPPORTABILE desiderarti così tanto ma è impossibile non desiderarti così. E tutto brucia quando si richiede tanta vicinanza, quando si capisce che tutte le lotte sono possibili tranne quella che mi oppone al desiderarti. Tutti i sogni sanno di poco quando non ti ci sogno dentro.

Che cos'è la felicità se non quello che ci succede quando siamo insieme?

Voglio tanto un abbraccio quanto voglio non volere un abbraccio.

E ti abbraccio. Con tutta la disperazione di una bisognosa, con la mera dipendenza dal continuare a stare con te, e il dover essere così tua è triste quasi quanto è sconvolgente lo stare nel cuore delle tue braccia.

Ci mancano tante cose e basta un abbraccio a farci avere tutto.

Tutto il potere si scioglie in baci.

«Voglio addormentarmi nell'immortalità delle tue labbra», ti dico, e il tuo sorriso mi dice che te ne infischi delle parole, e la tua bocca aperta pronta a rovinarmi mi dice che mi vuoi soltanto per quello che ti do.

Ma che cos'è l'amare se non l'essere dipendenti da ciò che l'amato ci dà?

Solo chi ha bisogno dello sconsigliabile merita di esistere.

Quello che nessuno crede esista è quello che dà valore al nostro esistere, e la realtà è una successione di noie finché non incontri chi ti toglie le scarpe e ti fa mettere comoda. Quando mi chiederanno di definire la vita, dirò «due stupidi», e tu e io sappiamo che soltanto la stupidità prova l'esistenza della felicità.

Meglio due stupidi capaci di volare che un dritto con i piedi per terra.

Intorno ci sono amori regolari, amori che si stabilizzano, amori che diventano solidi per ogni giorno di concessione. Ma tra di noi non ci sono concessioni. Tra di noi c'è una battaglia senza restrizioni che presuppone, a volte, scontri frontali. E molte volte senza alcun indumento a coprirci il corpo.

Il lato positivo dell'essere in guerra con te è sapere che anche quando perdo ne usciamo vincenti. Perché noi due stiamo in trincee diverse ma pur sempre dalla stessa parte. Tu vuoi amarmi a modo tuo, io amarti a modo mio. Ma entrambi vogliamo che questo amore continui.

E cos'è la vita se non lottare tutti i giorni per far continuare l'amore?

Sono così stupidi, quelli che non sono stupidi.

E non capiscono che perfino la routine può essere eccitante, che tutti i giorni esistono per far accadere l'imprevedibile, perché qualcosa ci lasci con il cuore in mano. E sopportano. Conservano i desideri per il futuro, le fantasie per il futuro, la rivolta per il mai. E così vanno rimandando in attesa del giorno fissato per la felicità, del momento della liberazione programmata. Ma la felicità programmata è pessima, è una porcheria. Perché solo quel che ci fa mancare l'aria ci gonfia il petto, e creare nuovi modi di amarti è l'omaggio che quotidianamente ti faccio.

Ogni giorno mi risveglio per aprire gli occhi all'ingenuità. Il novanta per cento della felicità è ingenuità e l'altro dieci per cento è ignoranza.

Meglio innocente ogni giorno che per sempre colpevole.

IL GIORNO in cui ti abbandonai, fosti tu a non voler restare.

A ben guardare il mondo è semplice, almeno il mondo che ci interessa: esiste il tuo sorriso e la vita, e qui si capisce facilmente che cos'è un pleonasmo, e soprattutto lo spreco di parole che c'è in giro.

Il dizionario perfetto avrebbe la tua foto in copertina e tutti i fogli in bianco all'interno, e allora il linguaggio rinascerebbe, il tuo volto da solo occuperebbe il principio della lingua, tutti gli storici parlerebbero della rivoluzione del tuo corpo, e arrivando all'ultima pagina avrei già strappato tutte le altre per impedire al mondo di scoprire che ti vado conquistando con parole stentate.

Il giorno in cui ti abbandonai volevo che restassi a vedermi tornare. È così che amano i poeti, non lo sapevi? Ti immaginai ad attendermi con addosso la lingerie della nostra prima notte, il sorriso monello delle tue gambe semiaperte, il rossetto sulle labbra solo per sporcarmi sul serio. Io avrei fatto il difficile, sai com'è, uno sguardo serio di qua, una parola secca di là, forse addirittura una lacrima che avrei studiato davanti al negozio di elettrodomestici prima di tornare. Tu avresti chiesto per favore che ti perdonassi per una cosa che, ti giuro, non avrei saputo cosa fosse, avrei voluto soltanto le lenzuola chiuse e il tuo corpo freddo nel mio per inventare con te il calore perfetto.

Quando tornai a perdonarti tu non mi avevi più perdonato, la casa era vuota con tutto dentro. Nel posto in cui ti avrei perdonata c'era soltanto la coperta, e il divano morto su cui ero sicuro che mi avresti perdonato per quello che io non sapevo avessi fatto (che diavolo hai fatto per arrivare a chiedermi scusa?). Ti cercai dappertutto per perdonarti, e poco a poco capii che eri andata via perché ti avevo abbandonata per poterti amare con più forza, va' a capire i poeti e le loro manie.

A ben guardare, la poesia è semplice, almeno la poesia che ci interessa: esiste il tuo amore e il poema, e qui si capisce facilmente che cos'è un pleonasmo, e soprattutto lo spreco di parole che c'è in giro.

Volli tirare la corda per impedire che esplodesse, capire che mi volevi ancora dopo l'orgoglio, darti l'insicurezza per sentirmi sicuro, e quando andai a letto tu non c'eri ed ero io il poema, tutte le menzogne create dalla letteratura erano lì a disfarsi. Ma chi l'ha detto che l'artista è un solitario se tutti i giorni cerco di scrivere un'opera d'arte e scrivo solamente te?

Il giorno in cui ti abbandonai, fosti tu a non voler restare, e ora (giuro che sono pronto a tornare e che sei perdonata):
ora, invece, rimarresti?

«MI AVEVANO GARANTITO che non sarei mai più riuscito a camminare, e io lo accettai a modo mio», mi disse un giorno mio nonno mentre correva al mio fianco nel parco, io bambino e lui che mi tirava.

«Mi avevano garantito che non sarei mai più riuscito ad avere figli, e io lo accettai a modo mio.» Mio padre sarebbe nato un anno dopo, e così cominciai a capire che accettare non significa arrendersi, dopo l'accettazione bisogna proseguire.

Mi offende che qualcuno voglia decidere per me, tutto qui.

L'eroe in fin dei conti è soltanto un uomo più testardo degli altri, più irascibile degli altri, più insopportabile degli altri, se esistono eroi sopportabili allora di fatto non esistono eroi.

«Sarai una persona soltanto quando saprai cavartela senza dire una parola.» Fu così che imparai a scrivere, lui mi stava accanto con le sue parole, un uomo di campagna a insegnarmi l'importanza del linguaggio, una frase qua, un'altra là, poi mi prestò stivali da adulto e io diventai grande in mezzo al podere, non era vasto ma aveva spazio per il mio sogno tutto intero, gli animali, io e i miei stivali da adulto.

Dobbiamo imparare sin da piccoli a stare nelle scarpe dei grandi, mungere, arare la terra, viaggiare in treno: mio nonno era ferroviere ed era il miglior ferroviere del mondo.

«Anche quando urino ci tengo a essere il migliore», e io mica lo sapevo cosa significasse urinare, perché diamine non insegnano a un bambino di cinque anni che significa il verbo urinare?

La sua mano sulla mia schiena, tanta vita in quelle dita, ogni pelle ha mille libri da scrivere.

«Prendi questa penna e fanne ciò che vuoi, anche soltanto denaro», e sono diventato scrittore solo per provare il tuo dono e le tue parole, una penna Parker impiastricciata d'inchiostro che conservo ancora religiosamente.

«Non credo in Dio ma ho fede nella sua esistenza.» Mi manca la tua voce aspra a calmarmi, il tuo modo rude di amare.

«Tua nonna non mi serve a niente, solo a star vivo», la dichiarazione d'amore più profonda che abbia mai sentito. Niente di quel che ho letto dopo di te eguaglia lontanamente il tuo sguardo quando dicevi la verità, e tu dicevi sempre la verità.

«Quello che resta in superficie mi nausea», e che nausea, nonno. Probabilmente eri nato nel mondo sbagliato, che ne so, volevi conoscere l'umanità fino all'osso e ti davano in cambio soltanto la pelle.

«Mi indigna l'umiltà, solo l'arroganza può cambiare il mondo. E il buonismo, il chissà, il "fammi vedere se ci riesco", lo "scusa se esagero", senza superbia solo il mediocre sta al mondo. Devi rischiare di essere il migliore di tutti e di sempre, oppure niente.» Io ci provo, nonno, ci provo e sono così altezzoso che ci sto male, sai? Sono sicuro che nessuno sappia far meglio di me e nonostante ciò non mi fermo, solo per creare una distanza maggiore, perché nessuno possa un giorno – e quel giorno arriva sempre, vero? – sapere come si respira al posto mio.

«Vivo per smantellare gli impedimenti», e io a domandarti che cosa significasse smantellare. Insegnare parole è insegnare il mondo, a che vale un abbraccio se neppure sai cos'è?

Vedo nell'ignoto la soluzione, mai il problema. Se una cosa esiste, non è per me, se esiste mi sa di poco, inventare è il minimo che possiamo fare per mostrare gratitudine alla nostra esistenza. Siamo qui per fare la differenza o per far numero, in fin dei conti?

«Mi avevano garantito che ne sarei morto, e io lo accettai a modo mio, ma nel dubbio di' a tua nonna che la amo come un intero campo da seminare»,

e io glielo dissi.

MI CHIEDI di accompagnarti a portar giù la spazzatura, e la vita è meravigliosa.

Avevo promesso di non innamorarmi di nessuno come sono innamorato di te, e anche così non mi sento incoerente, o forse sì e la cosa più bella del mondo è proprio l'incoerenza, fare ora quello che non avrei mai fatto prima, la ragione è sempre troppo sopravvalutata, ovvero: se quello che ci rende felici raramente ha un motivo, perché dovremmo mettere la ragione al di sopra di tutto?

Ci abbracciamo stretti forte contro il muro accanto alla campana del vetro, e la vita è meravigliosa.

Abbiamo il mondo intero contro, quando ci amiamo così. Prima di te credevo nella possibilità che la felicità non esistesse, che fosse una favola per bambini raccontata troppo presto, che gli scrittori fossero creature diaboliche create solo per farci soffrire, e che amare per sempre fosse una scena da film, con due persone innamorate che si correvano incontro in mezzo alla sabbia bollente di una spiaggia. Ma poi tu sei entrata nella mia pasticceria, non è mia ma è come se lo fosse perché è mio ciò che amo, hai sorriso timidamente e mi hai chiesto un diplomatico. Io non so come, anche perché non sono uno che fa lo spiritoso, ti ho detto che no, non ero affatto diplomatico, e tu, mi sciolgo dall'emozione ancora oggi solo a pensarci, te lo garantisco, sei scoppiata a ridere, fino a coprirti la bocca con le mani, perché ti vergognavi di quella tua risata, e io ho cominciato a credere subito, lì, in quel preciso istante, a tutti gli scrittori del mondo, ché alla fine quei bastardi hanno inventato una cosa che già esisteva, e probabilmente è questo il ruolo primordiale dell'arte (che ne so io dell'arte? Ma comunque): inventare quel che già esiste è la più grande delle creazioni.

Un vecchietto viene a lasciare la sua immondizia e ci passa accanto scuotendo la testa, e la vita è meravigliosa.

Mi piace la tua lingua che incontra la mia. La vita dovrebbe essere così, chi lecca di più sarebbe il più ricco, o forse lo è davvero, forse lo è, e semplicemente nessuno se ne è mai accorto, forse la ricchezza è leccare quello che la vita ci dà, il tappo di uno yogurt, la lingua di chi amiamo, perfino la lingua di chi non amiamo ma che ci ispira passione, non ne so nulla di queste cose, non ne ho mai saputo nulla, so che quando mi lecchi la lingua con la tua mi dimentico chi sono e mi so profondamente me. L'amore è probabilmente questo, l'amore può essere soltanto questo: ciò che ci impedisce di sapere chi siamo e nello stesso tempo ci porta a saperci profondamente noi.

Saliamo insieme per le scale perché l'ascensore è troppo veloce per la nostra libidine, e la vita è meravigliosa.

Poi abbiamo fissato un appuntamento, tu avevi detto che saresti arrivata alle sei ed erano le cinque e mezza e non arrivavi mai, mancava ancora mezz'ora ma non potevo correre il rischio di non arrivare in tempo, erano le quattro del pomeriggio ed ero già felice come se fossero le sei, a dire il vero era ancora mattina e io ero già felice come se fossero le sei, ma a ogni modo erano le cinque e mezza e stavo sotto la pioggia e quando tu sei arrivata mi hai chiesto perché non avevo l'ombrello e io ti ho chiesto perché, tu hai riso (darei la vita per un tuo sorriso che duri anche solo un secondo) e non hai capito che non era uno scherzo. Io ero lì tutto inzuppato e non mi ero ricordato di portare un insignificante ombrello perché aspettavo soltanto che tu arrivassi ed ero felice dalla mattina (o da prima, non posso garantire che non fosse da molto prima), poi hai chiesto perché non mi fossi riparato all'entrata del bar o del negozio, e io ti ho chiesto un'altra volta perché, e tu stavolta hai riso di meno, e quando ridi di meno il mondo si ferma e io devo fare qualunque cosa per correggere quel meno (non è questo l'amore? Fare di tutto per correggere un sorriso in meno della persona amata?). Ti ho stretta a me, Dio solo sa come ho fatto ma ci sono riuscito, e ci siamo incamminati senza ombrello (il tuo l'hai lasciato cadere per terra ed è rimasto lì, speriamo che qualcuno non innamorato ne abbia fatto uso) sulla strada per il ristorante, con la certezza di stare percorrendo la strada del per sempre.

Mi fai il solletico nell'ingresso di casa e io mi contorco tutto fino a stendermi come un matto sul pavimento freddo, e la vita è meravigliosa.

Ho nutrito tanti dubbi sugli scrittori e ora ti scrivo come se anch'io lo fossi, spero che tu non pensi alla grammatica e a cose del genere quando leggerai questo testo, pensa soltanto che dev'esserci qualcuno che non mi crede quando legge le mie cose, ma poi ci sarà una qualunque pasticceria e un'altra te per quel qualcuno, e tutta la letteratura comincerà ad avere senso.

Ti addormenti dentro la mia schiena, io ti guardo e piango, e la vita è meravigliosa.

«AMAMI come se mi avessi scoperto ora.»

L'ultima notte dell'anno ho voglia delle cose di cui ho avuto voglia tutte le notti dell'anno: il tuo corpo accanto al mio, anche senza un orgasmo sono felice lo stesso, e la vita, ben lenta, passa con la tua pelle nella mia.

«Insegnami a invecchiare felice.»

Sono una donna dai gusti semplici, non dico che pretendo il meglio, mi limito a dire che se non ho il meglio non ho nulla.

«Promettimi che ti scorderai del tempo mentre mi tocchi.»

E lui lo promette. È quasi mezzanotte, nel mondo di quel Paese si trema dall'ansia, ci sono in aria razzi pronti a esplodere, un nuovo anno è sempre un buon motivo per festeggiare, e il contatto avviene.

«Non è vero che tutto accade per una ragione. Tutto ciò che realmente accade non ha alcuna ragione.»

Non erano, non sono, forse non lo saranno mai, una coppia come le altre, non credono nella convivenza, non credono nel matrimonio, non credono neppure nei figli o nella famiglia. Probabilmente non sono neppure una coppia, a voler essere rigorosi. Credono nell'istante dell'amore, come hanno deciso di chiamarlo. Si amano come se amassero la vita, si consumano disperatamente, inventano nuovi pezzi di pelle da provare. Poi, ognuno se ne torna a casa sua e si dedicano ad amarsi senza che i corpi abbiano alcun legame con la storia.

«Non so se amo di più la tua pelle o la memoria che ne conservo.»

Prima credevano soprattutto in una massima che avevano inventato insieme, secondo cui nessuna felicità doveva restare intentata. Ecco perché, sebbene nessuno dei due lo avesse fatto prima, si concedevano l'un l'altro la libertà di fare quel che meglio credevano con chi gli pareva.

«Dobbiamo provare tutto quello che ci intriga.»

Quella notte in cui si festeggiava l'arrivo dell'ennesimo giorno, tornarono al rituale di sempre. Lei lo strinse, gli chiese di non lasciarla mai, lui la strinse e le chiese di non lasciarlo mai, restarono così per qualche minuto, ogni tanto cambiavano posizione sempre tenendosi stretti, finché lei gli chiese di non lasciarla mai e lo lasciò, e poi lui le chiese di non lasciarlo mai e la lasciò. Si incamminarono silenziosi verso l'esterno, dove ciascuno andò per la propria strada e dove, separati, sentirono che il vero legame era il loro, che permetteva di conservare dell'amato soltanto la memoria migliore, soltanto l'istante migliore. Si sentirono, allora, pienamente consumati.

«Per favore, amami con qualche difetto.»

O no. Oppure non andò per nulla così. Oppure lei capì che quello che amavano era una specie di amore, e non le piacevano le specie di cose, qualunque fosse la cosa.

«O genero una specie o sono una specie di persona.»

E lui la ricevette nel suo appartamento dove lei non era

mai stata perché avevano deciso di incontrarsi sempre in territorio neutro (perché portare uno spazio occupato in qualcosa che occuperemo per intero?), e lei gli disse: «Ti voglio anche se sei debole, anche se hai problemi, anche se a volte mi irriti o mi ferisci, anche se dobbiamo soffrire da cani per restare insieme». Lui aprì le braccia e le disse: «Non speravo mi amassi quanto io amo te, sento la tua mancanza, i ricordi sono belli ma a dire il vero preferisco l'originale all'imitazione».

«Oggi ho voglia di vivere con te per sempre.»

Le grandi decisioni sono quelle che si prendono senza riflettere, e oggi voglio che tu sia mio senza che nessun'altra ti tocchi, oggi ho voglia di essere la tua donna e non concederti nessunissima tentazione, chiamami egoista se vuoi ma non puoi accusarmi di non tentare la felicità.

«Quanti anni ti servono per capire che è per sempre?»

Lui non rimase male a dover essere di una donna sola all'improvviso, perché lo era sempre stato anche quando non doveva esserlo, si abbracciarono e stavolta stabilirono che non avrebbero più festeggiato il capodanno, bisognava prendere decisioni, scegliere la casa, fare tutto ciò che le coppie devono fare per cominciare una vita insieme.

«Non credevo che essere normali fosse così straordinario.»

Si sposarono e furono sé stessi per sempre: tutte le favole per bambini dovrebbero finire così. La loro, però, era una favola per adulti. Ma non per questo smetteva di essere una favola per bambini.
Si sposarono e furono sé stessi per sempre.

L'UNICA COSA che avevano era la certezza di amarsi, e già allora pensavano di avere tutto.

Erano giovani e non sapevano quello che facevano, non studiavano come dovevano e non imparavano come potevano. Poi divennero adulti e continuarono a non sapere quel che facevano e da vecchi esattamente la stessa cosa, forse era proprio una prerogativa degli esseri umani fare quello che non sapevano fare, e forse questo è quel che si chiama apprendimento, chissà. Credevano bastasse l'amore a far accadere la vita, ma avevano dimenticato che bisognava guadagnarsela, la vita. Tutto questo per dire che lei adorava leggere ma non aveva i soldi per comprarsi i libri; e lui non adorava leggere – forse perché non lo sapeva fare.

La verità è che l'amore unì in modo strano una donna che non viveva senza la lettura e un uomo che non sapeva né leggere né scrivere, e se questa non è una storia d'amore che comincia male vuol dire che nessuna storia d'amore comincia male.

Così lui lavorava dove capitava, aveva una certa abilità manuale, e lei faceva la cuoca in un ristorante. Quello che guadagnava a fine mese le bastava per mangiare ma mai per leggere. Chiaramente c'erano le biblioteche e cose del genere, ma la più vicina (abitavano isolati e lontano dai genitori: quelli di lui erano emigrati, quelli di lei le avevano chiesto di scegliere tra la famiglia e l'uomo analfabeta che amava, e sappiamo quale fu la sua scelta) era a molti chilometri di distanza e per prendere l'autobus fin lì doveva uscire prima dal lavoro, cosa che mai, o quasi mai, riusciva a fare. Lavorava tutti i giorni, anche la domenica, e solo nelle vacanze, quando ce le aveva, riusciva ad assecondare il vizio e leggere quattro o cinque grandi classici in una settimana e così era pronta a sopravvivere per il resto dell'anno.

Ma c'era l'amore, e se c'è una cosa che l'amore non fa è desistere.

Accadde quanto segue: lui, senza che lei lo sapesse, smise di essere analfabeta, mai nessuno capì bene come. Si dice che un cliente gli avesse prestato dei libri del figlio più piccolo che era in quarta elementare, e che lui, senza che lei si accorgesse di nulla, fosse riuscito a capire da solo come si univano le lettere tra loro una dopo l'altra. Poi vennero le parole e infine i testi. Era, senza dubbio, uno sforzo lodevole in nome dell'amore, probabilmente lo stava facendo per poter leggere insieme a lei, o semplicemente per poterla seguire nella lettura delle poche cose che riusciva a leggere. L'amore è condivisione e anche amicizia. Oppure voleva soltanto che lei lo amasse ancora di più, che lo volesse ancora di più, così avrebbero potuto parlare di quello che riuscivano a leggere, e quel che regge l'amore è, a ben vedere, la capacità di conversare sulle cose.

Abbiamo quindi un uomo che ha imparato a leggere e a scrivere per amore, e già di per sé sarebbe una grande storia d'amore.

Ma c'era altro, quest'uomo non amava un amore qualunque né era un uomo qualunque, sapeva bene cosa voleva quando aveva imparato a leggere e a scrivere, e perciò nulla andava tralasciato, c quando uno ama sopporta perfino la propria infelicità ma mai l'infelicità di chi ama. C'era un dolore immenso dentro quella donna perché non aveva libri da leggere e ne aveva bisogno (chi la conosce racconta che leggeva all'infinito il menu del ristorante appena arrivava, per vedere se riusciva a trovarci dentro un pezzettino di letteratura capace di alimentarla), e c'era un uomo che ora sapeva scrivere pronto a risolverlo, perché se ora sapeva scrivere, perché diamine non doveva riuscire a dare a sua moglie ciò che tanto le mancava?

Tutti i grandi libri sono scritti per amore, e il primo che scrisse lui era lungi dall'essere un grande libro ma non per questo non lo era.

I periodi erano semplicissimi, le parole usate erano assolutamente rudimentali, la rilegatura manuale, fatta con una cordicella sottile e con cartoncini che aveva ritagliato dalle confezioni del latte, era come minimo di dubbio gusto, ma la verità è che a lei, quando ricevette quel libro dalle mani di lui (tieni, leggilo, è tuo, spero ti piaccia), bastò leggere una frase, o neanche quella, per avere la certezza di stare iniziando a leggere l'opera più impressionante della letteratura universale.

Quando finì di leggere, lo guardò con gratitudine e volle baciarlo fino in fondo alle ossa, ma lui accettò solo un bacio rapido e una critica feroce, cose che lei gli diede senza misericordia.

Non c'era tempo da perdere, lui annotò tutte le critiche e si mise all'opera, tutto il tempo libero lo usava per quello, per il suo libro, e senza accorgersene (è sempre senza accorgersene che si fanno le cose autentiche, fatte con l'anima) non era più un qualunque sfaccendato, un qualunque tuttofare, ormai era, effettivamente, uno scrittore, perché chi passa la vita a scrivere è scrittore e basta.

La seconda opera era pronta, aveva già un aspetto diverso, aveva la stessa copertina brutta e la stessa rilegatura grossolana, ma un libro lo si giudica dal modo che ha di parlare e non dal modo di vestirsi, in questo i libri sono come le persone, né più ne meno.

Alla fine dell'ultima frase lei stava piangendo, lui volle sapere perché, ma lei non riuscì a parlare, gli diede solo un bacio con la vita dentro e gli chiese un po' di tempo per respirare.

«Ho letto il libro più bello della mia vita», disse lei qualche minuto dopo. Lui sorrise, pensò che lei fosse condiscendente, e le chiese la critica feroce di cui aveva bisogno. Lei stavolta preferì non dire nulla, lui prima rimase male ma poi accettò, e continuò a scrivere. Certo, è ovvio, continuare a scrivere è quello che uno scrittore deve saper fare, né più né meno.

C'era una coppia che aveva tutto per poter andare male, ma c'era l'amore e a ben guardare è quel che basta perché tutto vada bene.

Così lei capì che era il suo turno di agire in silenzio, ci sono segreti nell'amore che sono prove d'amore, e consegnò il libro (il più bello della mia vita, senza dubbio il più bello della mia vita, e ne ho già letti tanti, di libri buoni, è il più bello della mia vita e non lo dico perché l'ha scritto l'uomo della mia vita) al proprietario del ristorante dove lavorava, il proprietario del ristorante lo lesse e pianse e lo adorò, e lo diede a un amico che era amico di un amico di un editore importante. E quando, più di tre anni dopo, qualcuno bussò alla porta di casa di quella povera coppia, quello che si sentì non era il toc-toc alla porta, era il toc-toc di due cuori che, senza saperlo, erano riusciti a sostenersi per intero nell'amore intero. C'è un sostentamento migliore di questo?

Era un illustre rappresentante di un'illustre casa editrice con un illustre contratto da firmare, che l'autore lesse con orgoglio ("Ora so leggere e posso leggere i contratti quando me li mettono davanti", ed è davvero unica quest'immagine di uno scrittore felice come un bambino solo perché sa leggere). Firmò subito – aveva la strana mania di fidarsi delle persone – ma non senza prima chiedere un piccolo anticipo ("Sì, un anticipo, è proprio così che si dice, e io lo so che si dice così"). L'orgoglioso scrittore pretese dunque che la casa editrice gli garantisse la consegna giornaliera, a casa, di almeno quattro libri, perché per quanto si sforzasse il suo ritmo di scrittura non seguiva il ritmo di lettura della donna che amava.

E così fu. Tutti i giorni, nel tardo pomeriggio, un furgone della casa editrice si fermava davanti alla loro porta e lasciava lì quattro libri, a volte di più, e così trascorrevano le serate, lei a leggere e lui a vederla leggere, tutto il mondo e tutto lo sforzo acquistavano senso per sempre.

È chiaro che il libro ebbe un successo strepitoso, è chiaro che tutti i suoi libri a partire da allora ebbero un successo strepitoso, è chiaro che lei lasciò il ristorante, almeno la cucina del ristorante (in seguito sarebbe diventata socia dell'uomo che aveva aiutato il suo uomo a diventare il suo scrittore pubblicato preferito), è chiaro che smisero di vivere in quella casa povera, ma è chiaro anche che le serate furono sempre tutte uguali, con lei felice a leggere e lui felice a vederla leggere. Tutto il mondo, in fondo, si riduce a questo: alcuni leggono felici e altri li guardano leggere felici. Basta che ci siano i libri perché la vita continui.

L'unica cosa che avevano era la certezza di amarsi, e già allora pensavano di avere tutto.

E ce l'avevano.

ERA UN BRAV'UOMO, ma odiava la pelle. Gli dava nausea il contatto, gli faceva schifo il calore. Amava a distanza, in sicurezza. O, come spiegava insistentemente, «come si ama un paesaggio».

Era una brava donna, ma aveva il vizio della pelle. Aveva la necessità ossessiva del contatto, un bisogno incontrollabile di calore. Amava in contatto, con i muscoli. O, come spiegava insistentemente, «come si ama un alimento».

Un giorno si incontrarono, all'ennesima festa dell'ennesimo amico. Lei disse come si chiamava e si avvicinò per dargli il bacino di circostanza, lui disse come si chiamava e indietreggiò di due metri. Eppure, per un qualche impulso a cui entrambi, in seguito, avrebbero dato lo strano nome di amore, rimasero a chiacchierare. Lei gli parlò della sua famiglia, dei suoi sogni, delle sue paure, mentre avanzava, gradualmente, verso di lui; lui le parlò della sua professione, dei suoi progetti, delle sue passioni, mentre indietreggiava, gradualmente, verso la parete. Percorsero almeno due volte l'intera sala, una cosa come cinquanta o sessanta metri quadrati: lui indietreggiava dinanzi ai passi di lei.

Finché non decisero di parlare delle differenze.

Lui le spiegò la sua teoria, secondo cui le persone sono esseri fatti di anima e non di contatto fisico, e perciò il grande piacere è sentire l'immateriale, assaporare l'intangibile. O, come ripeté all'infinito, «toccare con gli occhi».

Lei gli spiegò la sua teoria, secondo cui le persone sono esseri fatti di vene e non di spirito, e perciò il grande piacere è alimentare il palpabile, divorare il corporeo. O, come ripeté all'infinito, «guardare con la pelle».

Andarono via dalla festa insieme, benché separati da due o tre metri buoni, e salirono sullo stesso taxi benché ognuno avesse il proprio. Poi lui le permise di toccarlo per un secondo o due, e lei permise a lui di guardarla per un secondo o due. Poi andarono a letto insieme, come avrebbero fatto da quella sera in poi, ciascuno nel proprio letto della stessa casa.

Vissero – e chi li conobbe dice che vissero felici – così. Un amico più intimo avrebbe poi raccontato che si amavano a fasi alterne: una volta lui si lasciava anestetizzare perché lei potesse toccarlo per un po', una volta lei si lasciava immobilizzare perché lui potesse soltanto guardarla per un po'. Non ci sono prove che tutto questo sia successo. Ma quel che è provato è che chiunque si trovasse accanto a loro nel momento in cui lui morì, gli sentì dire queste ultime parole: «Voglio il tuo abbraccio», nella sorpresa generale. E poi chiuse gli occhi. «Ora che non può più amare a modo suo, vuole amare a modo mio», avrebbe detto lei, qualche secondo prima di seguirne le orme. E cominciarono, felici per sempre, ad amarsi in un modo solo.

IL PORTIERE mi ha detto che ti ha vista passare, avevi la gonna blu della scuola e correvi, scommetto che cantavi la canzone di Ralph o come si chiama quel cantante terribile, ma se tu lo ascolti devo ascoltarlo anch'io, e se ti piace deve piacere anche a me, magari un giorno avrai gusti migliori e comincerai ad ascoltare Adele o altro.

Comunque se sei passata davanti al portiere a quell'ora significa che stai arrivando, ti sarai fermata al bar di Gaby con Joana e Andreia e poi vieni.

Mi sono già seduto all'ultimo banco, ben nascosto, in attesa di te, spero tu ti sieda al solito posto, non ho neanche pranzato per arrivare in tempo, per poter dirti ciao quando arrivi, e per poter leggere i testi insieme a te nell'ora di portoghese. Ho fatto finta di scordarmi il libro a casa e so che il prof mi dirà che se continuo così non arriverò molto lontano e mi parlerà del futuro e bla bla bla... Ma quello che mi importa è che mi dirà di sedermi vicino a te, ne sono certo, sarai qui accanto a me e leggeremo insieme quel noiosissimo Camões.

Poi magari c'è un verso bello e io lo leggo mentre ti guardo, magari capisci che ti sto dicendo quello che provo e sorridi, se Dio vuole, e se non vuole lui lo voglio io.

Hai davvero addosso la gonna blu della scuola e non te la prendere ma ti ho guardato le gambe. Come speravo, ti sei seduta vicino a me e non solo perché ti piace stare all'ultimo banco e questo era l'unico posto libero, perché io lo avevo occupato con lo zaino del calcio aspettando che entrassi. Se ti piacessero i calciatori sarebbe il massimo, sapresti che io sono un campione e che sono il migliore della squadra, ma a te piace quel Ralph anche se non sa cantare ed è brutto, però devo rispettarti, lo so che l'amore è rispettare l'altro ma non imparo mai, scusa.

Ora canti a bassa voce mentre la classe analizza uno dei versi, e hai una voce così bella che potrei ascoltare per tutta la vita tutte le canzoni di Ralph se le canti tu, la cosa più incredibile è che ora sto cantando con te, solo tu puoi farmi cantare questa porcheria di canzone ma mi fa stare bene.

Il peggio è che il prof se n'è accorto e si sta avvicinando, tieni duro ché ti proteggo io, dico al prof che sono stato io e lui mi fa una predica, mi chiede se ero solo io a cantare oppure cantavi anche tu e senza esitare gli rispondo di no, che tu hai buon gusto e non canteresti mai una cosa del genere, la classe ride e ridi anche tu, Dio quanto è bello farti ridere.

Il prof se n'è andato e tu mi hai guardato e mi hai accarezzato il braccio, giuro che mi è venuta la pelle d'oca e sono ancora senza fiato. In pochi minuti la classe ha già ripreso ad analizzare un altro verso e tu stai di nuovo cantando una canzone banale di Ralph e io rido tutto a sentirti cantare e canto con te. Un cantante che piace a mio padre dice che non si ama chi non ama la stessa canzone, quindi se è così vuol dire che sarai mia per sempre anche se devo fare uno sforzo, sì sì, sarai mia eccome.

Ed ecco che ritorna il prof, tu ti stringi forte a me e mi chiedi aiuto, João il pazzo già ride perché sa che saremo espulsi, in effetti ha ragione ed eccoci qua, tu e io dal preside eppure sono l'uomo più felice del mondo, ti amo tanto e un giorno te lo dirò, giuro.

Ora dammi la mano e andiamocene al bar di Tó a comprare gomme e a pensare a cosa diremo ai nostri genitori per spiegare che ti amo.

MI HAI CHIESTO di scriverti qualcosa di felice, forse il segreto che sveli l'apertura perfetta del tuo sorriso, o il modo in cui accavalli le gambe come se non sapessi che sei la fine del mondo e l'inizio di me.

A ogni modo mi hai chiesto di scriverti qualcosa di felice e mi viene in mente di raccontarti che vive un gabbiano sulla punta delle mie dita, non so cosa può significare ma è quello che sento ed è bello e vola, e in fondo è questo a unirci, una cosa che tu e io ignoriamo ma che è esattamente quello che proviamo ed è bellissimo e vola.

Potrei anche parlarti del silenzio che ci lega, tu stesa al mio fianco, io scrivo, di là i gatti se ne stanno stesi sul divano al sole, sopra e sotto ci sono vicini che fanno rumore, lavano i piatti, riordinano la casa, parlano tra loro e guardano serie alla tivù, ma succede che noi siamo in questa camera, la luce spenta e soltanto io e le mie parole per te, il letto nel caos, la coperta rimboccata accanto al tuo collo, la tua deliziosa necessità di avvicinare la tua pelle alla mia per riuscire a dormire, una totale assenza di parole. Ora ti accoccoli di nuovo accanto a me, ci può essere una prova di felicità più grande di questa?

So che un giorno moriremo e ci sto male, lo sai? So che saremo cadenti, la pelle, questi corpi che ora si strofinano, saranno flaccidi. Posso diventare ancora più brontolone e tu ancora più testarda, figurati! Quello che resta quando uno smette di valere per la pelle e per il corpo, in fondo, è ciò che definisce le persone. Alcune diventano insopportabili e brutte, perché perdono tutto, poi invece ce ne sono altre che continuano al di là di quel che hanno perso, acquistano nuova vita man mano che questa vita termina, smettono di avere la pelle e il sogno, ma restano belle, con lo sguardo profondo, hanno storie da raccontare, la saggezza di chi ha già vissuto molte cose e crede che ne vivrà molte altre. La bellezza ha questo di bello, che non si trova solo in quello che si vede con gli occhi.

Vorrei che fossimo due vecchi adolescenti, sappilo, vorrei svegliarmi tutti i giorni accanto a te e guardarti per lunghi minuti solo per sapere che ci sei e respiri, al mio fianco come sempre. Poi accosteremmo le nostre pelli cadenti l'una all'altra, io ti bacerei lievemente, per sentire che le tue labbra esistono ancora, dirti il «ti amo» più profondo che sia mai stato detto e addormentarmi di nuovo dentro il mattino, con i corpi piegati dal tempo e dalla voglia di cercare l'altro per sopravvivere.

Di pomeriggio ce ne andremmo a spasso, a scoprire le novità che la città ha da mostrarci, parlare con chi ci ama, i figli, i nipoti, magari anche i pronipoti, capire che tutti i giorni siamo giovani della nostra esistenza, e infine tornare a casa, la nostra casa, conosci una parola più bella di questa? La cena che prepareremmo in due, io che sbuccio le patate e le carote, preparo il riso come piace a te e come ho imparato a fare perché ti piaceva, tu che condisci tutto come solo tu sai fare, potremmo anche cenare a lume di candela, due vecchi innamorati e una cenetta romantica.

Poi ci sarebbe il divano, un film su due giovani bellissimi che si amano, solo per poterci immaginare di nuovo uguali a quando ci siamo conosciuti, tutta la vita davanti, e infine il letto, io e te e la nostra vita sotto le lenzuola, io che ti rimbocco le coperte sul collo, i nostri piedi freddi che si scaldano vicini vicini, e se la morte deve arrivare che arrivi così, mentre sono con te e penso sia valsa la pena di passare tanti anni a costruire un momento come questo.

Mi hai chiesto di scriverti qualcosa di felice e io mi sono ricordato di noi, conosci una felicità più grande di questa?

«LA SVENTURA del mondo sono i numeri.»
È il modo che trova lui per dire che si sente di troppo dentro quel letto, e l'ironia è che si tratta davvero di un numero.

«Chi ha inventato i numeri non sapeva amare.»
Lei si preoccupa più di contare gli orgasmi che di ascoltare le parole, e prosegue nella scoperta dei due corpi che ha accanto. Molti la definirebbero una poco di buono se conoscessero i suoi gusti, ma non sanno che spesso solo la quantità può occultare la qualità di quello che ci fa star male. Meglio riempire la vita di rumore che sentire per sempre il vuoto insopportabile di un buco nelle vene.

«Per mettere a tacere l'anima, niente di meglio che alimentare il corpo.»
Dopo qualche minuto, e tra un corpo e l'altro, lei si sdraia e dice come la pensa, illustra la sua teoria secondo cui è fondamentale assecondare la carne per far sì che l'anima, almeno per qualche istante, si dimentichi di esistere.

«Mi piacerebbe essere quello che ti impedisce di volere di più.»
"Amami tutto anche solo per compassione", è più o meno quello che avrebbe voluto dire lui. Ha passato la vita a cercare di essere la sua vita, la vita di lei, ha atteso che il tempo passasse, che il caos si organizzasse, e il massimo che è riuscito a essere è tutto lì: un corpo, un numero in quella somma complessa in cui due uomini più una donna danno il risultato di un'unica frustrazione.

«Vorrei tanto non vederti come un corpo ma ora ti prego, sta' zitto e vieni qui a fare il terzo giro.»

Ancora numeri, il corpo di lei è soddisfatto ma l'anima minaccia di volare via. Sa che tornando a casa ritroverà il silenzio, si siederà davanti al televisore e qualunque cosa le riporterà alla mente lui, poi metterà su la canzone di quando si sono sposati, sentirà la speranza e la felicità di quel giorno, la vita alla fine va come deve andare, e finirà col passare la notte in bianco e amarlo senza neppure sapere dove sia.

«Se devo soffrire, voglio almeno trarne un qualche piacere.»

Lui ha perso la vergogna perdendo l'amore. C'è qualcosa che non si perde quando si perde l'amore? E ora entrambi sanno cosa sono: due corpi, due evasioni, due materie senza nome. Sono lì per coprire il sole più che possono, per dividere il dolore, per intrattenere quel che resta di una donna che un giorno ha amato e non ha più smesso di amare, forse è proprio l'amore quello che la vita ha di peggio, e anche di meglio.

«Non so come ti chiami ma portami via con te.»

È disperata e non ha paura di darlo a vedere. Lui accetta, meglio poco che niente, e se ne vanno via insieme. L'altro uomo resta lì, a lui interessa solo il piacere. Forse il segreto della felicità è isolare il piacere, renderlo padrone di uno spazio unico a cui nessun amore ha accesso.

«Costruiremo l'amore esemplare.»

Lei ascolta la promessa di lui e gli crede. Pensa che avrà finalmente tutto quello che merita, una casa, un uomo romantico, viaggi, anche dei figli, tutto equilibrato e pieno di ragioni. C'è qualcosa di più insensato che cercare la sensatezza in chi si ama?

«Permettimi di insegnarti un amore che ti faccia bene.»

E lei glielo permette. Continua tutti i giorni a vedere l'altro, che non le fa bene ma le fa belle cose. Lo vede dentro agli occhi, dentro agli atti, dentro il bene e dentro il male, ma lui col tempo diventa sempre più piccolo: «meno numeroso», come lei ama dire, e chi amiamo è come minimo meno numeroso.

«Il massimo che ho da darti sono due o tre minuti di speranza.»

Sono al matrimonio di lei, va tutto bene, ma all'improvviso arriva l'altro, sciatto, con i vestiti sporchi e pur sempre lui, dice quel che ha da dire, da offrire, lei lo ascolta e sorride, deve scegliere tra tutta una vita perbene e due o tre minuti di per-sempre. Sceglie, come sempre nei momenti importanti, la decisione della matematica.

«La sventura del mondo sono i numeri.»

E anche l'amore.

«TI LASCIO appena trovo una ragione per stare con te.»

"Il senso della vita o è ascendente o non è", continuò lei, però si limitò a pensarlo, anche se dentro di lei l'idea era insistente. Lui non la sentiva, nessuno amerebbe nessuno se tutti i pensieri si parlassero, si strofinava il mento e guardava fuori dalla finestra, il cielo era nudo come lui, le stelle vuote e la sensazione che il mondo stesse per finire.

«Voglio amarti, ma riesco solo a disperarmi per te.»

"L'abisso dell'amore è la libertà che ci ruba, la certezza di avere intorno al collo una corda che non riusciamo a dominare", continuò lui, non lo disse ma lo pensò. La storia di loro due nella testa, un incidente indotto come nei film, lei raccoglieva i libri da terra, lui la aiutava, dopodiché perfino il liceo smise di separarli, venne l'università, vennero i sogni, le professioni, e all'improvviso la ragione di tutto. Come si arriva a quello stato in cui bisogna capire da dove viene l'amore?

«È impossibile trovare qualcosa che ci tenga insieme, perciò stiamo insieme.»

C'è un territorio straniero in ogni persona, lei capiva che l'amore era novantanove per cento scoperta e solo l'un per cento era piacere, o viceversa quando si avvicinava l'abisso dell'orgasmo, ma non ammetteva che intervenisse l'affetto a interrompere le vene, e meno ancora la tenerezza a calmare il respiro. O sentiva tutto fremere oppure rimaneva ferma, e fermarsi non è come morire: è peggio.

«A volte vorrei fermarmi con te solo per osservare chi siamo.»
I poli opposti si attraggono e nessuno scienziato ha mai compreso l'amore, le stelle continuano, un gatto randagio fruga nell'immondizia in cerca di un altro giorno di vita, lui accende una sigaretta, le labbra tremano e stringono il filtro come se stringessero la paura, domani tornerà il giorno, e lui cerca nel silenzio l'importanza delle parole. Cosa si può fare quando si è chiesto troppo?

«Oggi dalla tua bocca voglio solo baci.»
Le finestre non furono chiuse e le parole non continuarono, lui cedette come sempre, bastava che lei esitasse perché lui si piegasse, comandare su qualcuno significa essere amati, e lei non voleva né comandare né essere comandata, credeva solo nello stato perfetto di chi non è sfruttato, preferiva quel che resta da dire, da sapere, per restare in sé, con la speranza che l'ignoto sia il meglio che sta per venire, e quando i corpi si stancarono smise di parlare e andò via. Per molti era freddezza ma per lei era amore, usava la perfezione per proteggersi dalle lacrime: e piangeva.

«Domani giuro che ti vorrò per amore ma oggi ti voglio per istinto di sopravvivenza.»
Furono le parole finali di lui all'alba di quel giorno,
e di tutti gli altri che seguirono.

IL PEGGIO non è piangere, no, piangere fa soffrire ma calma, quello che fa male si scioglie in acqua e lo sanno tutti, bisogna bagnare quel che taglia perché il taglio faccia meno male, e

il peggio non è piangere, te lo ripeto, so che dormi e non mi senti, io ho preferito rimanere sveglia per capire come si chiudono le tue palpebre, la forma arrotondata dei tuoi occhi quando ti addormenti di sasso. Sfiorarti la pelle e ringraziare la sorte per questo letto e noi, le tue gambe sulle mie, pesanti che fanno male ma io le reggo, meglio il dolore del tuo peso che la tua assenza a pesarmi, poggiare la mia testa tra il tuo braccio e la tua spalla, sentirti respirare, e finalmente respirare, e

il peggio non è piangere, non so te l'ho detto, quando mi sveglio ti cerco con le braccia, forse anche prima di svegliarmi, il mio corpo dorme ed è già allo scoperto, come se volesse garantirsi la sopravvivenza prima di nascere. Stai dormendo e non lo sai ma io ti amo anche con il corpo, un amore muscoloso, puoi definirlo così. Quando ti sei addormentato e subito dopo hai detto tre o quattro volte «ti amo, Carla», ho capito che l'amore è così ed è per questo che si ama, perché neppure il sonno ci impedisca di amare, e in questo siamo uguali, amiamo anche quando dormiamo, ed è bellissimo amare così tanto, e

il peggio non è piangere, è l'ultima volta che te lo dico, giuro, perché il peggio non è piangere, è che nessuno veda le nostre lacrime, il mondo che crolla e tutto intorno come se niente fosse. Il peggio in assoluto, te lo dico solo un'altra volta, non è piangere, è piangere da soli, le nostre lacrime e nessuno accanto, lacrime senza riparo, e

il peggio, in assoluto, è che nessuno vede queste lacrime
e che io non mi chiamo Carla, no.

«HO BISOGNO di un euro per continuare a non aver bisogno di soldi.»

C'è una strana pace in chi non ha un tetto, il mendicante che mi chiede un euro sorride e non capisco il perché, non ha niente e sorride e io che ho tanto non riesco a crederci. Forse lui è lì perché lo vuole, non mi sembra drogato, ha un bell'aspetto ed è felice, ma nessuno fa l'elemosina a chi ha un bell'aspetto ed è felice, l'elemosina la si fa a chi ne ha bisogno e chi ha un bell'aspetto non ne ha bisogno. Ecco la legge delle apparenze, il novanta per cento del mondo è fatto di apparenze e l'altro dieci per cento ha un pessimo aspetto.

«Prima ero avvocato ma poi sono cresciuto.»

Che prezzo deve avere la libertà? Forse il prezzo di una casa, di una carriera. Quando immagino questo felice sventurato in giacca e cravatta davanti a un giudice non posso non provare pena, a che servono i soldi se non a impedire queste cose? Non so se dargli un euro o tutta la mia vita, il mio guardaroba, la mia macchina, tutto ciò che sono, cos'è questa tentazione assurda?

«Il problema dei soldi è che non sono di cioccolato.»

Si siede accanto a me, io e un mendicante di fianco alla macchina che ho posteggiato nel suo parcheggio, e insieme ci mettiamo a misurare il cielo, oggi ci sono più stelle di ieri, e senza accorgermene sto capendo il valore dei soldi, o perlomeno quello del cioccolato. Lui mi offre una banconota da cinque euro dolcissima, e in un istante smetto di capire perché la cartamoneta che ho in tasca debba valere più di questo pezzo di cioccolata, la sua mano che mi dà pacche amichevoli sulla spalla. Chi è lo sventurato tra noi due quando uno lavora per avere in tasca pezzi di carta e l'altro passa la vita a mettersi in bocca pezzi di cioccolato?

«Ho smesso di credere nella scienza quando mi hanno detto che dovevo morire.»

E se ne va, chiede scusa ma deve andar via perché sta arrivando l'onda perfetta, prende un pezzo di legno che tiene appoggiato a un muro e neppure si congeda, sta arrivando l'onda perfetta, e io resto lì, una riunione importante ad aspettarmi, decine di cravatte e di alte personalità, gli orari e i salari. Entro in un palazzo pieno di uffici e ho ancora il tempo di vederlo da lontano, l'onda perfetta non è arrivata ma lui non ne aveva bisogno per sentirla, la scienza della vita è sentire soprattutto quel che non esiste, e quando arrivo in ritardo alla riunione dico soltanto che stavo cercando me stesso.

«Datemi solo un minuto e non torno mai più.»

E loro gliel'hanno dato.

«QUANDO non ci sarò più, cercate le mie parole.»

«Il fondamento dell'Umanità è la sintassi», aggiunse. Vedeva nella parola il principio del mondo, quando incontrava una persona nuova non voleva sapere chi fosse, come fosse, cosa avesse, voleva soltanto capire cosa diceva. La donna perfetta era quella che usava le parole perfette. Anche se tutto il resto era insufficiente bastavano le parole a far accadere tutto il resto. Allora lei arrivò e disse le parole perfette.

«Vedo in te il principio del mondo.»

In altri momenti sarebbe stata la frase ideale per un dibattito ideale. Lui avrebbe affermato con tutta la forza delle sue convinzioni che il punto in cui tutto cominciava non era lui ma la parola, poi avrebbe dato esempi di grandi poesie che hanno cambiato la geografia del mondo, in seguito avrebbe aperto qualche libro e letto due o tre frasi, e in pochi istanti l'ascoltatore avrebbe capito che sì, assolutamente sì, ascoltare quelle frasi cambia il mondo intero. Avrebbe finalmente ottenuto un abbraccio e la certezza di esser riuscito a convertire altre persone, e tutto quello che gli serviva era la parola, sempre la parola. «Senza la parola siamo animali», avrebbe ripetuto, perché nessuno se ne dimenticasse. Ma ora lei aveva parlato e lui non aveva risposto, se ne stava lì a guardarla e sperava che parlasse ancora. «Anche il silenzio che precede la parola è una forma di parola», avrebbe detto lui se non fosse rimasto in silenzio. Da quale angolo segreto proviene il linguaggio?

«Il fondamento dell'Umanità è la tua pelle.»

Quando lei si avvicinò lo aveva già toccato tutto, ma è chiaro che anche le mani vogliono la loro parte, soprattutto quando afferrano il corpo e lo attirano a sé. Poi c'era anche la bocca di lei in quella di lui, la lingua, la donna lo stava consumando e lui era senza parole eppure tutto aveva senso. Che diavolo è questa cosa che dice tutto senza alcun bisogno di parole?

«Pronunciami ora oppure sparisci per sempre.»

Ci sono momenti in cui le persone vanno pronunciate, lui lo sa da sempre, da prima di chiunque, ma non la pronuncia. Vorrebbe pronunciarla ma non lo fa, si limita a guardarla, lì, davanti a lui, i corpi invocano la parola giusta, la frase giusta, e invece niente, dalla bocca non gli esce nient'altro che la voglia di baciare, di stringerle la bocca con la bocca. Lei è lontana più di un metro e continua ad aspettare le parole di lui, lo specialista di parole che ora tace. Tutte le vene hanno smesso di comprendere la sintassi.

«Quando non ci sarò, cercate le mie parole», disse lei prima di andar via. Vedeva nella parola il principio del mondo. Quando incontrava una persona non voleva sapere chi fosse, come fosse, cosa avesse, voleva solo sapere cosa diceva. L'uomo perfetto era quello che usava le parole perfette, anche se tutto il resto era insufficiente bastavano le parole a far accadere tutto il resto. Allora lui arrivò e disse le parole perfette.

«QUANDO ti vedrò a occhi aperti, potrai anche uccidermi perché tanto sarò già morto.»

E tu promettesti, sì, che mi avresti ucciso. Uno può anche essere interessante ma il problema è esistere, invece a me interessa quello che non esiste, ed è lì che entri in gioco tu, sei la persona meno possibile del mondo, nulla è in grado di spiegarti ed ecco la ragione di tutto ciò che cerco.

Glielo diceva continuamente, se ne stavano abbracciati e lui le spiegava che nulla di ciò che conta si vede con gli occhi. Poi le esponeva una teoria secondo cui solo a occhi chiusi si vede ciò che conta, faceva anche degli esempi, l'orgasmo, l'adrenalina, perfino la paura. Tutto ciò che conta non è visibile a occhi aperti. Quando si vede esiste una nonvita, una vita da portarsi a casa, e lui invece la portava dappertutto tranne che a casa, solo per scongiurare la fine di quello che lo teneva in vita.

«Il tuo corpo è sempre per la prima volta.»

Oggi sono in un motel poco raccomandabile ma da scoprire, semplicemente la desidera come se fosse la prima volta, con gli occhi chiusi e lui dentro di lei, le cosce, l'interno delle cosce, la bocca, l'interno della bocca, a volte apre gli occhi solo per sapere dov'è, ma la trova solo quando li richiude, e lei non sa cosa vede, lo guarda con la totalità degli occhi, con tutta sé stessa, il corpo sudato afferma la propria esistenza.

«Chiudimi negli occhi per potermi amare.»

Lei credeva nell'amore a prima vista, gli chiedeva tutti i giorni di guardarla a occhi aperti, di amarla a occhi aperti. Avevano modi opposti di amare e solo così riuscivano ad amarsi, finché lui un giorno capì di essere nel torto, che lei meritava di essere guardata. Non si sa quanti anni passarono prima che accadesse, ma accadde. Lui la incontrò tanti anni dopo, l'aveva amata per tanti anni e finalmente ora la guardava.

«Ero cieco quando non volevo vederti», disse lui, ma all'improvviso si sentì un coltello infilzato al centro del petto, un coltello fisico, o almeno faceva male come un coltello fisico. Il dolore si diffondeva per tutto il corpo, un dolore vuoto, un dolore che non feriva se non per la mancanza di qualcosa, un dolore simile a quello di perdere un dito, forse una mano intera. Lui la guardava e aveva la certezza di amarla ma nello stesso tempo aveva la certezza di aver visto troppo, di aver visto quello che non andava visto. Le illusioni complete nella lama affilata di un coltello dentro di sé.

«Amare è l'incapacità di aprire gli occhi.»

Volevo essere insufficiente, cercare di vederti ma non ci sono riuscito, gli occhi sempre chiusi, ma ho visto troppo e ora tu esisti, e l'unica cosa che non si può amare è quello che esiste, se esiste ha una spiegazione, ci sarà una scienza che ne affermi l'esistenza, la forma, tutto ciò che è, se esiste una scienza che lo spiega non può essere ciò che amo, o si ama o si dà una spiegazione, non si può amare quel che la scienza comprende, ti vedo così tanto eppure non riesco ad amarti.

«Ti amo completamente eppure mi sa di poco», avrà detto lui prima di congedarsi da lei. C'era una promessa da rispettare, e lei non avrebbe mai infranto una promessa. Lui di certo avrebbe capito, ma la polizia no.

DISGUSTOSO è star fermi. Non cambiare. Sopportare. Sopravvivere. Persistere. Anche se è poco, anche se non basta. Lasciare tutto com'è per non correre il rischio che peggiori. Disgustoso è non perdonare, non riabilitare. Ma limitarsi a criticare, puntare il dito, attaccare. E non creare, non rifare, non immaginare. Disgustoso è non credere. Disgustoso è quel che non è meraviglioso, delizioso, quel che non è fantastico, monumentale, benedetto, miracoloso, sorprendente. Disgustoso è svegliarsi di giorno rifiutando il giorno, rinnegando il giorno, senza desiderare il giorno, senza pensare ai mille e uno modi di renderlo indimenticabile. Lasciar correre. Non muoversi, non volere la ferita anche se attraverso la ferita si giunge alla cura. Essere cauti, prevenuti. Disgustoso è quel che non è esagerato, quel che non è sproporzionato, quel che non sembra insostenibile. Se non sembra insostenibile è intollerabile. Non lo voglio. Non lo ammetto. Non mi ammetto. Disgustoso è ripetere. Oggi come replica esatta di ieri e come replica esatta di domani. Le stesse cose, le stesse parole, le stesse azioni, gli stessi movimenti. Sempre tutto uguale. Tutto identico. Disgustoso è continuare per continuare, camminare per camminare, vivere per vivere. Disgustoso è il normale, il regolare. Quello che non ha mai ammazzato nessuno ma non gli ha mai neanche cambiato la vita. Quello che non fa fremere. Il testo che non risolve, la decisione che non trasforma, il bacio che non dà i brividi, il sesso che non fa gemere, urlare, saltare. Disgustoso è non essere innamorati. Di una donna, di un uomo, di un gatto, di un cane, di un profumo, di un sole, di una casa, di una pelle, di un sapore, di un sogno, di un lavoro, di una strada, di un desiderio, di un peccato. Innamorati. Da matti. Innamorati. In maniera incoerente, delirante. Senza sosta. Innamorati. Con tutte le vene in cerca di passione, con tutto il corpo in cerca di piacere. Disgustoso è quel che non è straordinario. E le cose straordinarie non richiedono atti straordinari. Le cose straordinarie richiedono soltanto momenti facili. Banali, come rimboccare una coperta, condividere un dolce, tuffarsi nel mare, rubare arance dall'albero del vicino, passare un pomeriggio a raccontare barzellette, ascoltare le storie dei genitori, andare al parco con i figli, sedersi a tavola con gli amici. Le cose straordinarie non pretendono niente di straordinario. Proprio per questo sono straordinarie. Come le persone straordinarie. Oh, le persone straordinarie. Non potrei vivere senza le persone straordinarie. Quelle che riescono a fare cose incredibili. Come farmi felice, per esempio. Mia moglie è straordinaria. Così bella che non ci sono parole per descriverla. E mi ama. Quanto mi ama. Quanto mi desidera. Quanto la desidero. E ogni giorno che passa è più straordinaria. Guai a me se così non fosse. La cosa più difficile è mantenere viva la passione. Evitare il disgustoso. Il disgustoso ripetersi, il disgustoso «si va avanti», il disgustoso «si sopravvive». Il disgustoso impersonale. Lasciarsi vivere equivale a lasciarsi morire. Disgustoso è il normale. Io pretendo lo straordinario. E tutti quelli che amo sono straordinari. Oddio, sono così felice. Così felice. Anche quando piango, anche quando soffro, anche quando la vita mi pesa, anche quando mi sembra troppo poco tutto quello che sono, tutto quello che vivo, tutto quello che mi serve. Sono così felice. È così straordinario pensarla così, desiderare così, esistere così. Fino in fondo alle viscere, fino in fondo alle ossa. Disgustoso è non soffrire, non sforzarsi. Disgustoso è quel che non è troppo. E solo quello che non è troppo è un errore. Disgustoso è non fare errori, ne sono certo. Ma più disgustoso ancora è non amare. Ti amo eccessivamente, scusami. Ma disgustoso davvero, non so se te l'ho già detto, è non amare.

IL RICORDO di quello che ero prima mi ferisce. Le gambe si aprono lentamente alla morte, sai?

La cosa peggiore è il corpo che la vita deve sostenere. Siamo fatti di sterco e dobbiamo sopportarlo. È nei piccoli gesti che compare l'anziano che sono, quando devo piegarmi per raccogliere un foglio da terra, quando devo scendere le scale e le ginocchia non ce la fanno, quando scrivo e perfino le braccia mi chiedono di smettere.

A vent'anni me ne mancavano quaranta per arrivare a sessanta, e ora che ne ho sessanta mi sembra che i miei vent'anni siano passati da un mese o due, al massimo.

Il tempo passa e ci sorpassa del tutto, e il peggio è che ci ricordiamo perfettamente di tutto quello che eravamo in grado di fare, che disastro.

Tutti i ricordi hanno la precisione di un bersaglio.

Quando ero bambino, i vecchi erano creature strane, figure distanti, di un mistero assurdo, ero lontano da loro quanto ora lo sono da me stesso, in verità, ma ho bisogno di un corpo per vivere, ed è la più grande delle ingiustizie.

Hai già pensato a quante cose saremmo in grado di fare senza questa necessità di carne, di pelle e di ossa?

La forza non sta nelle cose da fare, ma in quelle che non riusciamo più a fare.

Solo uno stupido può aver inventato la fotografia. Che felicità possono darci le immagini di qualcuno che è già morto in noi? C'era una volta e ora non c'è più.

La peggiore sofferenza, per un vecchio, è credere di avere dentro di sé una persona che ormai non esiste più, come il poveretto che abita qui di fronte: un mese in ospedale perché ha voluto fare una corsa in bicicletta con un ragazzino. Se solo si fossero scambiati i corpi, il vecchio avrebbe vinto, ne sono certo.

Se solo potessimo scambiarci i corpi per andare avanti! Sembra semplice per un Dio che ha inventato tutto questo, no?

Un vecchio è una biblioteca, che miseria la mia, volevo solo imparare e devo accontentarmi di insegnare.

La fortuna è che la morte uccide ma l'orgasmo anche,
vieni, dài, sì,
eppure non smetto di esserci.

Questa gratitudine che provo la devo al piacere, chi non crede ai miracoli non è mai venuto in questo modo.

Date retta a questo vecchio e imparate!

FINALMENTE sei andata via e ora posso sentire il gusto della libertà, vedere partite di calcio tutto il giorno, fare le ore piccole con gli amici, bere tutte le birre che voglio, superare i limiti che la tua presenza mi impediva di superare, provare ad andare su quei siti che mi consiglia il mio collega Heitor. La vita esiste, che bellezza.

Finalmente sei andata via e lo spazio della casa è tutto per me, non c'è bisogno di mettere sempre in ordine, mi stendo sul divano e il tempo passa, ogni tanto viene a trovarmi qualcuna, alla fine il piacere è così facile, niente mi lega, sono un bell'uomo e devo godermela, la vita, perché la vita esiste, che bellezza.

Finalmente sei andata via e ho nostalgia di me, di guardarmi senza rumori intorno, pensare al senso del mondo, capire chi sono e cosa voglio, dedicarmi a scoprire dove comincio e dove finisco, capire l'importanza degli errori, costruire un nuovo io, e soprattutto sorridere, la vita esiste, che bellezza.

Finalmente sei andata via e oggi non mi hai risposto al telefono, forse eri a una riunione con i genitori, ma avresti potuto rispondere, perché era importante, volevo dirti che sto bene e in forma, ringraziarti del tuo non esserci e farmi felice, fra un po' riprovo a chiamarti, la vita esiste, che bellezza.

Finalmente sei andata via ed è stato bello cenare con te ieri sera, le tue mani mi hanno leggermente sfiorato quando abbiamo sollevato i bicchieri contemporaneamente, certe coincidenze sono fantastiche, e i tuoi capelli così lunghi, così liberi, hai parlato di una carta che dobbiamo firmare tutti e due, non ti ho neppure ascoltata, ti guardavo e basta, l'interno dei tuoi occhi è così bello, ma ho un'altra donna che ho conosciuto in biblioteca e sono felice senza di te, la vita esiste, che bellezza.

Finalmente sei andata via e fra poco passo a prenderti a casa, ho comprato un vestito al centro commerciale, il profumo è quello che mi hai regalato tu per il compleanno due anni fa, ti immagino con quel vestito verde che mette in risalto gli occhi, il ristorante l'ho prenotato, io e te davanti al mare, o di fianco al mare, fa lo stesso, ci sarai tu con i tuoi capelli aperti, di sicuro parleremo delle nostre vite e di quello che abbiamo fatto nel frattempo, poco importa, in verità. Avrò due ore o più di possibilità di guardarti. Chissà, poi magari potremo passeggiare un po' nel parco, un gelato in due, magari, la vita esiste, che bellezza.

MI SEDUCE l'esistenza dei giorni uno dopo l'altro, le mani rugose di mio padre nelle mie, il sorriso aperto di mia madre da sempre. Mi seduce ascoltare le storie del fruttivendolo, mi seducono le confessioni ardite di mio nonno, le barzellette di mio cugino grande. Mi seduce l'insoddisfazione assurda di esser vivo, il prezzo insostenibile della tentazione, il colore del sole sulla pietra della città. E la donna che vende caldarroste per strada, il professore che insegna come se insegnasse la vita, il mistero dei gatti, il cane che scodinzola felice quando arriva il padrone. Mi seduce il bambino che vuole avere tutto il mondo negli occhi, il sapore caldo del tè, l'intimità di una lettera d'amore nascosta in un cassetto, perfino il modo altezzoso in cui un uccello spicca il volo. Mi seduce la modestia dei geni, il modo in cui il mare consuma la sabbia, il silenzio assordante della complicità, un amico tra le braccia dell'altro, le lacrime solitarie di un'euforia. Mi seducono le domande costanti dell'adolescente, i primordi del piacere, la voglia di vivere per sempre sotto le lenzuola. E il rumore della pioggia sui vetri quando si ama, le mani scaldate sulla tazza bollente, il vapore sul viso che mi libera dal dolore. Mi seduce anche alzarmi la mattina, credere all'esistenza delle persone, leggere in balcone nelle notti d'estate, scrivere il verso perfetto, chiudere gli occhi e riuscire a sognare. Mi seduce condividere un giornale in treno, inventare la storia di uno sconosciuto, regalare una banconota a un senzatetto. Mi seducono tante cose, tante, ma niente mi seduce quanto il movimento delle tue gambe quando si aprono per me, il piccolo gemito che solo io riesco a sentire quando mi baci, il quasi istante in cui senza parole mi chiedi il piacere, la geometria perfetta dei tuoi vestiti sparsi sul pavimento di casa, l'algoritmo complesso della somma della nostra pelle. Mi seducono tante cose, tante, ma niente mi seduce quanto il sapere che da quando ti conosco sono stato sedotto da tante cose eppure soltanto tu riesci a sedurmi. Tu mi seduci, e io obbedisco.

«È FINITA perché occupava troppo spazio.»

Lei gli spiegava perché doveva andarsene, schematizzava motivi («Sei inconcludente, non vuoi la vita che voglio io»), delucidava conclusioni («Non va, sei troppo grande in me per il poco spazio che concedi a noi dentro di te») ma la verità è che lui era già andato via da un pezzo e lei continuava a parlare da sola. Rinunciare a chi non ci vuole è meno doloroso che essere abbandonati, anche se è esattamente la stessa cosa. Le parole sono sempre state il modo migliore di soffrire.

«Mettimi a tacere con il corpo, per favore.»

Da quando lo aveva perduto («Dove sei? Perché non mi cerchi?») aveva provato a divertirsi, pelli alternative, profumi alternativi, trovare la salvezza nella perdizione, e per quanti uomini avesse («Chi sei tu e cosa ci fai dentro il mio corpo?») poi si addormentava sempre con lui, raccoglieva le lenzuola conservate nell'armadio, le stendeva sul divano, ci si avvolgeva dentro e immaginava che la porta si aprisse e tutta la vita ritornasse. Tra le lacrime impotenti sapeva di dover sopportare, di dover sopravvivere, ma nessuno sopravvive a un amore, almeno in vita.

«Un giorno mi sono svegliata e non c'eri più.»

Cosa succede quando un amore va via? Quando ti addormenti c'è ancora, ma poi arriva il giorno, la luce, ti guardi intorno e non c'è più. Così quando ti guardai quella mattina e tu guardasti me vidi che no, che c'era un buco in mezzo al cuore, eri la donna più bella del mondo ma non ti amavo più, e non c'è motivo più valido del non amare la persona con cui ci svegliamo. Un giorno l'amore finisce così come è cominciato, e io cominciai ad amarti senza sapere come, io e te e il primo bacio, il primo letto, io mi svegliavo e tu eri lì accanto a me, la sensazione del per sempre. Ci sono sempre un letto e un risveglio a far decidere chi ama.

«Addormentati in me e fammi svegliare.»

Lui si lasciò sedurre e tornò a casa, a letto, voleva sapere se succedeva davvero, ancora, se l'amore si poteva spiegare. Andarono a letto, lei di nuovo felice, così felice di nuovo, e si amarono, i corpi e la nostalgia, gemiti, orgasmi, e infine il sonno, giunse il sonno e quando gli occhi si fossero alzati sarebbe stato facile capire cosa c'era a unirli. Ci sono sempre un letto e un risveglio a far decidere chi ama.

«Mi basta l'incertezza per poterti amare.»

Non c'era una conclusione esatta, arrivò il mattino, lui la guardò e non vide in lei la donna del per sempre né rinunciò a vedere in lei la donna del per sempre, la guardò e volle abbracciarla, darle un bacio lieve sul principio del viso, poi le disse qualcosa che la fece piangere. Lei gli disse solo: «Zitto e prendimi». Dopo pochi minuti i sessi imperavano, il letto era sudato, lui sottomesso all'impossibilità di una spiegazione, l'amore può perfettamente essere quel che ci impedisce di avere certezze, o forse non è nulla di tutto ciò, ma stare con lei valeva per tutto, questo è certo.

«Uno di questi giorni mi sveglio e non so se ti amo, ed è così che ci amiamo.»

ERA IMPERDONABILE che l'amasse così tanto.

Un giorno le chiese di smettere d'essere così perfetta, e lei con tutta la sua perfezione rispose di sì, fece una brutta faccia e lui disse «bella». Poi si spogliò, il corpo intero, tutti i difetti. Gli fece notare le smagliature dietro le gambe, una cicatrice al centro della pancia, lo implorò di guardare attentamente. Lui quando capì stava già piangendo, gli occhi e la perversa constatazione che può essere ammirevole perfino quello che l'estetica ritiene riprovevole. L'amore è cieco ma ci apre sempre gli occhi.

Dopo la tempesta viene l'orgasmo.

Si abbracciarono con tutta la vita tra le braccia, non si sa quanto forte si strinsero ma si sa per certo che quando si liberarono dall'abbraccio, più di mezz'ora dopo, c'erano segni profondi sulla schiena e la pelle di entrambi, bisognava ritornare al lavoro, la routine che limita l'eterno. Lei gli parlò della dimensione della paura, del breve intervallo tra il coraggio e la pazzia, lui preferì disquisire sull'intervallo breve tra la morte e la routine, tutto in pochi secondi e l'orologio in agguato. C'è un momento in cui bisogna scegliere tra perdersi nella vita e perdersi la vita.

A loro, per mantenersi sani, bastava la follia.

Passarono ore a discutere l'inutilità dell'amare e alla fine fu come se avessero cambiato vita. Lei disse che l'amore faceva male, cancellava, accendeva, piangeva, creava, distruggeva, costruiva, ammalava, saltava, gemeva, dubitava, restava, rideva, graffiava, tagliava, incollava, cuciva, toccava, fuggiva, liberava, legava, guardava, nascondeva. Lui aggiunse che oltre a tutto questo l'amore uccideva anche, e poi mentiva, seduceva, insegnava, guidava, possedeva, scopriva, dominava, eccitava, contagiava, controllava, rallegrava, temeva, e per tutte queste ragioni non serviva a niente.

Compresero profondamente quanto fosse stupido amare, e solo allora amarono davvero.

A quanto pare non tornarono più al lavoro, e nessuno seppe mai come facessero a vivere e garantirsi la sussistenza, si sa soltanto che rimasero sempre insieme, e che quando qualcuno chiese loro, oltre quarant'anni dopo, cosa facessero, risposero soltanto «amiamo», e chi glielo aveva chiesto capì quanto fosse assurda quella domanda.

«Le fiabe non esistono», disse la fata.

«DÀI CHE TI OFFRO un sorriso.»
Così gli disse la moglie. Il poveretto aveva un tubo che gli entrava dal naso, altri due o tre infilzati nelle vene, il braccio dolorante per tutte quelle cure, intorno l'odore dei caduti, le pareti di un bianco sporchissimo. Le malattie hanno un odore indecifrabile, ci dev'essere, di sicuro, un modo di morire senza questo odore.

«Disgraziato, non guardarmi così se no ti salto addosso.»
E lui sorrise, sapeva che non avrebbe potuto, no, che il sesso era finito, così come era finito il corpo, da quando era cominciata quella storia. Sua moglie lì, era bellissima, sua moglie, e il suo sorriso, l'unica cosa bella che la vita gli avesse mai regalato era quel sorriso, gli occhi distesi ogni volta che lei lo guardava, la certezza di essere amato come se fosse l'unico uomo al mondo, e poi la malattia a interrompere l'amore. Dove si è visto mai che un corpo voglia interrompere una cosa del genere?

«Se Dio esiste non è in mezzo a noi.»
Ora fu lei a sorridere, anzi a ridere, alle parole di lui, sentiva di averlo accanto dentro il letto, sì, col suo corpo avvinghiato, le braccia forti, tutta la paura che gli stringeva il petto, le mancava sentirlo accanto dentro il letto, sì, ma le mancavano ancora di più le sue parole, il modo in cui la faceva ridere di tutto e di niente, le battute idiote sempre pronte a scattare, il suo modo di essere disastrato in casa, il suo aver bisogno di lei in tutto. Amare è soprattutto aver bisogno in tutto.

«Dài che ti offro un sorriso.»

Lei insistette, e lui finalmente accettò. Si alzò a fatica, con il camice blu che lasciava intravedere metà del corpo magro, lei gli mise la mano intorno alla vita, gli palpò distrattamente il sedere e lui rise sottovoce, lo portò in una sala più grande, ampia, la luce entrava, e loro due come se fossero una coppia di fidanzatini. Poi lei gli diede un bacio lieve, molto lieve, sulla guancia sinistra, le rughe e la pelle aspra sapevano di amore, lui alzò la mano e afferrò la mano di lei, con tutta la forza lì, nel momento in cui le mani si unirono, un'infermiera passò ad asciugare le lacrime, forse una morte nel letto a fianco, mentre lui e lei assaporavano il sorriso, lei lo apriva tutto, lui felice sorrideva con lei, i tubi e il sangue invisibili, loro due a occhi chiusi, tanta nostalgia, tutti i ricordi servono a curare e ammazzare in dosi uguali.

«Non dirlo a nessuno ma questo tuo camice mi eccita.»

Poteva piangere ma stava ridendo, mentre lui ritornava a letto, l'orario delle visite era finito, ma aveva voglia di rimanere lì, non andar via di lì, di morire lì, con lui, lui che sorrideva salutandola, lui che diceva: «Lo so io cosa vuoi». È bellissimo scherzare un po' davanti a una situazione così seria, forse domani sarà diverso, forse domani l'infermiera dirà che può tornare a casa, che è tutto a posto, che la dannata malattia è passata, forse domani, oggi non è stato possibile, ma domani forse, in certi momenti basta che ci sia un domani.

«Dài che ti offro un sorriso.»

E lui sorrise,
e se ne andò.

CI SIAMO appena conosciuti ed è la prova che il passato non esiste.

E lei arrivò in ritardo («Chiedo scusa, il traffico, il traffico»), si sedette frettolosamente a tavola e attese la domanda di lui, con il registratore in mano («Vedo il mondo esatto nei tuoi occhi, non so cosa significa ma vedo il mondo esatto nei tuoi occhi»), lei sorrise («Sì, è un passo del mio ultimo libro, meno male che l'ha letto, per fortuna c'è ancora qualcuno che legge, le è piaciuto?»), e lui («Il bacio di lei e poi la morte») chiese pane tostato e un bicchiere di latte, voglia di piangere e di un abbraccio. Quanti abbracci deve al mondo ognuno di noi?

Non trovo la minima bellezza nel tuo volto, eppure sei così bella.

Lui disse di sì («Il suo miglior libro in assoluto, l'ho letto tre volte in una notte, dico sul serio, non sto esagerando»), le mani gli tremavano e voleva toccare, o anche solo sfiorare, quelle di lei, lei voleva dire qualcosa di intelligente, perciò dovette restarsene zitta. Attese una domanda, era lì per quello, per essere interrogata, non dovette aspettare a lungo («Quanti uomini ha descritto nell'uomo che amava?»). Non era esattamente quello che si aspettava, non era affatto quello che si aspettava ma stranamente aveva la risposta sulla punta della lingua («Soltanto te»). La mano tirò a sé la mano di lui, la terra smise di girare, ma era uno scherzo («Sì, il titolo mi piace, è una delle cose più affascinanti dell'opera»), lei gli lasciò la mano e sorrise. Quante verità deve al mondo ognuno di noi?

Vivere con te dev'essere insopportabile, vuoi sposarmi?

Quel che è peggio è che lui disse proprio così, e stavolta non era una citazione, o perlomeno lei non se ne ricordava. Voleva sorridere e non ci riuscì, voleva fare la seria e non ci riuscì, voleva stare calma e non ci riuscì, voleva non alzarsi e non abbracciarlo e non ci riuscì, e lui riuscì a fare ancora meno, non riuscì a non piangere mentre la teneva tra le braccia, a non dirle che l'amava anche se non la conosceva, che era sicuro lei non corrispondesse affatto a quello che scriveva e perciò la desiderava. Lei disse solo di sì, che voleva sposarlo, una volta, le volte necessarie, anche tutti i giorni. Uscirono dal bar senza pagare, senza prendere il registratore, corsero via lontano per poter stare vicini, e dietro di loro rimasero il barista con il registratore in mano, la cameriera che non sapeva a chi portare il conto, il sole in alto, una vecchia seduta in un parco e un sorriso. Quante persone deve al mondo ognuno di noi?

Non credo in Dio ma credo in te, sì, lo voglio.

LA VITA ESISTE nel momento in cui cambi, se non sei incoerente sei morto, perciò essere di notte lo stesso uomo che sono stato di giorno equivale a un giorno buttato.

«Ciao, mi chiamo Jaime e non cambio da quarantotto ore.»

Applausi in sala, tutti hanno paura delle dipendenze, e questa è la più sleale delle schiavitù.

«Sei identico eppure sei riuscito a cambiarmi completamente.»

Le persone hanno bisogno di altre persone. Per sopportare, per fuggire, per crescere, per vivere. Ma anche per morire.

«Il mio Jaime.»

Il possesso eccita. Avere eccita. Questa donna che ora infila la lingua nella bocca di Jaime possiede. Ed eccita. Jaime può dirlo.

«Non capisco più per quale ragione mi sono svegliato.»

Situazioni al limite che riescono a superare il limite. Anzi, ogni limite. C'era, quando si era alzato la mattina, un uomo conformato alla sua realtà, che respirava tranquillo, fiducioso che tutta la vita si riducesse allo stare in pace. Invece ora, mentre va a dormire, c'è un uomo che a stento riesce a respirare. E che proprio per questo è più vivo che mai: respira meglio che mai. La vita si riduce essenzialmente allo stare in pace, e proprio per questo all'inquietudine.

«Ciao, mi chiamo Jaime e sono dipendente da te.»

Le riunioni che cambiano il mondo richiedono, in media, soltanto due persone. Quella che ama. E quella che è amata. E poi si cambia: quella che ama diventa la persona amata; la persona amata comincia ad amare. Tutti hanno paura della dipendenza, riescono a smettere solo quando il vizio diventa una dipendenza.

«Ho sentito un uomo che è riuscito a togliersi il vizio, sto andando ai suoi funerali.»

Complicità viene da complice. Una complicità estrema è tutto quello che basta a morire. E anche a vivere.

«Ho una memoria infallibile ma non ricordo più perché.»

La felicità non è di chi vive meglio. La felicità è di chi dimentica meglio (ricordatelo sempre).

«Ciao, mi chiamo Jaime e non so più come mi chiamo.»

SEI LA PERSONA migliore che ho in me.

Ti amo per colpa di chi mi ama tanto ma non sei tu, il male del mondo è che c'è tanta gente ma solo tu sei tu, e non perdono a Dio di aver creato milioni di possibilità, milioni di braccia e di abbracci, tante labbra, e nessuno che mi dia quello che mi dai tu. La crudeltà dell'amore è che ci priva della possibilità di altro amore. Quante vite ci vogliono per tornare a incontrarti?

Ti voglio per quel che sei – ma ti voglio ancora di più per quel che mi fai essere.

E sentire, soprattutto sentire. Ti guardo mentre dormi, il modo in cui ti muovi, la tua pelle in cerca della mia, e credo di esistere soltanto così, come colui che si occupa del tuo modo di sdraiarti, dell'odore della tua pelle, dello spazio minimo che insieme occupiamo nel letto. Può anche esserci il sesso, certo, ma lo spazio in cui siamo è quello in cui trovo il meglio che so essere. Amare così può non essere sano ma mi fa tanto bene.

Mi sveglio con te come chi si sveglia in paradiso.

Non importa come andrà la giornata, cosa diavolo dovrò sopportare, cosa dovrò fare perché la vita intorno accada. Ci sono tante cose che possono ferirci, tante lacrime che sappiamo di non poter sconfiggere, ma non importa quello che avverrà se alla fine di tutto c'è notte e ci sei tu, il nostro letto. Stendere il corpo e sentirti respirare è quanto basta, tanti inferni e il tuo istante in me, il più bello dei giorni è quello che ti riporta a me.

Mia madre non se la prenda, ma sei stata tu a darmi la vita.

Puoi pensare che siano solo parole, così facili da dire, quanti poeti non hanno già mentito all'amore? E si dicono tante idiozie per ogni frase utile, ma la verità è che mi è successa una cosa molto semplice: c'era un essere da amare e poi un essere amato. La vita accade solo quando si ama. Se il mondo lo comandassi io, l'anagrafe indicherebbe solo i dati dell'amore, avremmo un documento con la nostra data di nascita, «nato il 30 gennaio 2014», sceglieremmo il nome con la persona che amiamo, chi ha avuto l'idea di dire che diventiamo persone quando nasce il corpo non sa cosa sia l'amore. Nessuno esiste finché non ama, prima di te ero una strada che portava a me, un quasi me, una specie di me, ti ho amato per potermi veder nascere.

Se qualcuno vuole sapere dove sono, che cerchi te, e scopra chi c'è al tuo fianco.

ANCHE LE PAROLE servono ad amare.

Parliamo abbastanza da lasciare ancora qualcosa da dire. Arrivi stanco, il lavoro, la ditta, gli amici, il calcio, le bollette, lasci passare tutto attraverso gli spazi che non riempi, e quando ti abbraccio e ti chiedo com'è andata la giornata mi rispondi il «Come al solito» di sempre. Neanche un dettaglio, neanche una storia. Dove sono finiti i tempi in cui mi raccontavi tutto? Dov'è finita l'euforia di quando tra la vita e le parole non c'era nulla? Bastava che mi dicessi «ti amo» e in me tutto si calmava, due parole sole, non dovevi dire nient'altro, fare nient'altro. Che distanza c'è tra due parole e la poesia? Potresti restare come stai, il divano, la tivù e il tuo sguardo perduto, basterebbe una parola e io sarei tua per sempre, l'amore ha bisogno di tutto e anche di un po' di grammatica.

Un giorno o l'altro ti abbandonerò per amarti di nuovo.

A cena siamo due mondi diversi, ci scambiamo frasi come ci si scambia un piatto, restiamo alla superficie di ciò che è sempre più profondo, ci sarebbe tanto da trovare ma nessuno ha il coraggio di cercare, di aprire le falle, strapparle fino al principio delle ossa, strappare la carne di questa pace insostenibile che ci sostiene, e capire cosa rimane di noi, cosa resta di quel che un tempo sapemmo essere. E potrei cominciare io, potrei dirti che non ce la faccio più, che non mi interessa più, che fa troppo male, ma la verità è che sono vigliacca e preferisco inventare l'amore nel tuo abbraccio, inventare l'orgasmo nella tua necessità fredda, inventare il «ti voglio» nel tuo «scopiamo» vuoto, potrei essere coraggiosa e perderti per essere in grado di riconquistarti, ma ho paura che tu sappia di potermi perdere e resti vivo. Dove ci sono due infelicità c'è sempre perlomeno un vigliacco.

Oggi o ti seduco o ti uccido in me.

Ho cambiato i mobili per cercarti meglio, forse la geografia di una casa può riportarti indietro. Poi ho comprato dei vestiti nuovi, la gonna aderente, anche un po' di trucco, ho il tuo piatto preferito in forno, entri e ti sorrido, ti bacio con la lingua e tu ti meravigli, ti chiedo un abbraccio, che nostalgia del tuo abbraccio stretto, amore mio. Consegni le braccia, anche un po' della schiena e del busto, ma sei così lontano che neanche in sogno ti vedo, in quante parti ti dividi per rimanere intero? Ho voglia di arrendermi immediatamente ma insisto, amare fino all'ultimo è anche provarci fino all'ultimo, alzo un po' la gonna e ti chiedo il piacere, bisogna saper essere un po' puttana per saper amare del tutto, e quando sei venuto era già ora di andare.

Quando sarò pronta a vivere senza di te puoi venire a prendermi.

Così disse lei, aveva le valigie e non una parola in più, molte lacrime da piangere fuori di lì, voleva una storia da libro, l'amore romantico, il cavallo bianco, i baci con la schiena curva, possibilmente anche il principe azzurro. Lui non capì di aver sbagliato, aveva sempre fatto quello che c'era scritto nei libri, essere fedele, rispettarla, occuparsi dei conti ed essere un buon capofamiglia. Certe volte è la letteratura sbagliata a dividere una coppia.

TUTTE LE INFELICITÀ dovrebbero dipendere dall'amore, e anche tutte le felicità.

Sono orgogliosa del tempo che passo a piangere, della dimensione umana dello sguardo di un cane, dell'accarezzare le mani rugose di mia madre, dello spazio pieno di un abbraccio di chi desidero, e nulla nel dolore mi impedisce di credere all'amore.

Il coraggio è il lato eroico dell'amore, e anche il lato idiota.

E allora oggi gli ho detto che avrei voluto tenerlo disteso tra le mie braccia, gli ho parlato dell'occupazione della mia vita da parte della sua, gli ho raccontato tutte le storie di quando andavo in giro per strada cercando di vederlo, uscivo di casa al mattino, molto presto, ero adolescente e non avevo lezione, eppure uscivo prestissimo, salivo sull'autobus pieno all'ora di punta e non volevo saperne dei libri e di nient'altro, andavo in giro in cerca di lui, sapevo a che ora suo padre lo lasciava davanti al parco, sapevo che poi avrebbe fatto colazione con gli amici nella pasticceria Cunha, restavo a guardarlo senza mai prendere la minima iniziativa eppure non mi sentivo infelice. Avevamo tutta la vita per amarci e forse se mi fossi fatta avanti allora sarebbe stato troppo presto, e invece nel tempo non c'è nulla che mi impedisca di fermare il tempo.

Ho aspettato vent'anni per chiederti di sposarmi e poi dirti anche il mio nome.

E quando mi hai guardata e non ti sei sorpreso della mia richiesta né delle mie parole, ho capito che per tutti questi anni non abbiamo fatto altro che preparare questo minuto. Io sono stata più coraggiosa, ho già quasi quarant'anni e, anche se non sembra, il corpo non è più lo stesso. Ho paura che sia l'età a impedirti di volermi, non volevo rischiare troppo e perciò ho rischiato, tu non hai reagito male, un sorriso, un «sono già sposato, però grazie». Niente male, devo confessartelo, ci sono amori eterni che cominciano molto peggio, sappilo. Rispetto troppo l'ipotesi della tua felicità, non insisterò ad amarti e così ti amerò, sarai felice e lo dovrai a me anche se non lo saprai mai, e il fatto che tu non sia felice con me non mi impedisce affatto di sentirmi importante per la tua felicità.

Sono così felice per la tua felicità, e anche per quella di chi ti fa felice.

Poi un giorno il vento soffia a tuo favore. Come ora, mentre venivo via, il cielo carico e tutto pronto per l'ennesima tua assenza, e all'improvviso la tua mano sulla mia spalla, un sorriso semplice, come spiegare al mondo che l'inizio del sogno è quello che ci tiene vivi? Le tue parole come se fossero l'invenzione della vita, e nell'essere la donna più felice del mondo mentre mi baci non c'è nulla che mi impedisca di sentirmi infelice per ogni secondo in cui non mi baci.

Amami per sempre ma per favore amami soprattutto sempre, e anche immediatamente.

Sono orgogliosa del verificarsi di noi, e niente nel verificarsi di un futuro mi impedisce di essere incoerente.

Il piacere è il primo argomento, e anche l'ultimo.

«OGGI SMETTEREMO di essere razionali e saremo Uomini», spiega la donna, e lentamente si spoglia. Le parole servono soprattutto a spogliare, e ancora di più ad amare.

«"Mi va bene qualunque cosa" è l'espressione più maledetta che conosco, a nessuno può andar bene una cosa qualunque, nessuno dovrebbe condannarsi ad accettare qualunque cosa. A me va bene la certezza che ti amo, e poco altro.» Già la pelle nuda dell'uno è nascosta sotto la pelle nuda dell'altro, e la ragione di tutte le cose consiste a conti fatti nell'orgasmo.

«C'è chi si accontenta della spiegazione dell'impossibilità. C'è gente a cui basta capire perché questo non va e quello sì. C'è chi non vuole saperne di cosa potrebbe essere e preferisce capire solo cosa deve per forza essere. Non vedo, in questo letto, nessuna di queste persone. E faccio fatica a capirlo, ma è meraviglioso.» Forse ora stanno giungendo a un'intesa, almeno sull'utilità delle lenzuola e sul modo piacevolissimo di cadere a terra sembra esserci un consenso, così come sull'interessante capacità del letto di sopportare l'insorgere del piacere. Solo ciò che è stato creato per sopportare l'amore merita di esistere, anche tra le persone.

«Il mondo si divide in due gruppi di persone: quelle che capiscono la vita e quelle che sono felici. Solo ciò che è assurdo genera cambiamento, e se la vita non è cambiamento allora può anche darsi il caso che non esista la filosofia, o perlomeno una filosofia che mi spieghi viva. È molto facile fare quello che va fatto, e così dimenticare con leggerezza quello che può rimanere com'è. È molto facile fare quello che la ragione chiarisce, e non capire che la ragione del nostro esistere risiede nella semplice ipotesi di perderla per intero. Il libero arbitrio è il modo che ha trovato Dio per dire orgasmo.»

Potrebbero scegliere, dopo l'istante spropositato in cui il corpo si arrende, di equilibrare i futuri, lei potrebbe trovare uno spazio per lui nella sua routine, farlo diventare suo marito, dargli un angolino del suo letto sacro, lui potrebbe esserle devoto ogni giorno, elevarsi a capo della famiglia, della casa, della cucina e del bucato, potrebbero anche credere nella possibilità di conservare quell'impazienza felice per molti anni di fila, ma questo, lo sanno tutti, sarebbe completamente impossibile, e proprio perciò decidono di farlo davvero.

«Stare in te ventiquattr'ore al giorno può essere insostenibile, lo so, ma non starci è davvero insostenibile, ne sono certo.»

Quando si svegliano sono ancora uno accanto all'altra, nessuno dei due lo capisce e perciò si riaddormentano in pace. La vita va condivisa con la persona con cui si condivide il sonno, per quanto possa sembrare poco romantico, anche se poi non lo è.

«FAI L'AMORE e non la barba.»

Le tue mani su di me e io obbedisco, ovviamente, poso la lametta, quasi mi tagliavo il mento ma che importa? Ho voglia di dirti che amo la tua bocca e tutto quello che ne deriva ma non ho tempo, c'è troppo piacere da sentire e un corpo solo per reggerlo, e preservare un amore è liberarlo dal male, amen.

Ti amo davvero ma ho un segreto che non posso raccontarti, perché ci sono sempre parole che non posso dirti, gesti che non posso fare, ci sono cose che devono restare fuori da noi, e preservare un amore è liberarlo dal male, amen.

Ti amo davvero ma ho un segreto che non posso raccontarti, non è il segreto di come le tue labbra si aprono alle mie, no, e neppure quello dell'importanza della tua pelle per la tutela dell'equilibrio della mia natura, e meno ancora quello del momento in cui quando mi guardi dentro ho voglia di credere in Dio e solo dopo in te, e preservare un amore è liberarlo dal male, amen.

Ti amo davvero ma ho un segreto che non posso raccontarti, posso dirti che voglio continuamente dimenticarti, strapparti da me e non rivederti mai più, dirti questo già sarebbe troppo doloroso ma non è questo, anche perché dopo l'istante in cui voglio dimenticarti voglio ricordarmi di te per sempre, conservarti nell'istante inspiegabile della mia memoria, addormentarmi con il tuo ricordo addosso, o del tuo piacere quando entriamo dentro la notte e neppure la morte potrebbe impedircelo, voglio dimenticarti a ogni istante, come ti dicevo, e poi ricordarti per sempre, e preservare un amore è liberarlo dal male, amen.

Ti amo davvero ma ho un segreto che non posso raccontarti, non perché non voglia ma perché tu già lo sai, è l'unica possibilità, mi hai dato appuntamento alle dieci e non sei venuta, sono qui fermo e inquieto ad aspettarti e non arrivi, sono sicuro che sai già cosa avevo da raccontarti e non ti ho raccontato, mi faceva troppo male dirtelo, capisci? Posso sopportare tutta la vita che mi fa male purché non sia la tua, figurati quanto spazio occupano in me le tue lacrime, quanto mi fa male quello che ti fa male, e ora non arrivi ed è come se io non ci fossi, la strada continua ma io sono fermo, quando non ci sei non succede nulla, solo io e un segreto che non ti ho raccontato per paura di farti male, e forse ora ti fa male e io non sono lì, amare è anche essere pronti a dividere il dolore, e preservare un amore è liberarlo dal male, amen.

Ti amo davvero ma ho un segreto che non posso raccontarti, per nessuna ragione speciale, solo perché non è più un segreto ed è già troppo tardi per raccontartelo, ho un deserto insormontabile nel tuo lato del letto, quanti silenzi può sopportare la nostalgia? Preservare un amore in fin dei conti non è liberarlo dal male, ma è capirne il male e accettarlo come un bene, amen.

SEI LA DONNA più bella del mondo ma non mi vuoi, mi passi davanti e non mi fili, un ciao forzato mentre pensi a qualcosa che non mi racconti, forse neanche sai come mi chiamo, sono solo quel tipo grosso e disastrato che lavora con te, poco fa ho detto a Joana che prima o poi mi stancherò di essere tuo, ma non ora che ti amo tanto.

Sei la donna più bella del mondo ma faccio quasi fatica a crederci, spero ti piaccia questo ristorante, ho pensato per ore al da farsi, ho cercato su Internet i consigli migliori, ho immaginato in quale locale ti sarebbe piaciuto conservare la memoria di te e me per sempre per la prima volta, per fortuna Joana mi ha dato questa idea ed eccoci qui, a me sembra perfetto ma basterebbe che ci fossi e sapessi come mi chiamo perché tutto fosse giusto, sai, fra un po' ti giuro che mi riempio di coraggio e ti bacio, ma non ora che ti amo tanto.

Sei la donna più bella del mondo ma questo tempo non è di grande aiuto, vorrei guardarti meglio e nasconderti dentro i miei occhi senza bisogno di ombrelli, hai scelto il vestito più bello del mondo, Joana mi aveva già detto che una sposa più bella di te non c'era, ma in verità per me qualunque vestito andava bene, la chiesa già piena, dove li avevamo nascosti tutti questi amici?

Il prete ci guarda e sa che abbiamo trovato Dio, lassù probabilmente ci invidia, quello che conta è che ormai manca poco e poi sarai mia moglie e solo a pensarci sono scoppiato a piangere, scusa, sono così felice che non resisto, dammi solo qualche minuto per tornare a essere forte, ma non ora che ti amo tanto.

Sei la donna più bella del mondo ma non so se resisto a una casa così, tutto questo spazio occupato e un deserto intollerabile, vorrei credere nell'esistenza di noi, lottare per quanto ancora potremmo essere, ma quando arrivi non mi porti con te, c'è una strana sensazione mentre ti abbraccio, che diavolo mi manca per sentirti intera?

Joana dice che passerà e che facciamo ancora in tempo a essere felici per sempre, forse domani mollo tutto, ma non ora che ti amo tanto.

Sei la donna più bella del mondo ma se vuoi la verità non ti amo, Joana sull'altare non ci vede e io qui con te estraneo a tutto, come si fa a dire a qualcuno che ci siamo persi per strada? Il prete è lo stesso che ha sposato noi due, che vita assurda la mia, tanta gente, tanta paura, come si fa a interrompere con una proposta di matrimonio una cerimonia nuziale?

Un'altra volta, giuro, rinuncio a fare una follia come questa per amore, ma non ora che ho già sprecato troppo.

PERCHÉ SCRIVO, in fondo?

Tutti i giorni il dubbio, gli occhi stanchi eppure l'urgenza di una frase, scrivo per chiedere, nient'altro, oppure per cercare, ci sono troppe cose che fanno male e non c'è nulla che le spieghi, la vigliaccheria di Dio, soprattutto.

Che razza di gente governa il mondo?

Tante macchie sulla parete e nessuna mi nasconde a me stesso, vorrei tanto l'infanzia solo per non sapere come si giunge alla lucidità.

Datemi un po' di incoscienza ché la provo subito.

È chiaro che credo nel genio dell'Uomo, ma con lui arriva tutto quello che ferisce, nessuna invenzione è inoffensiva, neppure la poesia è inoffensiva, e quando scrivo so che esiste anche il pericolo di una lacrima, forse una lama, in fondo a chi mi legge.

Il giorno oggi è cupo, un clacson lontano, mia madre ammalata, la voglia stupida di cambiare il mondo, sarà che se chiudo gli occhi con forza il mondo cambia?

Mi sono già dilungato troppo e volevo soltanto scrivere che non so perché scrivo, e ho il timore che quando uno sa perché scrive non scrive un bel niente, sarò probabilmente scarso ma mai un burocrate delle lettere, lo scrittore può anche non scrivere ma non può assolutamente non sentire, ci sono tanti geni che si sono scordati di essere geniali.

Adoro mia moglie e ora ho voglia di piangere, temo che il genio sia chi piange meglio.

Datemi un po' di inconcludenza ché la provo subito.

Che idiozia è questo vivere varie vite, ne basta una per non tollerarla, qualcuno a una presentazione mi chiede autografi e mi chiama beato, ah, la magia dell'ignoranza, nessuno immagina cosa sia scrivere, neppure io, e perciò scrivo.

Per quante vite basta tutta la sofferenza del mondo?

Stamattina mi sento perduto, mi sono svegliato con le dita doloranti, l'indice ha scoperto la prima frase e il resto è quello che si vede, non so dove va a parare ma è già arrivato al fondo di me, cos'è quest'acqua che mi esce dagli occhi?

Sarà un personaggio che nasce, ed è tristissimo sapere che dovrò ammazzarlo.

Quanta morte nelle mani di uno scrittore, mio Dio, da grande voglio avere una vita sola, nascere, crescere e morire.

Chi ha bisogno delle dita per scrivere è uno scrittore monco, mi viene in mente ora, potrei scriverci su un'intera poesia ma mia moglie si è svegliata, serve sempre un bacio per calmare un artista, per fortuna non sono un artista e ho diritto a vari baci e anche a molti abbracci,

a presto,

datemi un po' di umorismo ché lo provo subito.

«OSCENO è soffrire», sente dire lei all'ultima fila dell'autobus, settantacinque posti a sedere, trentadue in piedi, più di centoventi persone dentro e tanti posti vuoti, un uomo e un altro uomo e una conversazione strana nella fila davanti. Non è normale trovare parole come queste un lunedì mattina alle otto, la vita ci impedisce di pensare alla vita, la grande utilità del vivere è che ci impedisce di guardare, nessuno pensa al senso della vita quando è occupato a lottare per tenersi vivo.

«Oppure l'oscenità della morte», lo stesso uomo nella stessa fila, lo stesso autobus, non ne conosce il volto ma l'attraggono all'improvviso i suoi capelli. Che strana che è la vita quando si ama senza sapere come, forse è proprio così, forse deve essere così, amare è sempre senza sapere come, quando si ama e si sa come, in effetti, può anche esser bello ma non è amore, piacere forse, ma non amore, amare è questo, un uomo che parla con un altro uomo e ne conosciamo soltanto i capelli e già lo amiamo follemente, si amano prima le parole e solo dopo si arriva alla persona, in principio era il verbo, e solo dopo venne il servo.

«È l'ipocrisia che è oscena», la corsa sta finendo e non può finire, l'uomo parla con l'altro uomo, osceno è volerlo già tanto e non sapere come, non importa perché quando la grande questione è come. Lei potrebbe sapere come si chiama, forse chiederlo a qualcuno che lo conosca, la città è grande ma qualcuno dovrà pure conoscerlo, no? Poi potrebbe casualmente sedersi a fianco a lui e a quell'uomo, oppure di fronte, a qualcosa dovranno servire questi sedili che ci costringono a guardarci in faccia, e poi dal nulla, chi lo sa, potrebbe esporre la propria teoria sull'oscenità, che comincerebbe in modo semplice.

«Osceno è amarti», quindi diventerebbe rossa come un peperone, la pelle è incapace di mentire, si sa. Lui la guarderebbe e con un po' di fortuna arrossirebbe anche lui e dopo pochi minuti sarebbero già in un caffè seduti a un tavolino all'aperto oppure, Dio le perdoni questo pensiero, in una camera da letto, si sentirebbe così oscena e neanche così le mancherebbero le parole.

«Osceno è non scopare», è stato un cazzotto e un bacio allo stesso tempo, del resto a che serve ciò che non dà un cazzotto e un bacio contemporaneamente? La corsa è finita e lui ha concluso con quella frase, lei ha concordato, era ancora lontana dalla sua fermata abituale, il negozio andava aperto entro le dieci come sempre, cosa si fa quando non c'è nulla di decisivo a influenzare la nostra decisione? Poteva perdere il lavoro ma non poteva perdere quel momento, fu quello che pensò e lo annotò mentalmente, aveva appena concepito la sua filosofia di vita, la sua nuova filosofia di vita. "Posso perdere il posto ma non posso perdere il momento", si ripeté di nuovo, una volta, due, lui davanti a lei, due o tre passi più in là. Lo aveva già visto di profilo, un naso allungato, perfetto, uno sguardo cupo, profondo, quanti sguardi servono per diventare ciechi per sempre?

«Posso perdere il lavoro ma non posso perdere quest'attimo», e stavolta lui sentì. Solo chi non ha mai amato può affermare che il tempo non si ferma.

«Avevo paura che non venissi», e nessuno dei due lo chiamò bacio anche se le labbra erano unite e anche le lingue e tutto quanto, lo chiamarono sempre «quello», non spiegarono mai perché, eventualmente perché non trovarono una definizione migliore, o forse perché il contrario di «questo» è «quello», e se l'amore non è ciò che ci toglie da questo per immetterci in quello allora non serve a niente.

«Osceno è non scopare»,

e furono pudichi almeno tutta la notte.

MANGIA UNA CROSTA di pane duro, ed è felice, quel bambino per strada, e se ne infischia di tutto. C'è nella gente felice una morale accondiscendente, una specie di distacco soddisfatto.

Le mani piccole, magre, lo sguardo che sorride, cammina come se saltasse, o addirittura come se volasse, ho voglia di abbracciarlo e tenermi lontano da lui nello stesso tempo. Quante cattiverie può fare un angelo?

Fa molto freddo, e lui è felice, mentre a me fanno male le ossa. Prima o poi esplodo dentro, giuro, e quel monellaccio ha una maglietta fina e sa solo sorridere, gli occhi intorno, spalancati, ogni istante è una scoperta. Quando ho perso la capacità di guardarmi intorno?

Ho sempre questa mania di fare spropositi. Ora, per esempio, mi porterei a casa quel bambino, gli darei tutto quello che gli manca, anche una scuola, perché no? Ma poi lo guardo con attenzione e capisco che solo in strada si sente a casa. Da quante case può scappare una persona libera?

È così solo, ed è felice, si ferma davanti a un adulto in giacca e cravatta e gli stende la mano. Sventurato non è chi non trova, sventurato è chi non sa cosa cercare.

Gli parla della sua famiglia povera, della sua vita povera, del suo destino povero, poi accenna una posa miserabile, scommetto quasi che sta davvero piangendo.

Il teatro è nato nel ghetto, ne sono sicuro. Ha la faccia macchiata di nero, l'ho visto poco fa sporcarsela apposta, e in pochi secondi ha in mano una moneta o due, non saluta e va via di corsa. Quante monete servono per essere milionari?

È un gran bugiardo, ed è felice, non si sa dove vada, né da dove venga. Cosa gli è capitato nella vita?

E io qui a inseguirlo, una mattinata intera spesa a sapere chi può essere, vorrei capire cosa mi muove ma mentre non lo capisco mi muovo.

Capisco ora che si è accorto che lo seguo, come avrebbe potuto non accorgersene se sono certo che conosce perfino il senso dell'esistenza, quel maledetto? Mi guarda regolarmente di sbieco e quasi indovino il suo sorrisetto, nascosto in un angolo immondo, quando per via di una macchia d'olio sulla strada cado lungo disteso e sbatto il naso sull'asfalto. Qualcuno mi aiuta, mi sollevo a stento. Quando dobbiamo alzarci da terra vediamo finalmente quanto cazzo siamo vecchi, realizzo.

E là in fondo, all'inizio del viale, eccolo là, che mi guarda e mi sorride, un piccolo vincitore che brinda al grande sconfitto, e poi corre via lontano. La mia incapacità mi impedisce di andare con lui. Di quante cadute ha bisogno un eroe?

È così crudele, ed è felice. Tornare a casa è una fatica, è chiaro che le gambe fanno fatica, la schiena è affaticata e perfino i piedi lo sono, ma la fatica maggiore è non sapere che fine ha fatto lui.

C'è in me un appetito vorace di storie intollerabili.

Mi siedo sulla sedia a dondolo e scrivo queste parole, un racconto che provi ad andare a prenderlo, vuoi vedere che lui legge, nonostante tutto? Lo immagino sotto il suo ponte favorito, con il giornale in mano, mentre vede la mia foto in cima alla pagina.

«Guarda il vecchio che ho umiliato l'altro giorno», e stende la sua testa piccola sulla pagina, «oggi sarai il mio cuscino, vecchio.»

Non capisco le lacrime che piango per lui se sono io il vecchio che non ha altro che una casa. Quanti senzatetto ci sono nei palazzi della città?

Lo invidio tanto, e sono felice.

«È NOI.»

Un errore di concordanza con l'accento del Nord, si può amare un accento?

Un singolare che si unisce a un plurale, una costruzione impossibile eppure così perfetta, le mani di lei sulla mia faccia, poi gli occhi grandi, l'interno delle vene, e io mi sciolgo tutto.

A che serve questa porcheria di grammatica quando un errore è così bello?

«È noi.»

Non crede nelle persone cattive, non crede nel perdonare, crede nell'andare fino in fondo ai tentativi.

«O la felicità o la morte», mi ripete all'infinito.

Ieri è comparsa qui vestita da sirena, guarda guarda, a stento riusciva a camminare e rideva tanto, è una pazza ma solo con lei io mi mantengo sano. Non so cosa scrivere per poterla descrivere come si deve. Un giorno o l'altro mi invento un teatro dei pazzi, o uno spettacolo di gente vera, o un romanzo di folli, qualunque cosa renda omaggio a lei, qualunque cosa. E nel frattempo mi dedico ad amarla e temo di non superare questa fase.

«La gente è strana, sai?» mi domanda.

Mi sta già coprendo di baci, mi ha già tolto i pantaloni e cerca già l'inizio dell'orgasmo, ma neanche questo le impedisce di spiegarmi la razionalità delle sue scelte. Anche la filosofia serve a dare piacere, almeno la mia.

«L'unica idea che ammetto è il valorizzare chi amo, capisci?»

Io dico di sì, lei ride forte, mi tocca con la lingua lievemente la pelle, trova un altro centimetro vergine e a me vengono i brividi. C'è un'immensità di brividi e una vita sola, per gli anni che viviamo abbiamo corpo in eccesso da esplorare, accidenti.

«Ammetto soltanto l'idea di rispettare chi amo, capisci?»

Vivere in fondo è semplice, ho passato i miei giorni migliori a cercare fondamenti complessi e la vita alla fine è così semplice. La gente è strana, si complica la vita, ecco cosa penso per un secondo o due, non di più. C'è una specie di corrente elettrica che mi alimenta il cervello, giuro che non so in che punto mi ha toccato ora ma sono vivo, pensare è una noia grande quando invece si può agire.

«La gente ama senza guardarsi dentro, capisci?»

Ha senso, quando la sua bocca si aggrappa alla mia non trovo nulla che non abbia senso, in verità, ma ha un senso, dicevo, così magari riesco a concludere il ragionamento, o almeno ci provo. Ha senso perché la gente è strana e quando ama non si ama, mi piacerebbe scrivere tutta una tesi sulla necessità di non essere assolutamente nelle mani di qualcuno ma lei mi sta addosso e non ho tempo.

«È noi», e nonostante tutto chi comanda su di me sono io, chi crede di essere questa qui? Chi comanda su di me sono io, sia chiaro, so che sono io e che farò sempre e soltanto quello che voglio.

Basta che lo voglia anche lei.

ODDIO, quanta gente rovinata al volante!

C'è una specie di condivisione oscena quando ci si ferma al semaforo, la città sta tutta in mezza dozzina di macchine, l'interno degli occhi, il tassista che mi racconta la storia di sua madre, poveretta, che riposi in pace. Accanto c'è una donna di mezz'età, o forse più giovane ma che sembra di mezz'età o quasi di terza età.

I volti sono cose strane, vero?

Qualunque volto nasce con la facoltà di mentire prodigiosamente, basta questo a farci capire perché siamo venuti al mondo, perché siamo nati. Se non bisognasse mentire saremmo completamente incapaci di farlo, è un po' come volare.

I peggiori sono quelli che volano meno, su questo non ho dubbi.

Il tassista continua a parlarmi di sua madre, la donna di mezz'età guarda nel vuoto, si strofina a volte i capelli biondi, alza il volume della radio, vorrei sentire cosa ascolta per sapere meglio cosa sente, ho bisogno di conoscere le persone, indovinarle, scrutare stati d'animo.

Qualcuno sa dirmi chi ha inventato la tristezza?

Dall'altra parte un bambino, di dieci o undici anni, fa disegni sul vetro con le dita, lo ha appannato con il suo stesso fiato e scrive lettere sui disegni.

L'infanzia è l'inizio della felicità, e anche la fine.

Quando ero piccolo mi nascondevo per vedere il mondo, ora mi basta un semaforo. Qualche secondo al giorno e sono pronto a scrivere, tutti i personaggi del mio libro sono persone che esistono anche se le invento, lo scrittore è quel soggetto che riesce a inventare quel che già esiste, proprio così.

La madre del tassista è una brava persona, voleva che il figlio studiasse. «Voglio che diventi medico, figlio mio», ma certe persone sono schive e fanno scelte inaspettate. E poi c'è l'amore, certo, una donna qualunque ha cambiato la vita di quest'uomo, chissà se l'ha cambiata in meglio.

Chissà cosa avrebbe potuto fare, ma di certo non avrebbe mai potuto amare tanto una donna.

La ama tanto e la mia tristezza aumenta, il ragazzino continua a disegnare e scrivere, non si accorge neppure che lo sto guardando, l'ingenuità è troppo bella per poter durare a lungo. La signora di mezz'età non ce la fa più e piange, non sa che la vedo e si lascia andare, avrà un marito a casa, dei figli, una cucina da pulire. C'è un rapporto difficile tra una cucina da pulire e i sogni di una vita, va' a capire perché.

«Potevo fare il medico ma sono felice», la frase del tassista è la più brillante filosofia di vita che abbia mai conosciuto.

Potevo fare il medico ma sono felice, gli do una banconota e gli dico di tenersi il resto, guardo per un attimo o due il ragazzino e la signora. Mi congedo, auguro buona fortuna a tutti e soprattutto a me, scendo di corsa dal taxi e vengo a cercarti, sei poco raccomandabile e mi impedirai di scrivere, ma al diavolo!

Non so perché ci ho messo così tanto a capirlo però sono ancora in tempo, speriamo tu mi capisca, la cosa più importante è che ti amo e che ormai l'ho accettato.

Potevo fare lo scrittore ma tu mi fai felice,
vuoi?

«SCOPAMI come un riccio ma mai come un poeta.»

E io ti guardo all'interno della frase, potrei scrivere tutta la vita sul modo in cui il tuo corpo si mischia alle tue parole, e forse non faccio altro.

Amare soavemente è offensivo, perfino osceno, una forma di finzione, forse.

«La poesia è bella ma non sono mai venuta coi versi, devo confessartelo.»

Le tue mani e l'estensione diabolica del mio sesso. Sono stati gli animali a scoprire il piacere, l'origine dell'Umanità è avvenuta all'origine del piacere, soltanto un essere evoluto capisce l'orgasmo, e come raggiungerlo.

Una casa senza orgasmi è una casa del terzo mondo, o del quarto.

«Dài, vieni, possiedimi, non è poesia ma può essere arte lo stesso.»

Ti obbedisco come posso, e posso tutto, la letteratura si conclude nel modo in cui ti stringo. Il sangue grezzo è il poema completo, il mistero cieco di ogni salvezza. È dalle vene, e non dal naso o dalla bocca, che il corpo respira.

«Rubami il fiato immediatamente per mostrarmi il miracolo di ogni ispirazione.»

Amarti è un'epifania, un attimo di felicità che non passa, ci sono parole straordinarie e «sono tua» è una parola straordinaria, anche se in realtà sono due.

La tua bocca e queste parole servono a spiegare l'esistenza di Dio, e soprattutto la mia.

«Mai nessun libro mi ha dato un orgasmo così forte, vallo a dire ai signori del Nobel e digli che ti mando io, va bene?»

Per un attimo non sapevo se ridere o piangere. Il libro migliore è quello che genera la libidine? Bastavano due secondi a rispondere ma lei era a due secondi dal venire, e io con lei.

Essere poeta è anche essere più bravo, è godere di più, scegliere chi baciare, e io ho scelto, sì.

«In un secondo o due cristallizzi in me tutto il senso della vita: prendi questa, Sun Tzu, e portala anche a Confucio!»

«Oh, sì!»

«Ho detto proprio così, ma soprattutto sono venuta.»

Se non fossi tragica saresti comica,
e mi fai ridere sempre.

HAI PENSATO a che razza di fortuna è il fatto che ci sia un domani? Hai visto? Siamo qui, oggi, tutti e due. E il domani può esistere. Domani può davvero esistere. Essere qui, soltanto oggi, solo per ora, solo per questo istante e per tutti questi istanti di oggi, già è favoloso, diamine. Ma che ci sia un domani, che ci sia perlomeno la possibilità di un domani, è proprio incredibile. Incredibile. Vero? Immagina di piombare qui, sulla Terra, senza sapere come. E cominciare a vivere. Cominciare a sentire tutto quello che c'è da sentire (e c'è così tanto da sentire, vero? L'odore degli alberi, quei dannati uccelli che volano, ma come fanno? come? E poi le persone, sì: le persone sono una cosa davvero incredibile… sembrano impossibili. Le persone sembrano impossibili. Così complesse e uniche. Non ce n'è una uguale all'altra, in niente. È tutto diverso. Il modo di toccare, gli occhi. Che storia. Gli occhi sono una storia incredibile, vero?)… E poi tu arrivi qui, come ti dicevo, atterri qui e immagina, immagina davvero, prova a immaginare, che non ne sapevi nulla finché non arrivi qui. Arrivi qui da adulto, atterri qui da adulto e sei stato chissà dove, sei stato chissà che, ma non umano, non hai vissuto tutto questo da umano, e arrivi qui e vedi tutto questo e cominci a sentirlo. E tutto comincia a entrarti nelle vene, a scorrerti nel sangue. E hai voglia di piangere. Dài, non rompere. Non rompere, non hai chance: se cadessi qui e cominciassi a sentire tutto questo mondo entrarti dentro all'improvviso per la prima volta, dovresti per forza piangere, caro mio. È tutto troppo grande, troppo intenso. È troppo impossibile, sai? È come se questa porcheria non esistesse. Il fatto che viviamo come viviamo, con tutte queste possibilità (puoi correre, saltare, urlare, odorare, toccare, assaggiare, ascoltare... e amare, caro mio. Amare è il massimo. Amare è proprio impossibile. Immagina che arrivi qui e all'improvviso ti accorgi di amare, di avere l'incredibile capacità di amare. Cosa dev'essere questa storia dell'amore per uno che arriva qui all'improvviso! Dev'essere da panico, pensaci. Dev'essere una cosa che ti fa venire voglia di rimanere fermo a sentire quella cosa lì. Sono così tante, le possibilità, hai tante cose a disposizione per il semplice fatto di essere qui. Devi solo esserci. E le cose sono qui, e anche le sensazioni)... Credo di essermi perso di nuovo. Ah, ti dicevo che con tutte queste possibilità vivere è come se non esistesse. È come stare in uno spazio immaginario. Ed è questa la magia del tutto. La magia è proprio questo: niente esiste, caro mio. Niente di tutto ciò esiste se non esisti tu. Almeno per te. Tutto questo è tuo. Tutto questo è, soltanto perché tu sei. Tu sei e questo esiste ed è questa cosa immensa che sembra impossibile. Se tu non sei, questa cosa non esiste, sparisce, caput, finito, game over, capisci? Ma credo di aver già parlato troppo e magari non hai ancora capito cosa voglio dire, non l'hai capito dall'inizio. Aspetta che ricomincio daccapo. Allora: la cosa fondamentale che voglio dirti è questa: domani è un giorno nuovo. Capisci la grandiosità di questo fatto? Questa merda è così grande e così devastante anche per un giorno solo, anche per pochi minuti. Se tu fossi qui, piombato qui dal nulla, per un minuto o due appena, andresti via con l'idea che questa fosse stata l'esperienza più bella della tua vita, la migliore fottutissima esperienza della tua vita. Ti basterebbe anche solo un minuto, caro mio. Ed ecco qua: saresti vinto, scioccato. Ti basterebbe un minuto e saresti felice per sempre. Ma no, bello mio. No, caro. Tu avrai, e con un po' di fortuna lo avrai molte volte, un domani. Domani ti sveglierai (anche dormire è fantastico, perfino dormire è un'esperienza limite, una morte dei piccoli, entrare in un altro territorio, vivere altre vite nella tua; cazzo, è favoloso. Favoloso. Ma non ne parliamo, altrimenti non la smetto più)... Domani ti sveglierai e avrai di nuovo la possibilità di tutto. Puoi sentire lo stesso e sentirai lo stesso, e puoi anche sentire di più. Ancora di più, hai capito? Altre cose nuove. Altre cose per la prima volta. Puoi baciare come non mai, mangiare come non mai, vedere cose mai viste, dire e sentire cose mai sentite, fare cose mai fatte. È incredibile, eh? È un miracolo. È un dannato miracolo. Una storia impensabile. Domani puoi svegliarti e cambiare tutto o lasciare tutto uguale. Ti svegli e hai tutto in mano. Il mondo intero, tutta questa immensità, di nuovo. Sembra impossibile, vero? E hai ancora la faccia tosta di piangere tanto, di lamentarti tanto, di martirizzarti tanto. Metti giudizio, piuttosto. Non farmi perdere la pazienza. Sparisci, va', e prova a essere impossibile. Soltanto un'altra volta. E poi un'altra, va'. Sii impossibile. Finché non sarà davvero impossibile.

QUANDO MORIRÒ, voglio tutta la famiglia viva al mio fianco, provare il whisky per la prima volta, e una sigaretta solo per vedere che sapore ha, già che ci siamo.

Credo nella morte come credo nella vita, se sono qui ed esisto per qualche motivo, forse un giorno smetterò di esserci per lo stesso motivo.

Poi riunirò tutti e andremo al cinema, tutta la famiglia in un cinema solo, affitto il cinema di un centro commerciale e ce ne stiamo lì tutti a guardare il grande schermo.

Voglio una commedia romantica, di quelle cretine, senza nessuna densità, solo per ridere tra di noi, solo per fare un po' i cretini insieme. Può essere *Notting Hill*, per esempio, ma se ne conoscete una peggiore accetto suggerimenti.

Arriverà anche João con due o tre amici, tutti quelli che ho, non sono mai stato bravo a fare amicizia, e certi amici neppure sanno chi sono e cosa faccio, Dio li scansi e soprattutto scansi me.

La morte a quel punto sarà in arrivo, più o meno a metà film, ma una morte allegra, una morte bambina.

Ho già immaginato tutto, una gonna da liceale, occhiali da sole finti, di quelli colorati, vanno bene anche quelli di Hello Kitty, si può fare pubblicità alle marche? Una bambina tutta allegra che mi aspetta in un parco della città, può anche piovere, poco importa.

La morte dev'essere una bambina allegra che mi aspetta in un parco ed è bellissimo morire così, vero?

Vorrò anche i miei gatti, certo, avete mai visto dei gatti in un cinema? Tutti che li coccolano, li trattano da pari, i gatti. E siccome io sarei lì per morire, loro si farebbero trattare da pari, sono molto umili e mi vogliono bene, non gli dispiace scendere un po' di livello per qualche istante, sono adorabili.

Quando la trama del film raggiungerà l'acme, con la coppia che si separa, e tutto sembra non avere una soluzione possibile e tutti sanno perfettamente che la storia può soltanto finire bene, allora io mi starò spegnendo del tutto. Vorrei cominciare dagli occhi, per poter dedicarmi soltanto a sentire, alle emozioni.

Si sente meglio a occhi chiusi, te ne sei mai accorto?

Niente che conti nella vita si fa a occhi aperti: l'orgasmo, il sogno. Di certo morire è una cosa bella, perché se consiste soprattutto nel chiudere gli occhi per sempre non può essere una cosa brutta, giusto?

Non mi andrebbe di dire troppe parole, e meno ancora di soffrire, soffrire è una bastardata. Quando morirò spero di poterlo spiegare meglio, il dolore deve avere una ragione che mi sfugge, e forse è una ragione interessante e riderò alla grande quando la scoprirò, speriamo!

Mi limiterò a ringraziare tutti, senza dare troppo fastidio perché il film starà quasi per finire, e io con lui, chiederò a tutti di non dimenticarsi mai del lieto fine, ovviamente, ma neanche della trama felice.

È il cammino a definirci, e non la destinazione. Alla morte ci arriva chiunque, ci hai fatto caso?

Smetterò allora di ascoltare, resteranno gli odori, i ricordi, la voce di mia madre quando mi baciava, il tono di mio padre quando mi abbracciava, il clacson delle macchine, la meraviglia del vento alla finestra.

Se ti dicono che puoi ancora avere tutto questo, sei felice o no?

Starà arrivando più o meno a questo punto l'attesissimo finale, con la famiglia emozionata, per il film e non per me, ché io non lo permetterò.

Sto solo morendo e non è per niente triste quando si muore come voglio morire io.

L'ULTIMA PARTE che voglio veder andar via è la mia mano, ne basta una, la destra o la sinistra fa lo stesso.

Gioco a ping-pong con la stessa qualità in entrambe le mani, posso anche morire con la stessa qualità in una mano o nell'altra, su questo non ci sono dubbi.

Una morte ambidestra è chic, no?

Resteremo io e te completi all'interno della mia mano, sentirò la prima volta, sul treno rapido Porto-Lisbona, io dentro i tuoi stivali alti, ce li hai ancora, vero? Digli che li amo, ti prego.

Potrei anche fermarmi agli stivali, ma non resisterei alla voglia di passarti la mano per tutto il corpo, capire tutte le tue rughe, finché, finalmente, i personaggi principali del film stanno già correndosi incontro e sembra che non arriveranno in tempo, vero?

La tua mano mi calma la paura. Per quanto la morte sia una bambina felice che gioca nel parco, fa sempre molta paura, tu mi capisci, vero?

E infine smetto di esistere.

E vissero insieme felici e contenti,
per sempre.

Ti amo.

Anch'io.

Questo libro nasce dalla collaborazione attenta e creativa di molti dei miei lettori e fan – che quotidianamente mi hanno dato suggerimenti, approcci, emozioni e vita. Di seguito cito, con un grande ringraziamento, i nomi di coloro che sono presenti, in modo diretto, dentro quest'opera:

Bárbara Teixeira, Michelle Pereira, Diana Lindberg, Lia Wolf, Verónica Louise, Andreia Catarino, Pedro Pinto, Ana Luísa Rocha, Susanita Agudinho, Sílvia Sousa, Marisa Santos, Leonor Borges, Márcia Pereira, João Mateus, Paulo Luís, Isabel Gradil, Gilane Alexandrino, Cátia Gonçalves, Maria Rigollot, Ricardo Antunes, Mónica Brito, Vânia Magalhães, Luís Maúco Monteiro, Isabel Alvarrão, Raquel Loureiro, Márcia Soares, Maria do Céu Lourenço, Raquel Abílio, Teresa Pais, Maria Figueira, Portoghese Língua, Carla Lopes, Isabel Eduardo, Maria João Carneiro, Isabel Duarte, Maria João Gamelas, Hélia Bordalo, Marrakesh Porto, Dolores Fernandez, Maria Helena Guedes, Célia Raposo Caldas, Guida Jesus, Bruno Lúcio, Catarina Ferreira, Susana de Castro, Manuela Soares, Tiago Do Paço, Cristina Palma, Frederico Fernandes, Sara Rabeca, Abraçar O Tempo, Estela Gomes, Mafalda Nogueira, Estela Machado, Carlos Da Silva Morais, Afonso Jorge, Ana Cartaxo, Zi Romanò, Ana Pereira Jorge, Verónica Abreu, Isabel Terroso Costa, Sílvia Rodrigues, Maria João Dias, Manuel Rodas, Sílvia Lisboa, Lúcia Soares, Diana Freitas Nogueira, Patrícia Carvalho, Carla Esteves, Circe Bernardo, Andresa Gil, Mafalda Macedo, Adelaide Sousa, Artur Albuquerque, Maria Homera Barbosa Moutinho, Diana Dinis, Maria Clara Dinis, Gaivota Voa Voa, Brisa Lá, Edgar Gouveia, Dinis Couto, Olívia Lopes Silva, Sofia Arez Theotónio, Fernando Lopes, Verónica Pereira, Filipa Pires, Preciosa Pires, Rita Frade, Dora Toledo, Patrícia Almeida, Isabel Loureiro, Helena Rocha, Deolinda F Barradas, Hugo Gonçalves, Flávia Miranda, Carlos Coutinho, Carlos Marcelino, Ana Carvalhosa, Teresa Isabel Brêda, Carla Ramos, Alexandra Sousa, Raquel Piteira, Helena Isabel Vieira, Sara Coutinho Varino, Filipe Silva, Tania M.C. Alves, Rui Bispo, Anabela Teixeira, Maria Lino, Pedro Sousa.

Evviva la pornografia dell'essere vivi e adorare la vita.

Finito di stampare nel mese di agosto 2015
da Grafica Veneta s.p.a., Trebaseleghe (PD)